自己流で何とかならなくなったので、Excelをイチから教えてください！

榊 裕次郎 著

ナツメ社

はじめに

「Excelを使う時間を減らすためにExcelを学ぼう」

これが本書のコンセプトです。Excel講師として活動するなかで「どうしてExcelを学ばなければいけないのか」と聞かれたとき、私はいつもこう答えています。

「専門職で就職したのに、ほとんどの時間をExcelに費やしている」という悩みもよく聞きます。
Excelをきちんと勉強する機会のないまま、自己流で何とかやり過ごしてきたという人も少なくないでしょう。
こうした状況でExcelに縛られ、Excel作業にストレスを感じていると、仕事の質・精度・満足度が引き下げられてしまいます。

本書は、同じようにExcelが苦手で仕事もスムーズにいかない主人公リコちゃんの漫画をベースに構成しています。
Excelの操作ができずに力を出し切れなかったリコちゃんが、Excelを学ぶにつれて本来の力を発揮していくサクセスストーリーは、漫画だけでなく、現実でもよくあることです。

まずは「脱初心者」。Excel操作の時短を目指す、最初の一歩をふみ出しましょう。Excelの操作時間をどんどん減らして、自分の時間を取り戻してください。

本書は、私の10年以上のExcel指導の経験から、最重要ポイントをまとめました。

ストーリーを読み進めるうちに、基本操作からデータ入力、表作成、印刷、関数、グラフ、ピボットテーブルまで学べるよう、ひと通り盛り込んでいます。

書籍を読みながら自分でも操作できるように、サンプルファイルも多数ご用意しています。

本書が、みなさんのExcel操作の時間短縮にすこしでも貢献できれば幸いです。

榊 裕次郎

本書の特徴

漫画&会話文で、どんどん読める

Excelが苦手な主人公が、困りごとや課題を乗り越える物語の中でExcel操作を習得していきます。読み進めるうちに、主人公と一緒に「脱・Excel初心者」へ！

● キーワード

そのページ（項目）で学ぶ機能名やポイントがわかります。

初心者あるあるをチェック！
つまずきやすい
7つの穴に気を付けよう
よくあるミス
売上集計も分析もまかせて♡
Excel マスター
よーし、Excel先輩みたいになるぞ～！
あれ？
先輩がExcel使ってるところ、あんまり見たことないかも？
売上表送りました じゃっ
いつも飛び回っているような…
ひょっとして先輩も夜中にやってた…？
あんなにたくさんいつやるの
得意な人ほどExcel使う時間は短いものだニャ
ですよね～
リコと一緒にすんニャ
そんなワケないニャ！
なるほど～。Excelが得意な人は、パッと作業を終えていたのね。それならExcelを勉強するほど、Excelに費やす時間が減る♪ってことね！
その通り！　まず、初心者が陥りやすい7つの穴を紹介するからチェックするニャ
38
初心者あるある
1 何でも手入力してしまう
Excelに備わっている入力方法を知らないと、あらゆるデータを地道に手入力することになります。時間がかかるうえ、入力ミスが起きる危険もあります。
日付
曜日
20XX年8月1日 月
20XX年8月2日 火
20XX年8月3日 水
20XX年8月
これを3カ月分も…!?
カタ
月火水…
20XX年8月…
カタ
レッスン1
はじめに知っておきたい　Excelの基本の「き」
Check! オートフィル ➜P56
連続するデータは「オートフィル」機能を使うと、一瞬でデータ入力が終わるニャ
え～！　そんな裏ワザがあるの!?　私の手入力だって、けっこう速いと思うけど……
その何十倍も速くなるニャ…！　ほかにも「コピペ（コピー&ペースト）」を使いこなすと、グッと効率的だよ
Check! コピペ ➜P61
39

● Check!

登場した用語がよくわからないときは、参照先の解説ページをCheck!

ご購入・ご利用の前に

本書は、2022年12月現在の情報に基づいて、Excel 2021およびMicrosoft 365のExcelの操作方法について解説しています。WindowsやOfficeのアップデートによって、ご利用時に、本書の記載内容の通りに操作できなくなったり、機能や画面表示などが異なったりする可能性があります。ご購入・ご利用の前に、OSやExcelの対応バージョンをご確認ください。本書の内容に基づく運用結果について、著者および株式会社ナツメ社は一切の責任を負いかねますのでご了承ください。

ネコ先生の解説で操作方法を学ぶ

Excel の画面を示しながら、詳しい操作方法を説明しています。

● 手順解説

Excel の画面に沿って操作の手順を紹介。わかりにくい内容は、ポイント解説で補足しています。

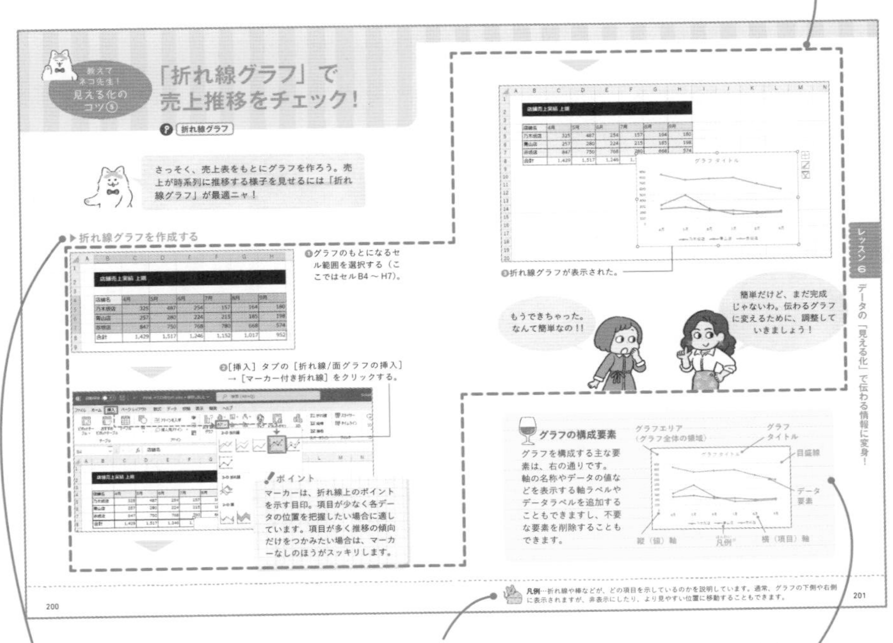

教えてネコ先生！ 見える化のコツ⑤

「折れ線グラフ」で売上推移をチェック！

折れ線グラフ

さっそく、売上表をもとにグラフを作ろう。売上が時系列に推移する様子を見せるには「折れ線グラフ」が最適ニャ！

▶折れ線グラフを作成する

❶グラフのもとになるセル範囲を選択する（ここではセルB4～H7）。

❷［挿入］タブの［折れ線/面グラフの挿入］→［マーカー付き折れ線］をクリックする。

ポイント

マーカーは、折れ線上のポイントを示す目印。項目が少なく各データの位置を把握したい場合に適しています。項目が多く推移の傾向だけをつかみたい場合は、マーカーなしのほうがスッキリします。

❸折れ線グラフが表示された。

もうできちゃった。なんて簡単なの！！

簡単だけど、まだ完成じゃないわ。伝わるグラフに変えるために、調整していきましょう！

グラフの構成要素

グラフを構成する主な要素は、右の通りです。軸の名称やデータの値などを表示する軸ラベルやデータラベルを追加することもできますし、不要な要素を削除することもできます。

グラフエリア（グラフ全体の領域）

グラフタイトル

目盛線

データ要素

縦（値）軸

凡例

横（項目）軸

凡例…折れ線や棒などが、どの項目を示しているのかを説明しています。通常、グラフの下側や右側に表示されますが、非表示にしたり、より見やすい位置に移動することもできます。

レッスン6 データの「見える化」で伝わる情報に変身！

200

201

● 操作の内容

何の操作なのか、具体的に示しています。

● 用語・メモ

ページ内に登場した用語のひとこと解説や、補足情報を掲載しています。

● ミニコラム

その項目で解説している操作や機能に関連した情報をまとめています。

気になる
Excel用語があったら、
さくいんを見てみよう

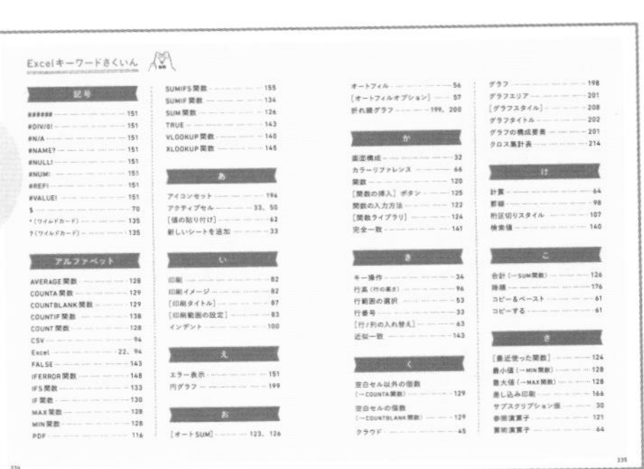

Excelキーワードさくいん

234

235

実際にExcelを使ってみよう！

サンプルファイルの使い方

一緒に
やってみよう！

本書に掲載している Excel 作例のサンプルファイルと、ショートカットキーの一覧表（PDF）は、弊社ホームページよりダウンロードできます。
以下の URL にアクセスして、弊社ホームページ内の本書のページより、ファイルをダウンロードしてください。本書で説明している内容を実際に操作できます。内容の理解にお役立てください。

URL
https://www.natsume.co.jp

■ サンプルファイルをご利用いただくには、Excel を開ける環境が必要です。
■ 本サービスは予告なく終了する場合がございます。あらかじめご了承ください。

サンプルファイルを
使って自分で操作を
してみると
理解が深まるニャ！

本書の対応バージョン、注意事項

本書で紹介している操作は、「Windows 10」と「Microsoft 365」がインストールされているパソコン画面を再現しています。ご利用の OS や Excel の種類、バージョンの異なる環境では、操作や画面の内容が異なる場合があります。あらかじめご了承ください。

■ 対応バージョンであっても、お使いのディスプレイの画面解像度やウィンドウのサイズなどによって、ボタンの形状やサイズが異なる場合があります。
■ 本文中で使用している用語は、基本的に実際の画面で表示される名称にのっとっています。
■ 本書に記載されている会社名、商品名、製品名などは、一般に各社の登録商標または商標です。®、TM マークは明記していません。
■ 本文や漫画、サンプルファイルなどの中で題材として使用している企業名・商品名などはすべて架空のものです。

プロローグ

レッスン1

はじめに知っておきたい Excelの基本の「き」

レッスン2

“ラクに、速く、正確に”データを入力しよう

レッスン 3

相手にスッと伝わる表に整えよう

レッスン4

「関数」で会社の数字を浮き彫りにしよう

レッスン5

データ活用の第一歩をふみ出そう

レッスン 6

データの「見える化」で伝わる情報に変身！

エピローグ

この本の主な登場人物

リコちゃん

チーズが大好きな食いしん坊の新入社員。Excelは見よう見まねで使っているけれど、じつは苦手。話し好きで誰とでも仲良くなれる

やる気はあるけど
めんどうくさがり

ネコ先生

会社に住み着いているネコ。社内事情に詳しく、Excelについてリコちゃんにアドアイスしてくれる

Excel先輩（青井さん）

社内で一番、Excelに詳しい。経営分析も得意で頼りにされている。とある理由から長期の海外出張へ

うっしー先輩

リコちゃんのメンターを務める営業部の先輩。Excelはそこそこ使える。いつも忙しいけど温厚な性格

社長

「株式会社チーズのとろり」の社長。おっとりしているように見えて、本当は切れ者……かもしれない

自己流のExcel操作では何ともならない!?

入社面接の思い出……
パソコンは
得意ですか？
頼もし～
はい！ Excel も
どんとこいです！
ペラ
ペラ
ペラ
え…え～と…
授業でも
エクセル(基本)を
しっかり(寝てた)
学んで…
Excel できる人が
いて助かったよ
この見積書を
こう直しといて
くれる？
急ぎなんだけど
手がはなせなくてさ～
これなら
なんとか
できるかも…
は…
はい…
Excel(青井)先輩は
どうしたんですか？
Excel
マスタ～
う～ん
困った…

ハッ
Excel先輩は
今、出張中です
そうだった～
しばらくの間
面倒よろしく
お願いします
青井

…というわけで、
何とか頼むよ！
バチーン

請求書の
修正も
お願いね！
Excelできるの？
あと
これも！
じゃあ
こっちも！

zz…
資料

チーズの商品名を
変更して…
単価を…
金額に￥を
付けて…
え～と
zz…
あれ～

あの～
まだ時間かかる？
すぐ終わる
内容だった
よね!?

ふらあ
で、できました！
…たぶん
ありがとう！
ん!?

ちょっとー!!
商品名が途中で切れてるし
変えてほしかったチーズの商品名がそのまま……
A パルミジャーノ・レッジ
B ゴルゴンゾーラ
C ゴルゴンゾーラ
D エメンタール
¥3,600
¥2,000
¥26,00
カンマや￥マークの位置もバラバラ…
そもそも、合計金額が去年のままじゃ…
あと１枚におさめてよ～
スミマセン～!!

もう一度確認します！
ポチ
ポチ
ポチ
まさか、１つ１つ目で確認して、電卓で手計算してたの！？

もういいや、
自分でやるから
せっかくの数式設定が消えてる～
ささっ

残りは明日で
いいけど
本当に Excel
使えるの…？
ギクッ

これじゃ
終わらない…
どーしよ～
なにこの数字!?

まかせろニャ！
えっ

吾輩が
Excel マスターに
育ててあげるニャ

え～。これさえ
終わればいいの！
マスターなんて…
もったいない……。
Excel を使えると
メリット多いニャ
ヤル気ねーな！

時短になる！
効率よく作業できて
残業が減る
1時間かかってた
名前の並べ替えが
一瞬で
できた…！
1時間!?

ラクになる＆正確になる！
関数を使うと
大量の計算が
瞬時に終わる
関数ってラク〜
計算しま〜す
カシャ
カシャ
fx
電卓使っても
間違ってたもんね
COFFEE

クオリティUP！
見やすい書類で
喜ばれる
見やすい！
わかりやすくて
イイネ！
ほめられた
これは
ヒドイ…
今までの

Excel って
こんなに
すごかったのか～
表作るだけかと
思ってた～
ウン　ウン
でも、やっぱり
難しそう…
覚えるのも数字も苦手～
自転車に乗るように、
Excel も使えるように
なるニャ
使っていれば
覚えるし 忘れないよ
乗れるんだ!!
だいたい
計算が苦手な人ほど
Excel 使ったほうが
いいんだよ
う…
そ、それじゃあ
Excel をイチから
教えて……ね
まかせろニャ
目指せ
Excel マスター !!
Excel マスター!?
ビシビシ
行くニャ!

はじめに知っておきたい Excelの 基本の「き」

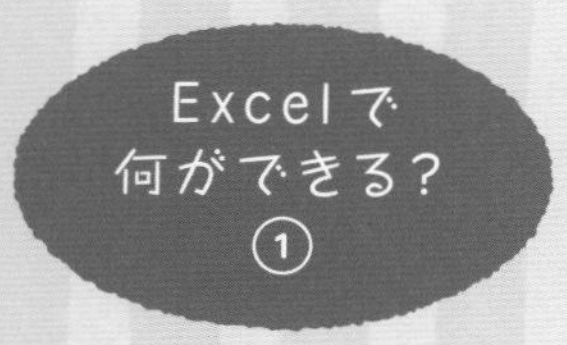

整理された見やすい表を作成できる

表計算ソフトExcel

さてリコちゃん、まずはExcelで何ができるかをおさらいしておくニャ

Excelといえば表作成ですよね！
もちろん知っていますよ～

表といっても種類はさまざま！
表を見やすくする機能もいろいろあるニャ

住所録やカレンダー、家計簿も作れるんだ！
これならプライベートでも役立ちそう！

■ 表を作るのにベストなソフト

Excelは、仕事や日々の暮らしで役に立つソフトウェアの1つです。文章がメインとなる書類は「Word」での作成が向いている一方、表がメインとなる書類は「Excel」での作成が向いています。たとえば、住所録や売上表、請求書、カレンダー、工程表など、表を使った多様な書類を簡単に作成できます。

Excelの作業画面は、将棋盤のように縦横に線が引かれ、マス目（「セル」といいます）が敷き詰められています。このセルのおかげで、ラクに正確に表を作ることができるのです。表を作成したあとに、編集機能を使って線を引いたり、文字や背景の色を変えたりして、より見やすく、見映えよく整えることも得意です。表を整えるコツはレッスン3（→P91）で紹介していきます。

ちなみに、「Microsoft Office※」といわれるパッケージソフトが搭載されているパソコンでは、あらかじめExcelが標準搭載されています。

Microsoft Office…WordやPowerPointといったMicrosoftの複数のソフトウェアを1つにまとめたパッケージソフトのこと。

どんな表もサクサク作れる

自分で一から表を作成するほか、Excel内に多数用意されているテンプレート（ひな形）を活用することもできます。

罫線や塗りつぶしで見やすく工夫！

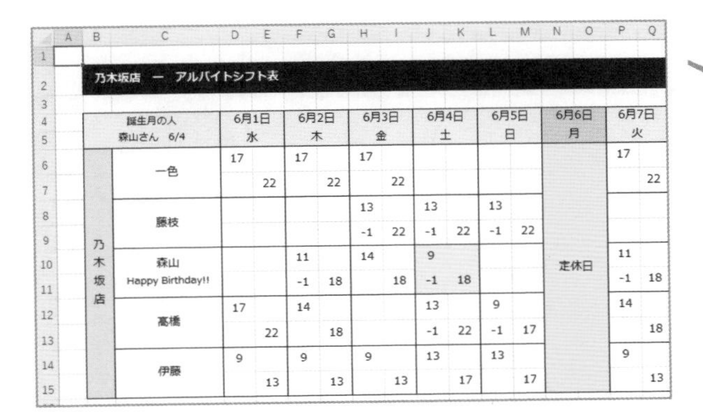

乃木坂店 ー アルバイトシフト表

乃木坂店	誕生月の人 森山さん 6/4	6月1日 水	6月2日 木	6月3日 金	6月4日 土	6月5日 日	6月6日 月	6月7日 火
	一色	17 / 22	17 / 22	17 / 22			定休日	17 / 22
	藤枝			13 / -1 22	13 / -1 22	13 / -1 22		
	森山 Happy Birthday!!		11 / -1 18	14 / 18	9 / -1 18			11 / -1 18
	高橋	17 / 22	14 / 18		13 / -1 22	9 / -1 17		14 / 18
	伊藤	9 / 13	9 / 13	9 / 13	13 / 17	13 / 17		9 / 13

カンマや単位を付けて数字を読みやすく！

ID	品名	購入月	単価	値上げ分	仕入れ個数	合計
fl001	シェーヴル・フレ	20XX/11/1	1,200	10%	8	10,560
fl002	フロマージュ・ブラン	20XX/11/1	1,000	10%	8	8,800
fl003	プティ・スイス	20XX/11/1	1,100	0%	12	13,200
wh001	ブリ・ド・モー	20XX/11/1	1,900	0%	7	13,300
wh002	ブリ・ド・ムラン	20XX/11/1	1,900	10%	12	25,080
wh003	カマンベール	20XX/11/1	1,500	0%	11	16,500
wh004	クロミエ	20XX/11/1	1,400	10%	7	10,780
wh005	シュプレーム	20XX/11/1	1,400	10%	10	15,400
wh006	ブリア・サヴァラン	20XX/11/1	1,000	0%	13	13,000
wa001	マンステール	20XX/11/1	1,300	10%	7	10,010
wa002	リヴァロ	20XX/11/1	1,000	0%	4	4,000
wa003	エポワース	20XX/11/1	1,300	10%	9	12,870
wa004	ラミ・デュ・シャンベルタン	20XX/11/1	1,500	10%	9	14,850
wa005	タレッジョ	20XX/11/1	1,700	0%	10	17,000
bu001	ロックフォール	20XX/11/1	1,800	10%	12	23,760
bu002	ブルー ドーヴェルニュ	20XX/11/1	1,000	0%	11	11,000
bu003	ブルー・デ・コース	20XX/11/1	1,000	10%	7	7,700
bu004	フルム・ダンベール	20XX/11/1	1,200	10%	9	11,880

パッと目にとまるレイアウトに！

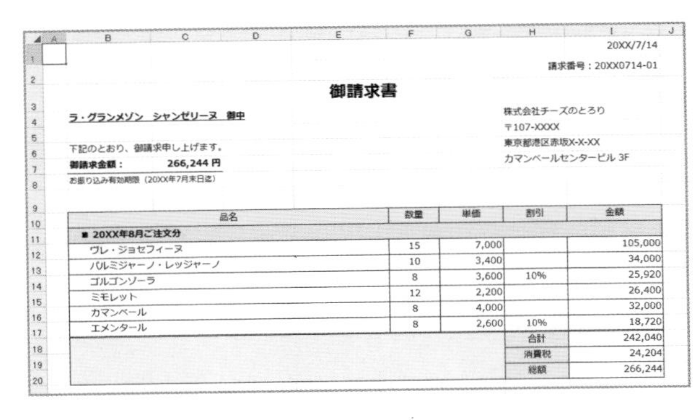

20XX/7/14
請求番号：20XX0714-01

御請求書

ラ・グランメゾン シャンゼリーヌ 御中

株式会社チーズのとろり
〒107-XXXX
東京都港区赤坂X-X-XX
カマンベールセンタービル 3F

下記のとおり、御請求申し上げます。
御請求金額： 266,244 円
お振り込み有効期限（20XX年7月末日迄）

品名	数量	単価	割引	金額
■ 20XX年8月ご注文分				
ヴレ・ジョセフィーヌ	15	7,000		105,000
パルミジャーノ・レッジャーノ	10	3,400		34,000
ゴルゴンゾーラ	8	3,600	10%	25,920
ミモレット	12	2,200		26,400
カマンベール	8	4,000		32,000
エメンタール	8	2,600	10%	18,720
			合計	242,040
			消費税	24,204
			総額	266,244

Excelで
何ができる？
②

表の数字をもとにミスなく自動計算！

表計算ソフトExcel

■ Excelより電卓が速い…わけがない！

Excelは、計算が得意な「表計算ソフトウェア」です。セルに入力した値をもとに計算式（数式）を入力することで、瞬時に正確に計算できます。「平均を求める」「指定した条件に合うデータのみ合計する」など、目的に合わせて計算や処理があらかじめひとまとめになった計算式（「関数」といいます）も、豊富に用意されています。関数を使えば、高度な計算や処理もあっという間に行うことができます。関数の使い方はレッスン4（→P117）で説明します。

変更があっても一瞬で再計算

下の表では、金額欄のセルに「数量×単価」の計算式が入力されており、値を変えると計算結果も連動して変わります。

数量を変更すると……

	A	B	C	D	E	F
1						
2		品名	数量	単価	割引	金額
3		ヴレ・ジョセフィーヌ	15	7,000		105,000
4		パルミジャーノ・レッジャーノ	10	3,400		34,000
5		ゴルゴンゾーラ	8	3,600	10%	25,920
6		ミモレット	12	2,200		26,400
7		カマンベール	8	4,000		32,000
8		エメンタール	8	2,600	10%	18,720
9					合計	242,040
10					消費税	24,204
11					総額	266,244
12						

金額や消費税、総額も自動で再計算される

	A	B	C	D		
1						
2		品名	数量	単価	割引	金額
3		ヴレ・ジョセフィーヌ	15	7,000		105,000
4		パルミジャーノ・レッジャーノ	5	3,400		17,000
5		ゴルゴンゾーラ	8	3,600	10%	25,920
6		ミモレット	12	2,200		26,400
7		カマンベール	8	4,000		32,000
8		エメンタール	8	2,600	10%	18,720
9					合計	225,040
10					消費税	22,504
11					総額	247,544
12						

どうして自動で計算されるの？

数値ではなくセルの位置を指定して計算しているからニャ あとで説明するよ

Check! 数式 ➜P64

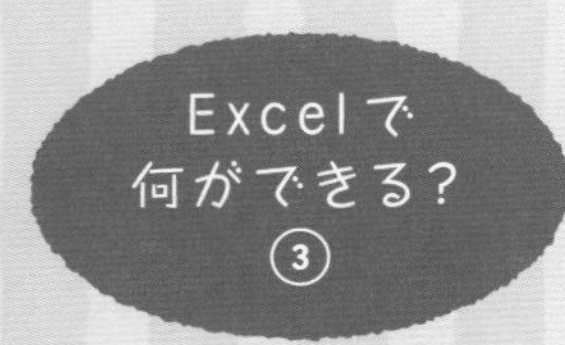

数字を見やすいグラフにパッと変えられる

表計算ソフトExcel

Excelは、入力した数字データを視覚化することも得意だニャ

四角化……？　たしかにExcelはカクカクしているけど、どういうこと？

四角じゃなくて視覚ニャ！　グラフなどを使ってビジュアル化できるってことニャ

へー！　棒グラフや折れ線グラフ、いろんな見せ方があるけど、作るの大変じゃない……？

数字の羅列も、たった１秒でグラフに変身！

上司や取引先に提出する書類やプレゼンテーションで見せる資料は、ひと目でパッと理解できる表現が望ましいものです。数字ばかりをただ並べた表では、全容がつかみにくいうえ、データを比べたり、傾向を分析したりするのも一筋縄ではいきません。そんなときには、データを視覚的に表現できるグラフの活用をおすすめします。

Excelには、棒、折れ線、円など基本のグラフを作成する機能が備わっています。値を入力したセルの範囲を選択し、グラフの種類を選ぶだけで、簡単にグラフを作成することができます。色やデザインを調整してグラフを見映えよく整えられますが、大切なのは小ぎれいにすることより、“こちらの意図を相手に正しく伝える”ことです。レッスン6（→P183）のグラフ機能の解説では、そうしたグラフ作成のポイントを紹介していきます。

伝わりやすさが格段にアップ

●数字の羅列……

たとえばプレゼンテーションのときに、月次売上高の推移について数字が並んだ表を示されても、瞬時に理解するのは難しいもの。

●グラフで可視化

月次売上高の推移を折れ線グラフにすれば、どのように変動しているかをひと目で把握することができます。

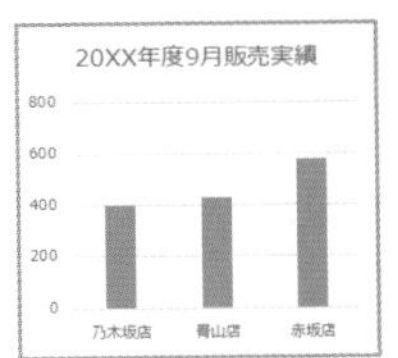

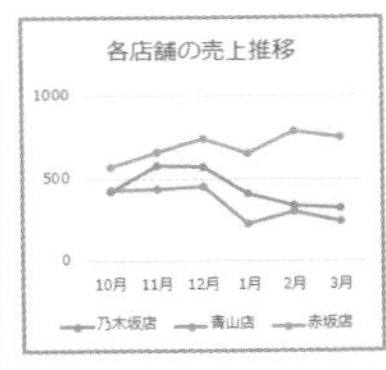

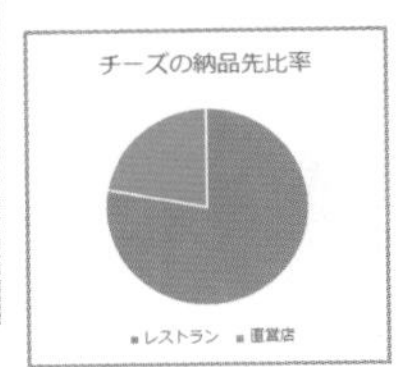

Excelで
何ができる？
④

データを集計・整理して情報として活用できる

表計算ソフトExcel

Excelには、集計したデータを「見える化」して情報として活用できるようにする機能がたくさんあるニャ

情報として活用……。えっと、具体的にはどんなことに役立つんですか？

先月の売上高
上位10社のデータをくれる？
はいっ
早めにお願い〜

1位は
この会社かな？
あれっ？
こっちのほうが
上かな……
ん？
あれれ
A社 11,100
B社 6,110
C社 9,058
D社 9,046
E社 5,230

Excelなら数字順に
並べ替えられるよ
まさか
目視で探す
とは…
あのね…
恐ろしい子！

カチリ…

ハハハ…
順番になってる〜！
社 15,000
社 11,100
社 9,058
社 9,046

大量のデータを上手に管理

データを、「データベース形式」といわれる一定の構成でまとめていくと、データの集計・整理や、データの活用を簡単に行えるようになります。

Check!
データベース
→P162

活用例①

データを並べ替える

「日付順」「数値の小さい順・大きい順」「あいうえお順」などの指定通りにデータを並べ替えることができます。

活用例②

データを絞り込む

「○円以上」「○歳以下」「○日〜○日の間」「○が付く場合」など、指定した条件に見合ったデータだけを表示することができます。

■ 集計表を作ったり、分析したりするときに役立つ

データを入力したあとは、そこから情報を汲み取ったり、分析に役立てたりする、つまりデータを活用することが重要です。データを並べ替えたり、絞り込んだりすると、見方が変わり、たとえば「背の高い猫ほど尾が太い」あるいは「背丈と尾の太さには関係がない」などの気づきにつながります。

売上台帳や名簿、成績表など、多様なデータの活用に取り組んでみましょう。データベースの作成方法や活用方法は、レッスン5(→P159)で紹介します。

5分でおさらい Excel操作の基本

ブック　画面構成　ショートカットキー

ネコ先生、自宅のパソコンでExcelを開いたら、会社の画面となんか違うんです。どうして？

それは、会社で使っているExcelと自宅で使っているExcelの「バージョン」が違うのかもしれないニャ

バージョン……って、何だっけ？（昔、学校で習ったような気もするけど）Excelの基本をおさらいしてください!!

“版”によって表示が異なる部分もある

Excelのソフトウェアは、「パッケージ版」と「サブスクリプション版」に大別されます。進化を続けているため、使用するバージョンによって機能や表示が異なる部分があります。

●パッケージ版

Excel2021、Excel2019など数年おきに発売される永続版。一度購入するとそのバージョンをずっと使える。

●サブスクリプション版

「Microsoft 365」というサービスを利用すると、1年などの契約で最新のOffice（→P22）のExcelを使用できる。

「ブック」＝「ファイル」

Excelでは、作成するファイルのことを「ブック」といいます。下のように、ブックの中に複数のワークシートをまとめることができる仕組みです。

ブック

Excelで作成したファイルのこと。ブックを表示することは「ブックを開く」といいます。

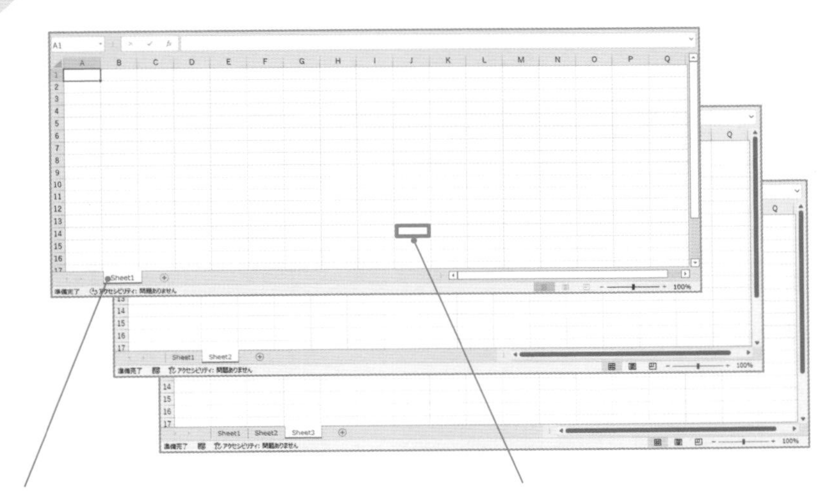

ワークシート

表やグラフなどを作成する領域のことを「ワークシート」や「シート」といいます。シートは増やしたり削除したりできます。

セル

数字や文字などのデータを入力するマス目を「セル」といいます。セルはこれ以上分割することはできません。

新しいブックを開くとシートは１枚だけ表示されるニャ。必要に応じて増やすこともできるニャ

Check!
シート操作
➜ P74

Excelの画面構成

Excelを起動して「空白のブック」をクリックすると、下のような画面が表示されます。基本用語と役割をおさらいしましょう。バージョンや画面サイズの違いで、配置や表示が多少変わります。

これが Excel の画面構成だよ。
ココに出てくる名称は
ぜひ覚えてほしいニャ

＊本書では、操作の説明文でタブ名や項目名などExcel画面の表示を示す際には、[ ] を付けて表示します。例：[ホーム] タブをクリックする。

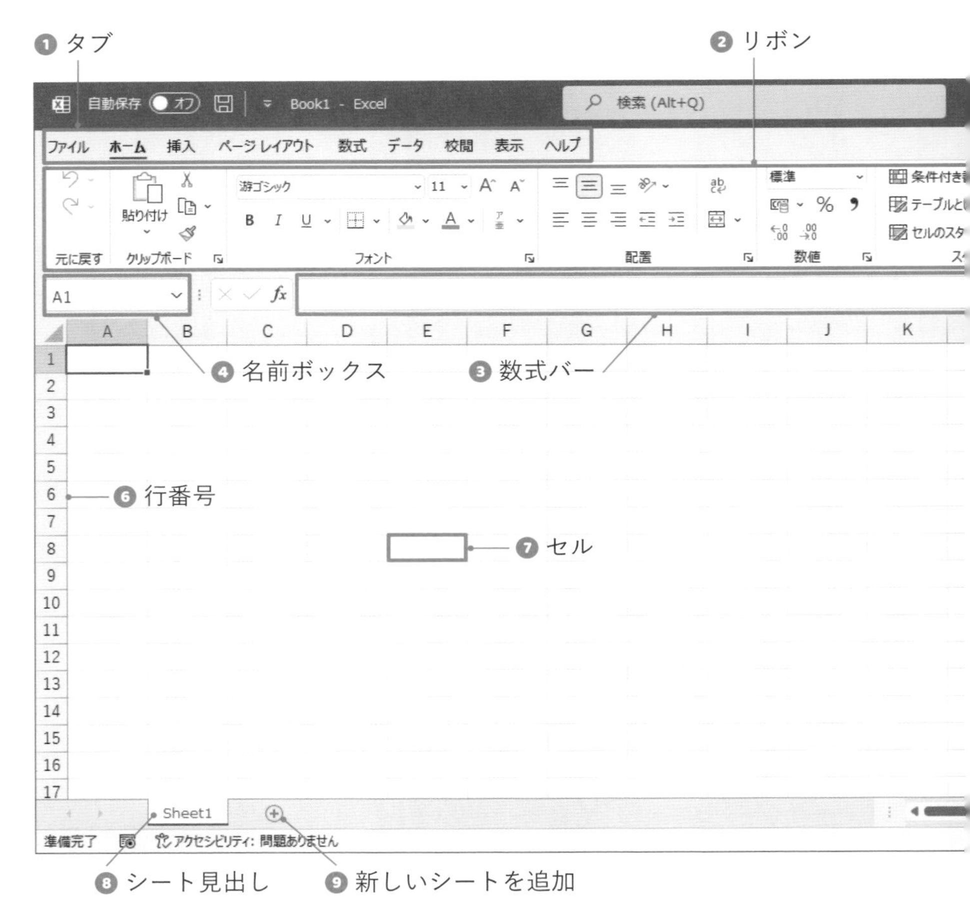

❶ タブ

操作の目的に応じて、大きく分類された切り替えボタン。各タブをクリックすることで、リボンの表示内容が切り替わる。

❷ リボン

リボン内のボタンをクリックすることでさまざまな操作を実行できる。下画像は、[ホーム] タブに分類されるさまざまな機能が表示されている。別のタブをクリックすると、別の機能のボタン表示に切り替わる。画面サイズやバージョンによって表示が異なることも。

❸ 数式バー

選択しているセル（アクティブセル）に入力されている内容が表示される。

❹ 名前ボックス

アクティブセルの位置（列番号と行番号）などが表示される。アルファベットが列番号、数字が行番号を示す。

❺ 列番号

列の位置を示す番号。アルファベットで表示される。アクティブセルの列番号（左図では「A」）は緑色になる。

❻ 行番号

行の位置を示す番号。数字で表示される。アクティブセルの行番号（左図では「1」）は緑色になる。

❼ セル

データを入力する最小単位のマス目。列番号と行番号でセルの位置を示す。たとえば左図のE列８行目の赤枠箇所なら「セルE8（E8セル）」となる。選択しているセル（左図では「セルA1」）は緑色の線で囲まれ、「アクティブセル」と呼ぶ。

❽ シート見出し

見出しは変更できる（→P76）。

❾ 新しいシートを追加

ボタンを１回クリックするごとに[Sheet2][Sheet3]と追加される。

❿ ズーム

シートの表示倍率を変更するときに使うボタン。[+]を押すと拡大され、[－]を押すと縮小される。

キーボードを使いこなそう

キーボード操作に慣れることが、スピードアップの近道ニャ

マウスで操作しても、けっこう早いと思うけど……

マウスとキーボードを行ったり来たりしなくて済むぶん、速くラクになるニャ。よく行う操作は指に覚えてもらおう！

複数のキーを組み合わせて操作を短縮することを「ショートカット」というニャ

Check! ショートカットキー一覧 ➜ P36

ショートカットの例

Ctrl ＋ S ＝上書き保存

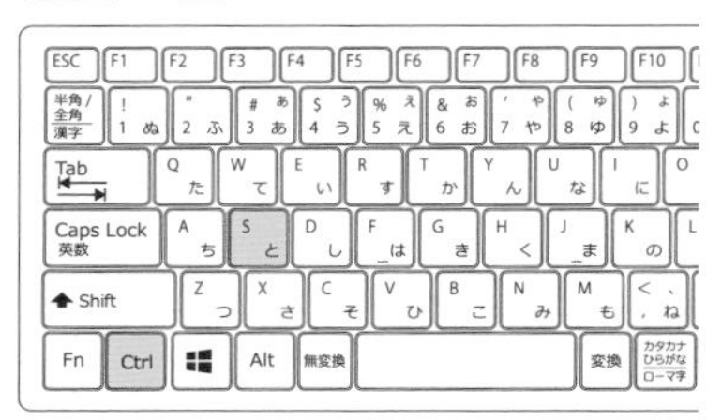

たとえば、Ctrlキーと Sキーを同時に押すと「上書き保存」される。先にCtrlキーを押したままSキーを押すのが同時に押すコツ。

キー操作がうまくいかない!?

キーボードの種類によっては、一部のキーが単独で用意されていないため、他のキーと併用して操作する場合があります。その際は Fnキーと一緒に押してみましょう。

例 セルA1に移動する操作

一般的なショートカットキー
Ctrl ＋ HOME キー

HOME キーが単独でないとき
Ctrl ＋ Fn ＋ HOME キー

よく使うキーの役割を
おさらいするニャ

＊各キーの配置は、キーボードによって異なります（画像は一例）。

半角／全角キー

数値データなどを入力する半角入力モードと、日本語を入力する全角入力モードを切り替える。

Tab キー（タブキー）

右のセルへの移動や、次の項目への移動のほか、関数名の入力補助（→P122）などで使う。

Esc キー（エスケープキー）

処理をキャンセルするキーのため、「逃れる（エスケープ）キー」と覚えよう。困ったときに役立つ。

Delete キー（デリートキー）

削除キー。セルのデータを消す。

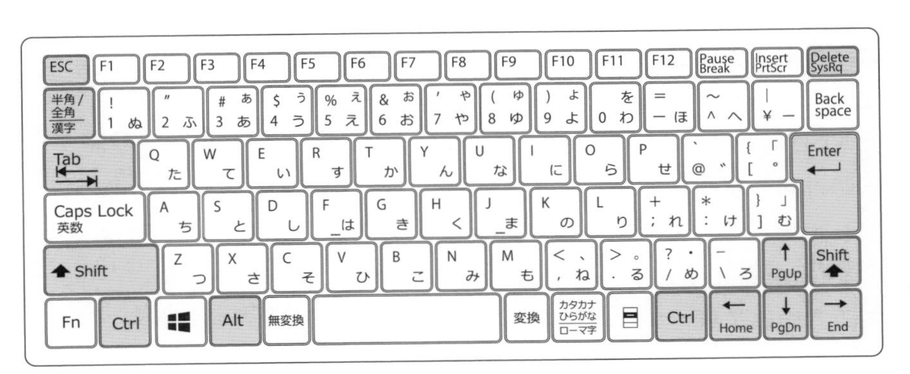

Ctrl キー（コントロールキー）

コントロール（制御／操作）するキー。他のキーと組み合わせて、さまざまな操作を行う。

Shift キー（シフトキー）

キーの上部にある文字や記号を表示させるスライド（ずらす）キー。他のキーと組み合わせて使う。

Shiftキーを押しながら
ー ほ キーを押すと
「＝」が入力されるね

Enter キー（エンターキー）

文字の確定や操作を実行するときに使う。確定キー、実行キーなどと覚えよう。

矢印キー

アクティブセルやカーソルを上下左右に動かす。方向キーやカーソルキーとも呼ぶ。

Alt キー（オルトキー）

他のキーと組み合わせて使う特殊キーの1つ。

まず覚えたい！

便利なショートカットキー一覧

●ブックの操作

Openの「O」

New の「N」

Save の「S」

既存のブックを開く	Ctrl ＋ O
新しいブックを開く	Ctrl ＋ N
上書き保存する	Ctrl ＋ S
★名前を付けて保存	F12
ブックを閉じる	Ctrl ＋ W
★Excelを終了する	Alt ＋ F4

●移動

Tabの逆方向になるよ

右側のセルに移動	Tab
左側のセルに移動	Shift ＋ Tab
★A1セルに移動	Ctrl ＋ HOME
矢印方向の端へ移動	Ctrl ＋矢印キー

●選択

矢印方向に選択	Shift ＋矢印キー
矢印方向の端まで選択	Ctrl ＋ Shift ＋矢印キー
ワークシート全体または表範囲を選択	Ctrl ＋ A

●シート操作

★右側のシートに切り替え	Ctrl ＋ PgDn
★左側のシートに切り替え	Ctrl ＋ PgUp

●入力／編集

- コピー
- 切り取り
- 貼り付け
- 直前の操作を元に戻す
- （通常）直前の操作を繰り返す
- （Ctrl ＋ Zで元に戻したあと）元に戻した操作を取り消す
- 検索
- 置換
- ジャンプで移動
- ハイパーリンクの挿入
- ★セルの編集（カーソルを置く）
- セル内で改行する
- 今日の日付を入力
- 今の時刻を入力

●印刷

- 印刷プレビューを表示

ショートカットキーの
一覧表（PDF）が
ダウンロードできます！
（➜ P6）

Copy の「C」

Ctrl + C

Ctrl + X

X はハサミの形に似てる

Ctrl + V

Ctrl + Z

Ctrl + Y

Ctrl + Y

Ctrl + F

Find の「F」

Ctrl + H

Ctrl + G

Ctrl + K

F2

Alt + Enter

Ctrl + ;

Ctrl + :

デジタル時計 4:30 のイメージ

Ctrl + P

★マークのものは、キーボードの種類によって Fn キーが必要なケースのあるショートカットキーだニャ

●書式の設定

「ぬ」のキーの「1」

セルの書式設定 …… Ctrl + 1

太字にする …… Ctrl + B

斜体にする …… Ctrl + I

下線を引く …… Ctrl + U

●数式の編集

★セルの参照方法を変換 … F4

F4 には直前の操作を繰り返す機能もある（Ctrl + Y と同じ）。

F4 キーには機能が 2 つあるのね！

数式内のセル番地にカーソルを置いて、F4 を押すと、1 回押すごとに下のように変換されるニャ（詳しくは P72 へ）

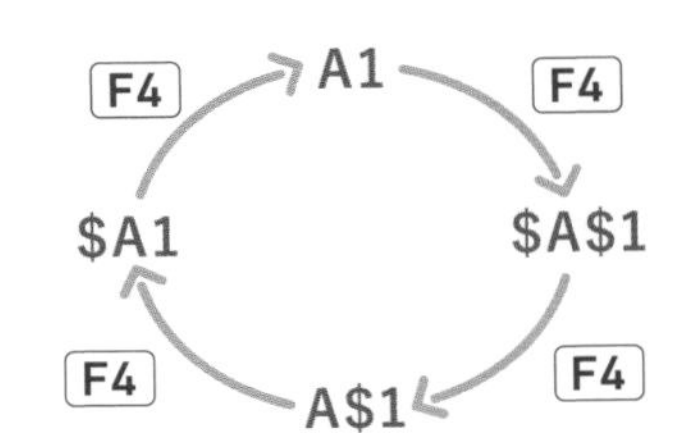

●ネコ先生のおすすめショートカットキー

フィルター機能の説明→P174

フィルター機能を設定 …… Ctrl + Shift + L

数式を表示 …… Ctrl + Shift + `

「アットマーク」のある @ キー

初心者あるあるをチェック！

つまずきやすい7つの穴に気を付けよう

よくあるミス

なるほど〜。Excel が得意な人は、パッと作業を終えていたのね。それなら Excel を勉強するほど、Excel に費やす時間が減る♪ってことね！

その通り！　まず、初心者が陥りやすい７つの穴を紹介するからチェックするニャ

初心者あるある ① 何でも手入力してしまう

Excelに備わっている入力方法を知らないと、あらゆるデータを地道に手入力することになります。時間がかかるうえ、入力ミスが起きる危険もあります。

日付
曜日
20XX年8月1日
月
20XX年8月2日
火
20XX年8月3日
水
20XX年8月
これを3カ月分も…!?
カタ
月火水…
20XX年8月…
カタ

Check! オートフィル ➜ P56

連続するデータは「オートフィル」機能を使うと、一瞬でデータ入力が終わるニャ

え～！　そんな裏ワザがあるの!?　私の手入力だって、けっこう速いと思うけど……

その何十倍も速くなるニャ…！　ほかにも「コピペ（コピー＆ペースト）」を使いこなすと、グッと効率的だよ

Check! コピペ ➜ P61

初心者あるある ②

半角/全角が混在しがち……

レストラン～	東京都品川区××1-1-１４　●●ビル4階
グランメゾン	東京都港区▲▲３丁目21番地11号
リストランテ～	東京都千代田区●●１－１８－8
ビストロ～	兵庫県伊丹市■■８の１２１の１
●●レストラン	東京都港区××１-５-１　ＡＡビル210

バラ。。。

無意識に入力するとアルファベットや数字、カッコなどで半角と全角が混在しがちに。数字や記号を全角入力すると、データの取り扱いに影響が出ます。

半角と全角が混在したデータは、バラバラな印象で見づらいだけでなく、計算が正しく行われないなどのトラブルにもつながるニャ

そうなんだ（気にしたことなかった！）。
たしかに、文字と数字が混ざる住所入力なんかは半角にするか全角にするか迷うなぁ

英数字や記号を計算式で入力するなら半角！
また、郵便番号は半角、住所データは全角が使いやすいけど、社内ルールに合わせるニャ

初心者
あるある

3 計算式は見よう見まねで手入力

計算式の手入力は、エラーのもと。1つ1つ手打ちせず、セルをクリックして入力する「セル参照」を使いましょう（→P66）。

元から入力されている計算式をコピペしても、うまくいくときと、エラーになるときがあって、運だめしみたいで怖いんだよね〜

運だめし……。「セル参照」は知ってる？「相対参照」と「絶対参照」をマスターすれば計算式は怖くないよ

相対参照に絶対参照？　初めて聞いた。ぜったい難しそう……！

Check!
セル参照
➜P66

4 行の非表示でトラブルに……

行の一部を非表示にして不要なデータを残したままにすると、計算やオートフィル（→P56）、並べ替え（→P176）などでミスが発生する原因になります。

ここに隠れているよ

	A	B	C	D
1				
2				
4				
5				
6				

ないー!!
あのデータどこ～!?
よく見てみ

Excelでは、データの一部を非表示にすることができるニャ

知ってる！　私はデータ消すと困るかもしれないから、使わなくなったデータを非表示にしてるよ。便利だよね～

いやいや、非表示、とくに行の非表示は使わないほうがいいニャ。別の人が非表示に気づかずに操作するリスクもあれば、自分がデータを見失うこともある。それは集計ミスのもとニャ

初心者あるある 5 「セル結合」のせいでうまくいかない

見映えを整えやすいセルの結合は、一見便利な機能ですが、コピーや挿入が思うようにできなくなったり、データの並べ替え（→P176）がで きなくなったりします。

複数のセルを１つに合体するのが「セル結合」。結合セルを含むデータは、コピーや計算、並べ替えなどでトラブルが起こる原因になるニャ

Check! セル結合 ➜ P102

つまり、セル結合は使っちゃダメってこと？

計算するシートではNGニャ！　一方、うちの会社では、バイトのシフト表や請求書でセル結合が役立っているから、使い分けが大事だよ

6 その日の気分でファイル名を付ける

命名規則が定まらずファイル名が整理されていないと、順番がおかしくなったり、検索で探せなくなったりします。類似データが多いときは気を付けて！

ファイル名がバラバラだと、目当てのファイルを探しにくいし、データの共有相手も困るニャ

その通りなんだけど、どんな名前にしたか忘れて、ついその場で考えちゃうんだよね～

社内の命名規則に合わせるのが鉄則！　わが社では「230901_売上表_1」のように、「日付_ファイル名_バージョン」で統一しているニャ

初心者あるある 7

データを個人のパソコンだけに保存

個人用パソコンだけにデータを保存すると、仲間とのファイル共有に不便が生じがちです。さらに、デスクトップがファイルなどのアイコンだらけの場合は、自分でもファイル管理がうまくできません。

ゴホ
あのデータは
デスクトップに
あるので…
ゴホ
え〜と
それって どれ??
ぎっちりーー

作業中のデータは、いつもどこに保存しているの？

Check! 保存のコツ ➜P78

作業しているパソコンのデスクトップに保存してるよ。これならすぐに開けるから……

別の人が急にデータを使う状況でも探せる？　データを独り占めしちゃダメ！　仲間がアクセスできる共有ドライブやクラウド※上に保存しよう。階層を意識してフォルダも整理するニャ

クラウド…「クラウド・コンピューティング」の略。インターネットを通じて、「サーバー」「ネットワーク」「ストレージ」「データセンター」などのさまざまなサービスをユーザーに提供。

Excel先輩の
ひとりごと

Excelは一生使える武器になります！

Excel は業界や職種を問わず幅広く使われています。Excel スキルを上げて業務を改善すれば、作業が早くなりミスも減ります。そのぶん別の仕事をどんどん回すことで評価もアップ。Excel は仕事の強力な武器なのです。

効率が悪く、無駄に時間がかかる

周囲の信頼を得にくく、昇進や転職に後ろ向き

ミスしがちで、やり直しになることも多い

仕事が他人事、他人任せになりやすい

自己流

効率がよくなり、本来の業務がはかどる

環境が変わっても、即戦力になれる

ミスが減り、正確なデータを把握できる

仲間の時間を奪ってしまうことがなくなった

脱自己流

レッスン 2

“ラクに、速く、正確に”データを入力しよう

よ〜し！
ここは全部
「未納品」だから…
ぐい〜っと
ひっぱって…
納品
未
未
未
未
未

どうしたらデータ入力が速くなる？

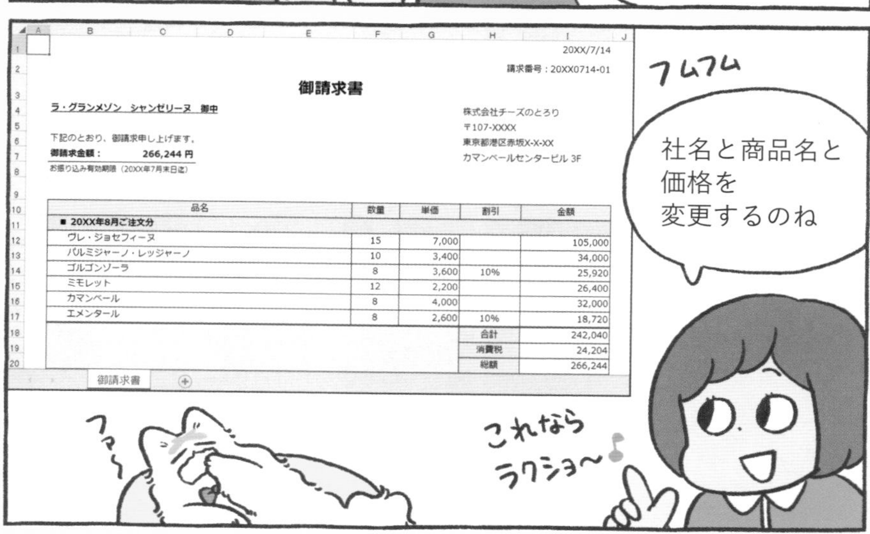

20XX/7/14

請求番号：20XX0714-01

御請求書

ラ・グランメゾン　シャンゼリーヌ　御中

株式会社チーズのとろり
〒107-XXXX
東京都港区赤坂X-X-XX
カマンベールセンタービル 3F

下記のとおり、御請求申し上げます。

御請求金額：　266,244 円

お振り込み有効期限（20XX年7月末日迄）

品名	数量	単価	割引	金額
■ 20XX年8月ご注文分				
ヴレ・ジョセフィーヌ	15	7,000		105,000
パルミジャーノ・レッジャーノ	10	3,400		34,000
ゴルゴンゾーラ	8	3,600	10%	25,920
ミモレット	12	2,200		26,400
カマンベール	8	4,000		32,000
エメンタール	8	2,600	10%	18,720
			合計	242,040
			消費税	24,204
			総額	266,244

御請求書

ショートカットを使わず
マウスを駆使するリコちゃん――
マウスと
キーボードを
往復するの
面倒じゃない？
ファ～
キー操作
覚えなよ～
カタ カタ カタ
カチ カチ カチ

長い商品名を全部手入力する
リコちゃん――
同じ入力内容なら
コピーしたら……
中黒って…？
あっ
間違えた…
チーズの名前
長いのに…
チーズ名は
「ヴレ・ジョセフィーヌ」
こっちも
「ヴレ・ジョセフィーヌ」
カタ カタ

もったいないニャ……
せっかくもっと
『ラクをする』方法なのに
ラク!?

キー操作も
コピー機能も覚えるの
面倒なんだもん…
メンド～

データ入力はExcelの基本！
“ラクに、速く、正確に”
入力するコツを教えるから、
しっかり覚えるニャ！
やっぱり
教えて～!!
まかせろニャ！

行・列の端まで パッと移動する

セル移動

まずはアクティブセル※を移動させるコツ！
端まで一気にワープする方法を覚えるニャ

▶ Ctrl＋矢印キーで端へセル移動

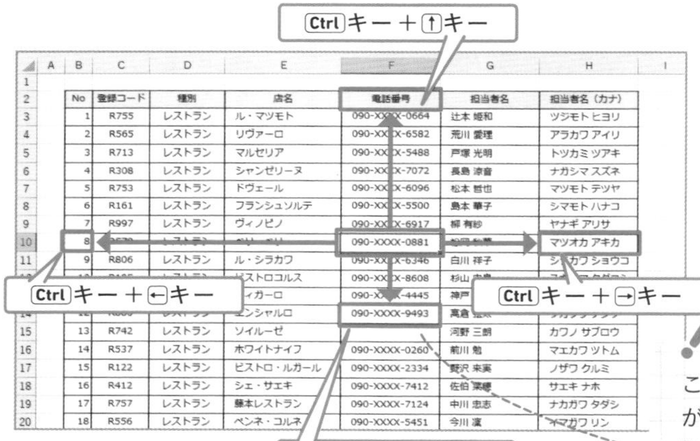

	A	B	C	D	E	F	G	H	I
1									
2		No	登録コード	種別	店名	電話番号	担当者名	担当者名（カナ）	
3		1	R755	レストラン	ル・マツモト	090-XXXX-0664	辻本 姫和	ツジモト ヒヨリ	
4		2	R565	レストラン	リヴァーロ	090-XXXX-6582	荒川 愛理	アラカワ アイリ	
5		3	R713	レストラン	マルセリア	090-XXXX-5488	戸塚 光明	トツカミ ツアキ	
6		4	R308	レストラン	シャンゼリーヌ	090-XXXX-7072	長島 涼音	ナガシマ スズネ	
7		5	R753	レストラン	ドヴェール	090-XXXX-6096	松本 哲也	マツモト テツヤ	
8		6	R161	レストラン	フランシュソルテ	090-XXXX-5500	島本 華子	シマモト ハナコ	
9		7	R997	レストラン	ヴィノピノ	090-XXXX-6917	柳 有紗	ヤナギ アリサ	
10		8	[illegible]	[illegible]	[illegible]	090-XXXX-0881	[illegible]	マツオカ アキカ	
11		9	R806	レストラン	ル・シラカワ	090-XXXX-6346	白川 祥子	[illegible]	
12		[illegible]	[illegible]	[illegible]	[illegible]ストロコルス	090-XXXX-8608	杉山 [illegible]	[illegible]	
13		[illegible]	[illegible]	[illegible]	[illegible]ィガーロ	090-XXXX-4445	神戸 [illegible]	[illegible]	
14		[illegible]	[illegible]	[illegible]	[illegible]ンシャルロ	090-XXXX-9493	高倉 [illegible]	[illegible]	
15		13	R742	レストラン	ソイルーゼ		河野 三朗	カワノ サブロウ	
16		14	R537	レストラン	ホワイトナイフ	090-XXXX-0260	前川 勉	マエカワ ツトム	
17		15	R122	レストラン	ビストロ・ルガール	090-XXXX-2334	野沢 来実	ノザワ クルミ	
18		16	R412	レストラン	シェ・サエキ	090-XXXX-7412	佐伯 菜穂	サエキ ナホ	
19		17	R757	レストラン	藤本レストラン	090-XXXX-7124	中川 忠志	ナカガワ タダシ	
20		18	R556	レストラン	ペンネ・コルネ	090-XXXX-5451	今川 凜	イマガワ リン	

Ctrlキーを押しながら矢印キーを押すと、アクティブセルは、矢印方向の表の端に移動する。

ココに注目！

この表ではセルF15が空白セルのため、Excelは、F列の下端をF14と判断した。

マウスで
クリックするより
早くセル移動
できるね！
途中に空白の
セルがあると、
その手前でストップ
するニャ※

※空白に見えても計算式が設定されている場合があり、それは空白セルに含まない。

アクティブセル…緑の太枠で囲まれているセルは、現在選択しているセル。これを「アクティブセル」といいます。

作業の終わりはセルA1に戻る

セル移動

そうそう！ 作業を終えて保存するときは、アクティブセルをA1（ホームポジション）に戻しておいてほしいニャ

ホームポジションに戻す……。お掃除ロボが掃除後に充電基地に戻る感じかな？

次回、よいスタートを切るために！

保存するときには、シート上にあるアクティブセルの位置も記録されます。中途半端な位置で保存したファイルを会議で使ったり、提出したりすると、作業途中の雑然とした印象を与えてしまいます。次にファイルを開いたときに、A1から効率よく作業することができるよう、A1の位置に戻して保存することを習慣づけましょう。

▶ Ctrl ＋ Home キーでA1に移動

	A	B	C	D	E	F	G	H
1								
2			登録コード	種別	店名	電話番号	担当者名	担当者名（
3		1	R755	レストラン	ル・マツモト	090-XXXX-0664	辻本 姫和	ツジモト ヒ
4		2	R56[illegible]	レストラン	リヴァーロ	090-XXXX-6582	荒川 愛理	アラカワ ア
5		3	R713	レストラン	マルセリア	090-XXXX-5488	戸塚 光明	トツカミ ツ
6		4	R308	レストラン	シャンゼリーヌ	090-XXXX-7072	長島 涼音	ナガシマ ス
7		5	R753	レストラン	ドヴェール	090-XXXX-6096	松本 哲也	マツモト テ
8		6	R161	レストラン	フランシュソルテ	090-XXXX-5500	島本 華子	シマモト ハ
9		7	R997	レストラン	ヴィノピ[illegible]	090-XXXX-6917	柳 有紗	ヤナギ アリ
10		8	R578	レストラン	ベリーベリー	090-XXXX-0881	松岡 秋華	マツオカ ア
11		9	R806	レストラン	ル・シラカワ	090-XXXX-6346	白川 祥子	シラカワ シ
12		10	R195	レストラン	ビストロコルス	090-XXXX-8608	杉山 忠良	スギヤマ タ
13		11	R600	レストラン	フィガーロ	090-XXXX-[illegible]445	神戸 春彦	コウベ ハル
14		12	R880	レストラン	エンシャルロ	090-XXXX-9493	高倉 弦太	タカクラ ゲ
15		13	R742	レストラン	ソイルーゼ		河野 三朗	カワノ サブ
16		14	R537	レストラン	ホワイトナイフ	090-XXXX-0260	前川 勉	マエカワ ツ
17		15	R122	レストラン	ビストロ・ルガール	090-XXXX-2334	野沢 来実	ノザワ クル
18		16	R412	レストラン	シェ・サエキ	090-XXXX-7412	佐伯 菜穂	サエキ ナホ
19		17	R757	レストラン	藤本レストラン	090-XXXX-7124	中川 忠志	ナカガワ タ
20		18	R556	レストラン	ペンネ・コルネ	090-XXXX-5451	今川 凛	イマガワ リ
21		19	R210	レストラン	チーズファーマーズ	090-XXXX-7864	堀口 勝夫	ホリグチ カ
22								
23								

Ctrl ＋ Home キーを押すと、アクティブセルがA1に移動する。

ポイント
単独の Home キーがない場合、Fn キーを組み合わせます。A1に移動するには、Ctrl ＋ Fn ＋ Home キーを押しましょう。

複数のシートを使っていて保存すると、開いていたシートの位置も記録されます。左端のシートのA1に戻しておくと、次に誰が開いても作業しやすいでしょう。

マウスを使わずに範囲を選択する

範囲選択

入力中にキーボードとマウスを往復しなくても、セル範囲をラクに選ぶ方法があるニャ

▶ Shift ＋矢印キーで範囲選択

	A	B	C	D	E	F
1						
2		チーズ名	乳種	入荷価格	販売価格	
3		シェーヴル・フレ	山羊	900	2,200	
4		フロマージュ・ブラン	牛	800	2,000	
5						
6						
7						

❶範囲を選択したい最初のセル（ここではセルB2）をクリックする。

	A	B	C	D	E	F
1						
2		チーズ名	乳種	入荷価格	販売価格	
3		シェーヴル・フレ	山羊	900	2,200	
4		フロマージュ・ブラン	牛	800	2,000	
5						
6						
7						

❷ Shift キーを押しながら選択したい方向へ矢印キーを押す。 Shift ＋ ↓・↓・→・→・→の順でキーを押すと、図のように範囲を選択できる。

こんな方法も

Shift キーを押しながら選択範囲内の右下のセルをマウスでクリックする方法でもOK。

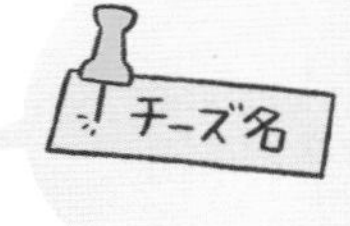

Shift キーを押すと、アクティブセルがピンで固定されるイメージだよ

行・列の端まで一気に選択する

範囲選択

表の端までまとめて選択したいときには、Ctrl＋Shift＋矢印キーで一発ニャ

▶ Ctrl ＋ Shift ＋ → キーで行範囲の選択

	A	B	C	D	E	F	G	H	I
1									
2		ID	タイプ	チーズ名	乳種	在庫	入荷価格	販売価格	産地
3		fl001	フレッシュ	シェーヴル・フレ	山羊	5	1,200	2,200	ロワール
4		fl002	フレッシュ	フロマージュ・ブラン	牛	15	1,000	2,000	ノルマンディ
5		fl003	フレッシュ	プティ・スイス	牛	28	1,100	2,200	フランス全土
6		wh001	白カビ	ブリ・ド・モー	牛	11	1,900	3,800	イル・ド・フランス
7		wh002	白カビ	ブリ・ド・ムラン	牛	16	1,900	2,000	イル・ド・フランス
8		wh003	白カビ	カマンベール	牛	24	1,500	3,000	ノルマンディ

範囲を選択したい最初のセル（セルB2）をクリックし、Ctrlキーと Shiftキーを押しながら→キーを押すと、表の右端まで選択される。

▶ Ctrl ＋ Shift ＋ ↓ キーで列範囲の選択

	A	B	C	D	E	F	G	H	I
1									
2		ID	タイプ	チーズ名	乳種	在庫	入荷価格	販売価格	産地
3		fl001	フレッシュ	シェーヴル・フレ	山羊	5	1,200	2,200	ロワール
4		fl002	フレッシュ	フロマージュ・ブラン	牛	15	1,000	2,000	ノルマンディ
5		fl003	フレッシュ	プティ・スイス	牛	28	1,100	2,200	フランス全土
6		wh001	白カビ	ブリ・ド・モー	牛	11	1,900	3,800	イル・ド・フランス
7		wh002	白カビ	ブリ・ド・ムラン	牛	16	1,900	2,000	イル・ド・フランス
8		wh003	白カビ	カマンベール	牛	24	1,500	3,000	ノルマンディ
9		wh004	白カビ	クロミエ	牛	26	1,400	2,800	イル・ド・フランス
10		wh005	白カビ	シュプレーム	牛	30	1,400	2,800	ノルマンディ
11		wh006	白カビ	ブリア・サヴァラン	牛	5	1,000	1,800	ノルマンディ
12		wa001	ウォッシュ	マンステール	牛	17	1,300	2,600	アルザス
13		wa002	ウォッシュ	リヴァロ	牛	12	1,000	2,000	ノルマンディ
14		wa003	ウォッシュ	エポワース	牛	26	1,300	2,600	ブルゴーニュ
15		wa004	ウォッシュ	ラミ・デュ・シャンベルタン	牛	13	1,500	3,000	ブルゴーニュ
16		wa005	ウォッシュ	タレッジョ	牛	25	1,700	3,400	ロンバルディア
17		bu001	青かび	ロックフォール	羊	11	1,800	3,600	ルエルグ
18		bu002	青かび	ブルー ドーヴェルニュ	牛	4	1,000	1,800	オーヴェルニュ
19		bu003	青かび	ブルー・デ・コース	牛	27	1,000	2,000	ルエルグ
20		bu004	青かび	フルム・ダンベール	牛	6	1,200	1,400	オーヴェルニュ
21		bu005	青かび	ゴルゴンゾーラ	牛	22	1,800	3,600	ロンバルディア
22		bu006	青かび	スティルトン	牛	10	1,900	1,800	ピエモンテ
23		se001	セミハード	カンタル	牛	27	1,100	2,200	オーヴェルニュ
24		se002	セミハード	サン・ネクテール	牛	18	1,800	3,600	オーヴェルニュ

範囲を選択したい最初のセル（セルB2）をクリックし、Ctrlキーと Shiftキーを押しながら↓キーを押すと、表の下端まで選択される。

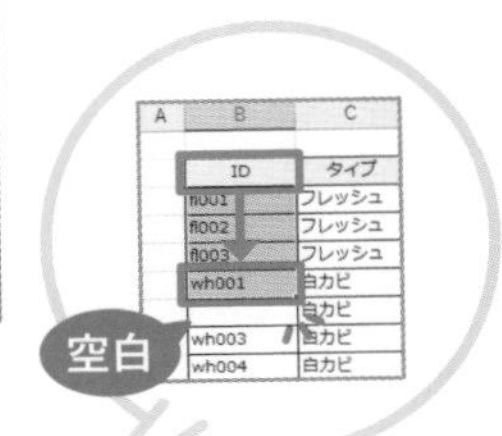

途中に空白セルがある場合は、その手前までしか選択されないニャ

表全体を一気に選択したいときは、表内のセルを選択した状態で、Ctrl＋Aキーをクリック。
再度押すと、ワークシート全体が選択されます。

データは数値と文字列の2種類に分けられる

データの種類

ネコ先生、入力すると、自動的にセル内で左寄りや右寄りに表示されるのはどうして？

↓こんな感じ

一月一日
1月1日

Excelは、入力されたデータがどんなものかを自動判別することができる。その結果、表示の仕方も自動で変えているんだニャ

すごーい！　でも、何を自動判別するのかな？

文字列か、数値か、データの種類を自動判別

Excelで扱うデータは、大きく2種類に分けられます。1つは「1, 2」などの「数値データ」で、もう1つが「おはよう」などの「文字列データ」です。Excelは、どちらのデータなのかを自動判別したあと、「数値データは右揃え、文字列データは左揃え」に表示する初期設定になっています。

数値データと文字列データの大きな違いは、計算対象になるかどうか、という点です。たとえば漢字で「百」と入力すると文字列と認識され、計算対象にはなりません。表計算を得意とするExcelにとっては、大事な区別です。

また、数値データには、パーセントや金額、文字列のように見える日付や時刻も含まれます。これらは、Excel内部で処理される本来の数値（例：0.05）はそのままに、表示形式（→P104）、いわば見た目（例：5%）を変える設定がなされています。日付は、「1900年1月1日」を「1」として数えた数値（シリアル値といいます）で処理されます（1900年1月2日は「2」）。このおかげで、日付や時刻も計算することができるのです。

データの種類を知ろう

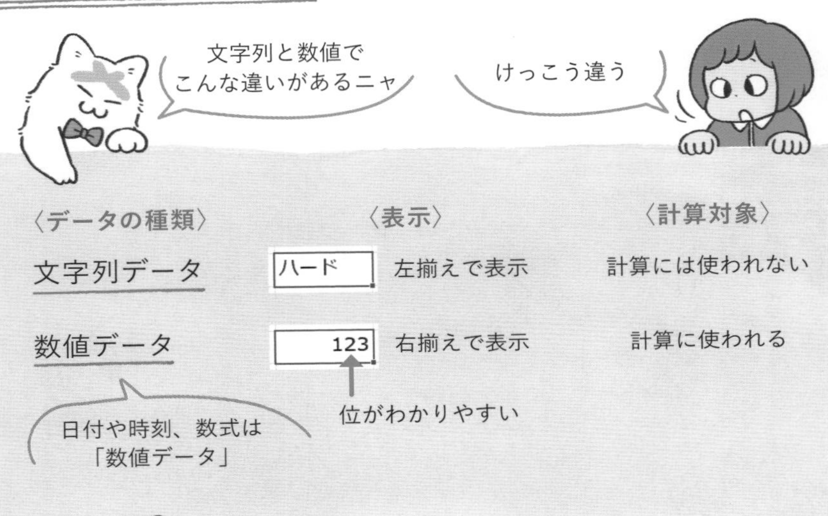
文字列と数値でこんな違いがあるニャ
けっこう違う
ハード
123
位がわかりやすい
日付や時刻、数式は「数値データ」

〈データの種類〉	〈表示〉	〈計算対象〉
文字列データ	左揃えで表示	計算には使われない
数値データ	右揃えで表示	計算に使われる

長いデータを入力すると、こんな違いもあるニャ

文字列データの場合

右のセルにデータがあると、見切れる（下に隠れる）。

右のセルが空白だと、隣のセルを間借りして表示される。

数値データの場合

数字が途中で見切れるとトラブルの原因になるため、このようなエラー表示になる。

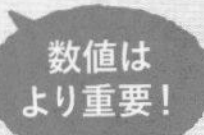
数値はより重要！

	A	B	C
1			
2		チーズ名	個数
3		ブリ・ド・モー	25
4		ブリ・ド・ムラ	18
5		ラミ・デュ・シャンベルタン	
6		パルミジャーノ・レッジャーノ	
7			
8		在庫確認日	#######
9			

数値は最適な見せ方に

数値データは、最適な表示になるように、Excelが自動判別します。たとえば、右のように変換されるのです（→P104）。

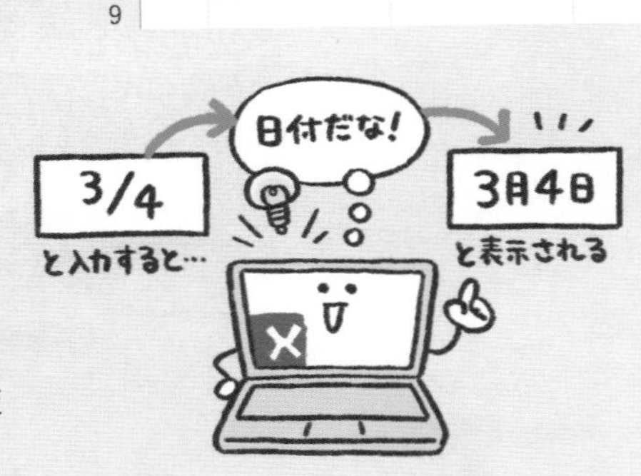
3/4
と入力すると…
日付だな！
3月4日
と表示される

「オートフィル」で自動的にデータを埋める

オートフィル

脱・初心者のためには、ひたすら手入力するんじゃなくて「オートフィル」を使うニャ

オ、オートフィル……？？
オートってことは、自動で何かするの？

そう。オートフィルを使えば、手入力の何十倍も速く入力できるニャ

オートフィルの基本

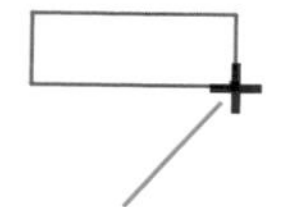

フィルハンドルにカーソルを合わせると、「＋」に変わる。

セルの右下角にある■をフィルハンドルといいます。ここにカーソルを合わせると、“魔法の取っ手”に変身。下や右へドラッグ※することで「101，102，103」「月、火、水」など連続性のあるデータを隣接セルに一気に入力できます。

ドラッグ…ドラッグとは、マウスを左クリックしたまま移動させること。引きずるイメージ。

▶連続するデータをオートフィルで入力

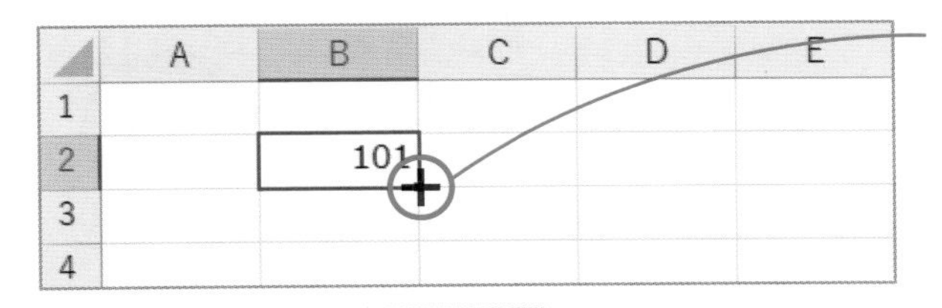

❶1つ目のデータを入力したら、そのセルを選択して右下角の■（フィルハンドル）にカーソルを合わせる。■が「+」に変わる。

❷「+」を、データを入力したいセルまでドラッグする。

❸1つ目のデータがコピーされた。オートフィルの終了地点に表示される［オートフィルオプション］を押す。

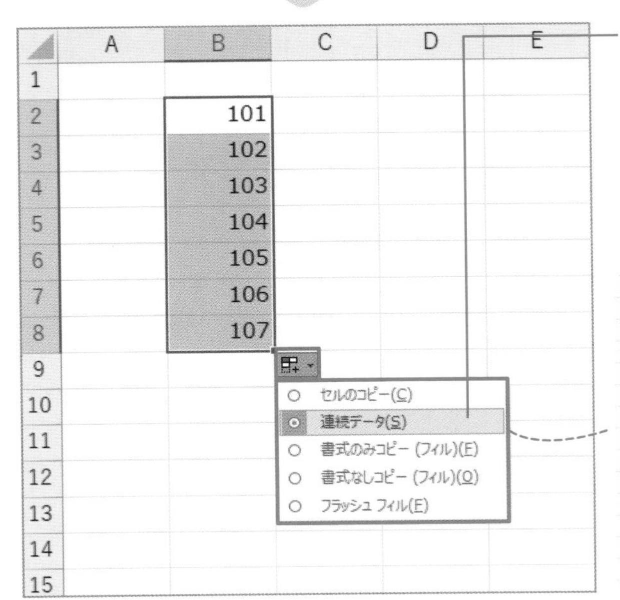

❹［連続データ］を選ぶと、オートフィルの結果が修正される。

ポイント

［セルのコピー］は、セルの値と書式をそのままコピーします。［書式のみコピー（フィル）］は書式だけを、［書式なしコピー（フィル）］は値だけをコピーします。

［オートフィルオプション］の表示は、オートフィル直後に表示されます。他のセルに入力するなど別の操作をすると消えてしまいます。

オートフィルの一例

こんな連続データが
自動入力できるニャ

曜日や日付も
できるのね！

オートフィルは、数値のほかに、曜日や月名、日付などを自動で連続入力することができます。ほかに、数式や関数もオートフィルでコピーできます（→ P67）。

	A	B	C	D	E	F	G
1							
2		曜日1	曜日2	曜日3	月	週単位	日
3		日	日曜	日曜日	1月	7月1日	7月1日
4		月	日曜	月曜日	2月	7月8日	7月2日
5		火	日曜	火曜日	3月	7月15日	7月3日
6		水	日曜	水曜日	4月	7月22日	7月4日
7		木	日曜	木曜日	5月	7月29日	7月5日
8		金	日曜	金曜日	6月	8月5日	7月6日
9		土	日曜	土曜日	7月	8月12日	7月7日
10		日	日曜	日曜日	8月	8月19日	7月8日
11		月	日曜	月曜日	9月	8月26日	7月9日
12		火	日曜	火曜日	10月	9月2日	7月10日
13		水	日曜	水曜日	11月	9月9日	7月11日
14		木	日曜	木曜日	12月	9月16日	7月12日

曜日は表現に注意

曜日のオートフィルでは、「日」や「日曜日」は自動的に連続入力できる一方、「日曜」はオートフィルに登録されていないため、同じ内容がコピーされます。

週単位でもOK

隣り合ったセルに2つの数字や日付を入力・選択して、オートフィルを行うと、2つの数値のデータ間隔を保った連続データを入力できます。

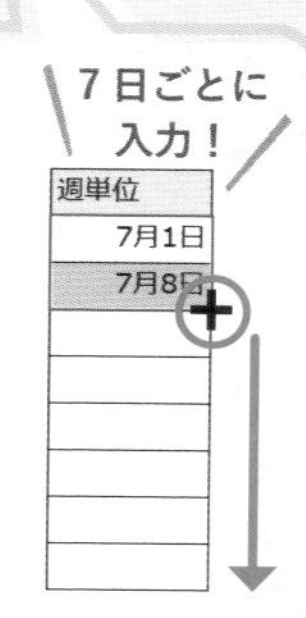
7日ごとに
入力！
週単位
7月1日
7月8日

オートフィルって
便利だなぁ
サクサク入力終わる〜

よ〜し!
ここは全部
「未納品」だから…
ぐい〜っとひっぱって…
納品
未
未
未
未
未

干支もオートフィルに
登録されているニャ
にゅっ
そうなの!?

連続データの干支ではなく、すべてを「未」とするには、[オートフィルオプション] で [セルのコピー] を選べばいいのかな？

- ○ セルのコピー(C)
- ◉ 連続データ(S)
- ○ 書式のみコピー (フィル)(F)
- ○ 書式なしコピー (フィル)(O)
- ○ フラッシュ フィル(F)

大正解！　ほかにもオートフィルオプション機能は多様。下のように連続データだと書式※（背景色）までコピーされてしまう場合は「書式なし」に変えるといいニャ

[連続データ] の場合

1	日	本社お休み
2	月	
3	火	
4	水	
5	木	
6	金	
7	土	

[書式なしコピー (フィル)] の場合

1	日	本社お休み
2	月	
3	火	
4	水	
5	木	
6	金	
7	土	

書式…文字の種類や色、大きさ、配置、セルの色や罫線などの飾り、データの表示方法の指定などを「書式」といいます（→P98）。

操作の取り消し、やり直しをする

🔑 編集

あー！　間違えて、せっかく入力したデータを消しちゃった……。

がっかりすることないニャ。直前の間違えた操作を取り消せば、元に戻せるよ

▶ Ctrl ＋ Z キーで元に戻す（直前の操作を取り消す）

	A	B	C	D	E
1					
2		取り扱いワインリスト			
3					
4		No	発注コード	国名	入荷
5		1	3517030512	France	700
6		2		US	800
7		3	6860271506	France	910

❶誤ってデータを消去してしまったら、Ctrl＋Zキーを押す。

	A	B	C	D	E
1					
2		取り扱いワインリスト			
3					
4		No	発注コード	国名	入荷
5		1	3517030512	France	700
6		2	2672830575	US	800
7		3	6860271506	France	910

❷直前の操作（データの消去）が取り消され、データが復活する。

▶ Ctrl ＋ Y キーで、元に戻した操作を取り消す

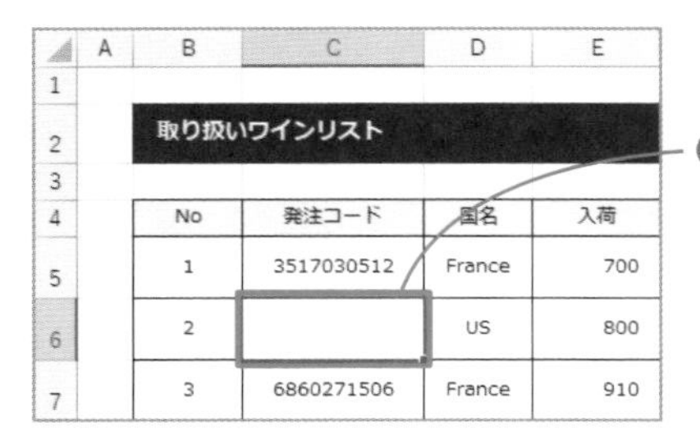

	A	B	C	D	E
1					
2		取り扱いワインリスト			
3					
4		No	発注コード	国名	入荷
5		1	3517030512	France	700
6		2		US	800
7		3	6860271506	France	910

❸続けてCtrl＋Yキーを押すと、元に戻した操作（データの復活）が取り消され、再びデータが消える。

元に戻しすぎたときはこの操作ですぐ修正するニャ

コピー&ペーストをもっと使いこなす

編集

同じ内容を入力するときは、「コピー&ペースト」※をフル活用すると効率的ニャ

▶ Ctrl + C キーでコピーする

	A	B	C	D	E
1					
2		チーズ名	乳種	入荷価格	販売価格
3		シェーヴル・フレ	山羊	900	2,200
4		フロマージュ・ブラン	牛	800	2,000
5					
6		チーズ名	在庫		
7		シェーヴル・フレ	15		
8			12		
9					

❶コピーしたい範囲のセルを選択して、Ctrl + C キーを押す。コピーされる範囲が緑の点線で囲まれる。

▶ Ctrl + V キーで貼り付ける

	A	B	C	D	E
1					
2		チーズ名	乳種	入荷価格	販売価格
3		シェーヴル・フレ	山羊	900	2,200
4		フロマージュ・ブラン	牛	800	2,000
5					
6		チーズ名	在庫		
7		シェーヴル・フレ	15		
8		フロマージュ・ブラン	12		
9			(Ctrl)▾		

❷コピー先のセルを選択して、Ctrl + V キーを押すと、データがコピーされる（貼り付けられる）。

コピー元の周囲が点滅している間は、続けて別のところにコピーできるニャ

コピー&ペースト…データをコピーして、コピーしたデータを貼り付ける機能を指し、略してコピペともいいます。Excel以外のアプリでも使われる機能です。

あれ？　コピーしたら、罫線が消えたりフォントが変わったりして、表が崩れちゃった……

ただのコピーでは、すべての設定が反映されるよ。思い通りにコピーできないときは、［貼り付けのオプション］を活用するニャ

▶「値」のみを貼り付ける

ポイント

コピー＆ペースト（→P61）で、書式が変わってしまった場合は、「値」だけコピーする設定に切り替えましょう。

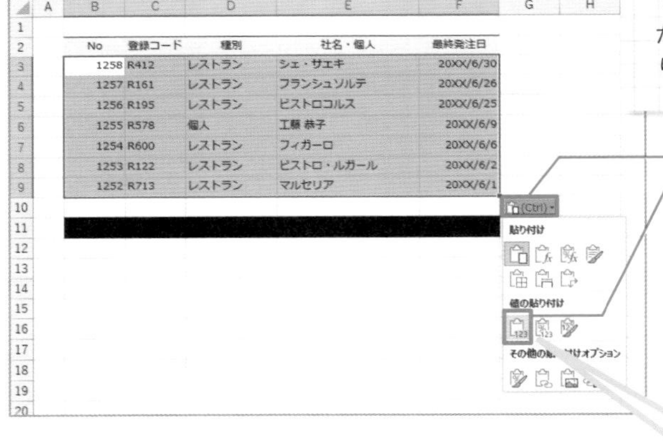

No	登録コード	種別	社名・個人	最終発注日
1258	R412	レストラン	シェ・サエキ	20XX/6/30
1257	R161	レストラン	フランシュソルテ	20XX/6/26
1256	R195	レストラン	ビストロコルス	20XX/6/25
1255	R578	個人	工藤 恭子	20XX/6/9
1254	R600	レストラン	フィガーロ	20XX/6/6
1253	R122	レストラン	ビストロ・ルガール	20XX/6/2
1252	R713	レストラン	マルセリア	20XX/6/1

❶コピー＆ペースト後に、選択範囲の右下角に表示される［貼り付けのオプション］を押し、［値の貼り付け］の［値］アイコンをクリック。

No	登録コード	種別	社名・個人	最終発注日
1258	R412	レストラン	シェ・サエキ	20XX/6/30
1257	R161	レストラン	フランシュソルテ	20XX/6/26
1256	R195	レストラン	ビストロコルス	20XX/6/25
1255	R578	個人	工藤 恭子	20XX/6/9
1254	R600	レストラン	フィガーロ	20XX/6/6
1253	R122	レストラン	ビストロ・ルガール	20XX/6/2
1252	R713	レストラン	マルセリア	20XX/6/1

❷コピペ前に設定していた書式に戻り、値のみが反映された。

MEMO 数式をコピー＆ペーストするときに［値の貼り付け］を選ぶと、数式は反映されず、結果の値のみが反映されます。

▶行と列を入れ替えて貼り付ける

	A	B	C	D	E	F	G	H	I
1									
2		年度	20X1	20X2	20X3	20X4	20X5	20X6	
3		合計	39,276	40,412	39,928	40,776	40,257	42,364	
4		P原料	24,174	23,355	21,785	20,851	19,402	21,107	
5		P以外	15,102	17,057	18,143	19,925	20,855	21,257	

(Ctrl)▾
貼り付け
値の貼り付け
その他の貼り付けオプ…

行/列の
入れ替え

❶表をコピー先へ貼り付けた後、右下角に表示される［貼り付けのオプション］を押し、［行/列の入れ替え］アイコンをクリックする。

	A	B	C	D	E	F
1						
2		年度	合計	P原料	P以外	
3		20X1	39,276	24,174	15,102	
4		20X2	40,412	23,355	17,057	
5		20X3	39,928	21,785	18,143	
6		20X4	40,776	20,851	19,925	
7		20X5	40,257	19,402	20,855	
8		20X6	42,364	21,107	21,257	
9						

(Ctrl)▾

❷表の行と列が入れ替わって表示される。

ポイント

表をペーストするときに、行と列を入れ替えて貼り付けることができます。

他にも知っておきたい「貼り付けのオプション」

ボタン	機能
数式の貼り付け	書式設定はそのままに、「数式」（→ P64）のみを貼り付けられる。
 書式	値はそのままに、「書式」のみを貼り付けることができる。
 元の列幅を保持	通常のコピー＆ペーストだと、列幅はコピーされないが、［元の列幅を保持］を選択すると、列幅もコピーできる。
 図の貼り付け	コピー元の表をイメージ図としてコピーできる。貼り付け後に拡大や縮小、回転などもできる。
 リンクされた図の貼り付け	図の貼り付けと同様に、コピー元の表を図としてコピーできる。元データが変更されると、変更が反映される。

数式をマスターしてミスなく自動計算

数式 セル参照

いよいよセルに入力する計算式、つまり数式のコツを伝授するニャ!

「数式」っていう響きだけで、もうムリ……。難しそうでイヤだなぁ

大丈夫! 小学校で習うたし算、ひき算、かけ算、わり算がわかれば理解できるニャ。ゆっくり説明していくよ

計算に使う記号

Excelの四則演算で使う記号は、下の通り。算数で使う記号と少し異なるものもあります。しっかり覚えておきましょう。

計算方法	演算記号	入力する数式(例)	表示される結果(例)
たし算	+(プラス)	=8+2	10
ひき算	−(マイナス)	=8-2	6
かけ算	*(アスタリスク)	=8*2	16
わり算	/(スラッシュ)	=8/2	4
べき乗	^(キャレット)	=8^2	64

数字はかならず半角で入力する!

算術演算子(さんじゅつえんざんし)…たし算、ひき算などの計算を行うときに使う記号を「算術演算子」といいます。

▶「値」を入力して計算する

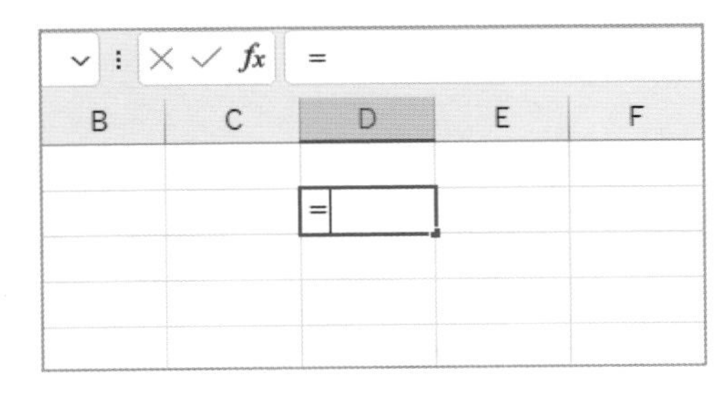

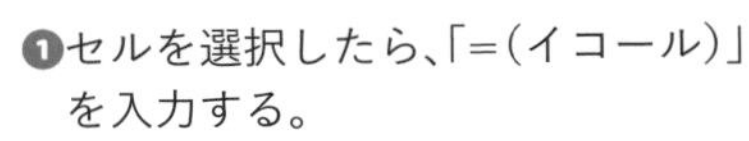

❶セルを選択したら、「=(イコール)」を入力する。

セルを箱に例えると…

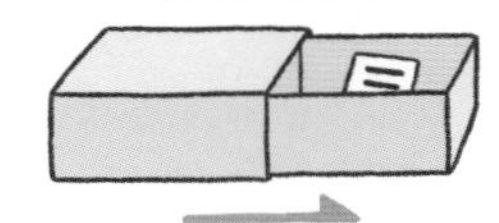

箱が開き、「=」を入力すると、数式作成の準備を開始。

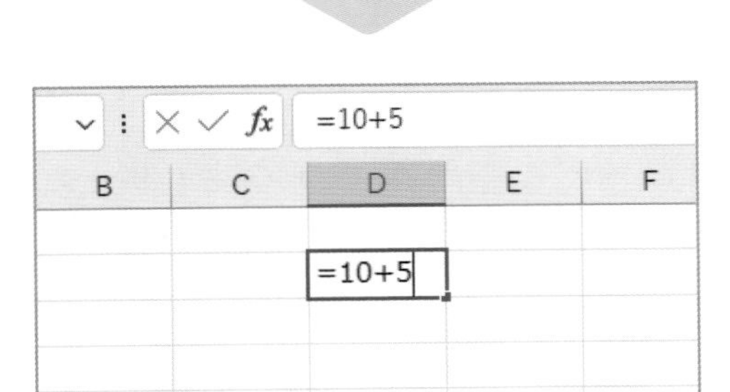

❷「=」の後ろに、数式を入力する。ここでは「=10+5」と入力。

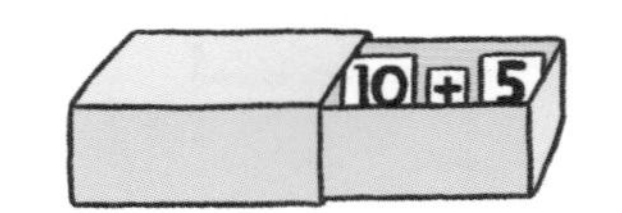

数式は、セル(箱)の中へ。

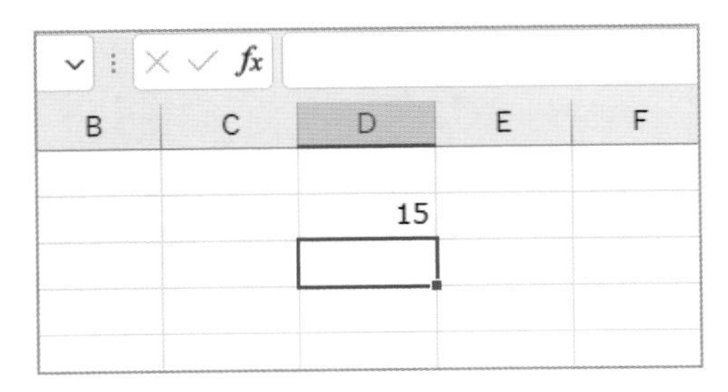

❸ Enter キーを押すと、計算結果の「15」が表示され、アクティブセルは1つ下に移る。

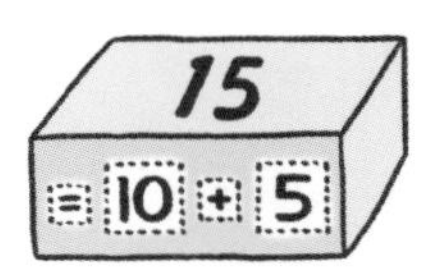

箱が閉じて結果が表示される。

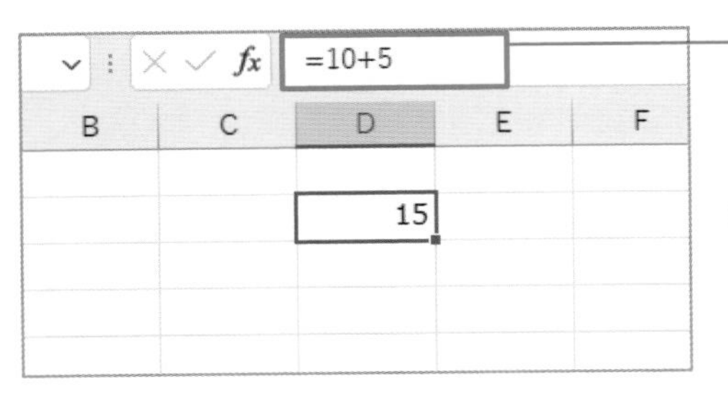

❹計算したセルを選択して「数式バー」を見ると、数式を確認できる。

いちいち数字や数式を入力していたら、電卓と同じくらい手間がかかるよ？

その通り。だから実際には、セルの位置を指定して計算するよ。「セル参照」というニャ。電卓にはないメリットがあるニャ

Check! セル ➜P33

▶セルを参照して計算する

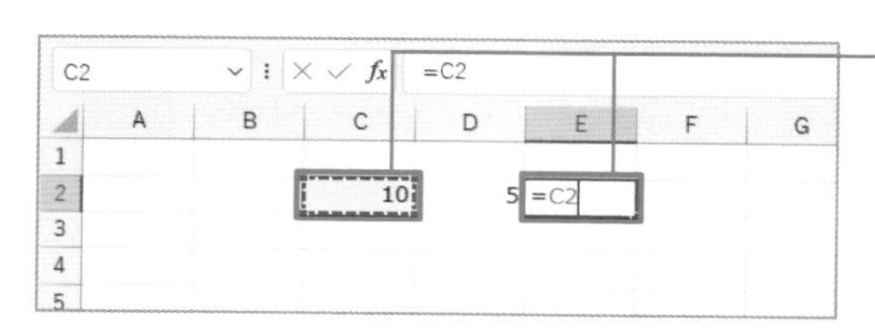

❶数式を入力するセル（ここではE2）を選択し、「=」を入力後、セルC2をクリック。すると「=」の後ろに「C2」が自動で入力される（これを「セル参照」という）。

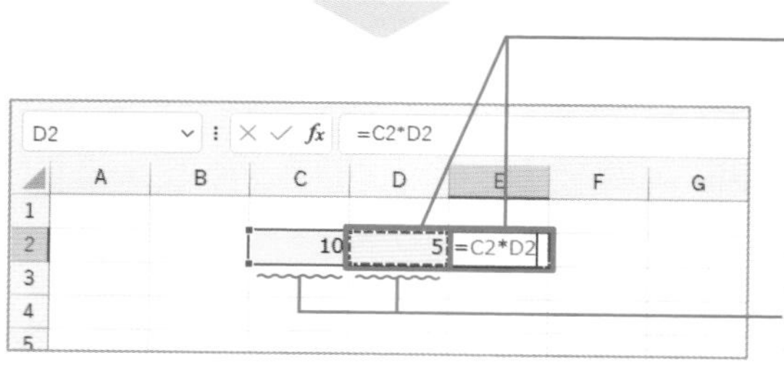

❷そのまま続けてかけ算の記号「*」を入力後、セルD2をクリック。数式に「D2」が自動入力される。

ポイント

1つ目のセル参照（C2）は青、2つ目のセル参照（D2）は赤というように、「カラーリファレンス」※によって色が変化します。

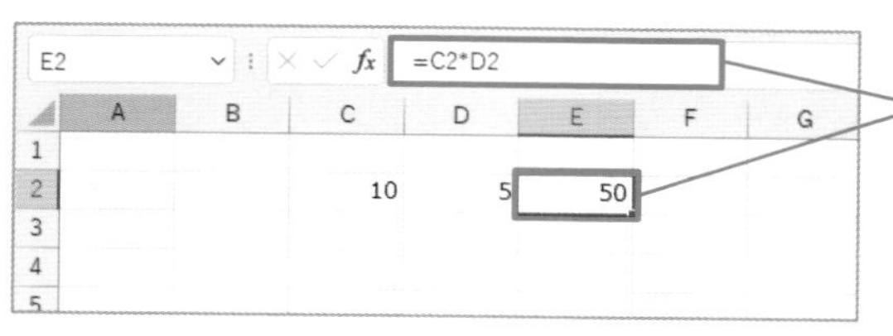

❸Enterキーを押すと、計算結果「50」が表示される。セルE2を選択して、数式バーを見ると、「=C2*D2」と確認できる。

セル参照で計算すると、右上のようにセルの値を変更したとき、自動的に再計算されるニャ

カラーリファレンス…数式内でセル参照を行うと、参照セルごとに色付きで表示される機能です。数式内の参照元のセルを示す文字と同じ色が、実際の参照元のセルの周囲に表示されます。

▶「値」を変えて再計算

	A	B	C	D	E	F
1						
2			10	5	50	
3						
4						
5						

❶セルE2に数式「=C2*D2」が入力された状態で、セルD2の値を「5」→「10」に変更する。

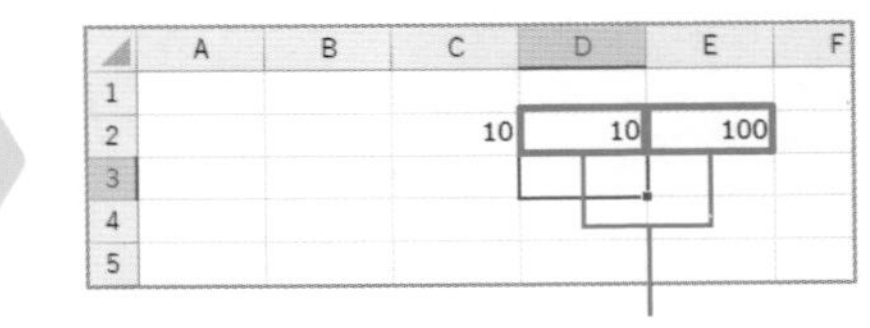

❷値を変えて、Enterキーを押すと、数式が入力されていたセルE2の結果が再計算された。

もう1つ便利だからぜひ覚えてほしいのが、「数式のコピー」ニャ。オートフィルを活用しよう

Check!
オートフィル
➜P56

▶オートフィルで数式をコピー

H3 =C3*D3

	A	B	C	D	E	F	G	H
1								
2		品名	単価	注文計	乃木坂店	青山店	赤坂店	合計
3		シェーヴル・フレ	1,200	8	2	4	2	9,600
4		フロマージュ・ブラン	1,000	8	3	4	1	
5		プティ・スイス	1,100	12	4	4	4	
6		ブリ・ド・モー	1,900	7	3	3	1	
7		ブリ・ド・ムラン	1,900	12	4	5	3	
8		カマンベール	1,500	11	5	1	5	
9		クロミエ	1,400	7	2	3	2	
10		シュプレーム	1,400	10	5	3	2	
11		ブリア・サヴァラン	1,000	13	4	5	4	
12		マンステール	1,300	7	4	2	1	
13		リヴァロ	1,000	4	2	1	1	
14		エポワース	1,300	9	5	1	3	
15		ラミ・デュ・シャンベルタン	1,500	9	3	3	3	
16		タレッジョ	1,700	10	2	5	3	
17		ロックフォール	1,800	12	4	5	3	

❶数式「=C3*D3」が入力されているセルH3を選択する。セルの右下角の■（フィルハンドル）にカーソルを合わせて「+」に変わったら、下までドラッグ。

	A	B	C	D	E	F	G	H
1								
2		品名	単価	注文計	乃木坂店	青山店	赤坂店	合計
3		シェーヴル・フレ	1,200	8	2	4	2	9,600
4		フロマージュ・ブラン	1,000	8	3	4	1	8,000
5		プティ・スイス	1,100	12	4	4	4	13,200
6		ブリ・ド・モー	1,900	7	3	3	1	13,300
7		ブリ・ド・ムラン	1,900	12	4	5	3	22,800
8		カマンベール	1,500	11	5	1	5	16,500
9		クロミエ	1,400	7	2	3	2	9,800
10		シュプレーム	1,400	10	5	3	2	14,000
11		ブリア・サヴァラン	1,000	13	4	5	4	13,000
12		マンステール	1,300	7	4	2	1	9,100
13		リヴァロ	1,000	4	2	1	1	4,000
14		エポワース	1,300	9	5	1	3	11,700
15		ラミ・デュ・シャンベルタン	1,500	9	3	3	3	13,500
16		タレッジョ	1,700	10	2	5	3	17,000
17		ロックフォール	1,800	12	4	5	3	21,600

数式の入力が1回で済むなら超便利！あれ？　でもコピーなら全部同じ計算&結果になるのでは？

NO！次ページで解説するニャ！

❷数式がコピーされ、計算結果が表示される。

数式のコピーでは「セルの参照元」に要注意!

相対参照　絶対参照　複合参照

数式コピーって
便利だけど…
質問!
はいはい
コピーしたら
全部同じ式と答えに
なるはずでは!?
いいとこに
気付いたニャ
赤坂店 合計
2 9,600
1 9,600
4 9,600
1 9,600
3 9,600
5 9,600
2 9,600
2 9,600
4 9,600
1 9,600
1 9,600

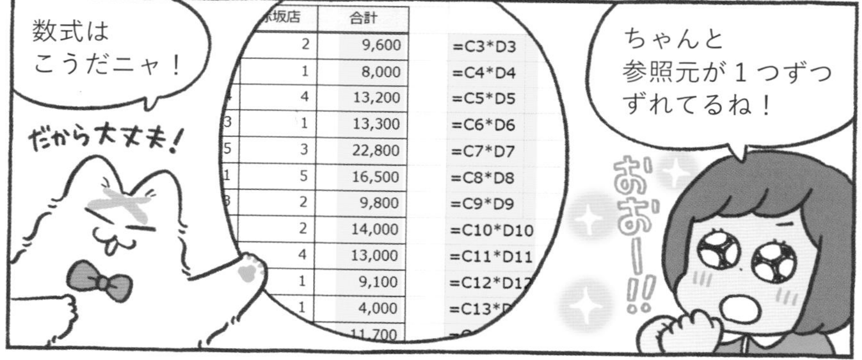

数式は
こうだニャ!
だから大丈夫!
赤坂店 合計
2 9,600 =C3*D3
1 8,000 =C4*D4
4 13,200 =C5*D5
1 13,300 =C6*D6
3 22,800 =C7*D7
5 16,500 =C8*D8
2 9,800 =C9*D9
2 14,000 =C10*D10
4 13,000 =C11*D11
1 9,100
1 4,000
ちゃんと
参照元が1つずつ
ずれてるね!
おおー!!

オートフィルで数式をコピーすると、コピー先に合わせて、セルの参照元も自動的に調整される。これを「相対参照(そうたいさんしょう)」というニャ

ちゃんと、参照元もずらしてくれるなんて、Excel って本当に賢い!

「相対参照」の場合

相対参照が使われたセルC1の数式をC2、C3にコピーすると、下のようになります（値を登場人物に置き換えました）。

セルC1の数式
「=A1*B1」
セルC1の左側2マス（セルA1とB1）のかけ算で、C1は「チーズを食べるリコ」。

セルC2、C3の数式
「=A2*B2」「=A3*B3」
C1と同様、それぞれ左側2マスのかけ算。C2は「ワインを飲む先輩」、C3は「お金を持つ社長」。

▶相対参照を使った計算例

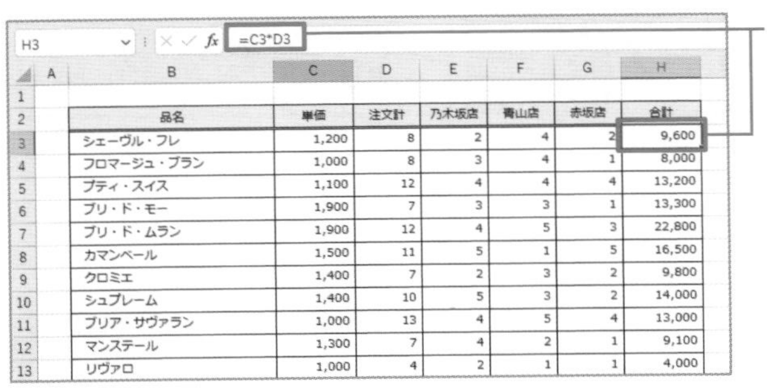

H3　=C3*D3

	A	B	C	D	E	F	G	H
1								
2		品名	単価	注文計	乃木坂店	青山店	赤坂店	合計
3		シェーヴル・フレ	1,200	8	2	4	2	9,600
4		フロマージュ・ブラン	1,000	8	3	4	1	8,000
5		プティ・スイス	1,100	12	4	4	4	13,200
6		ブリ・ド・モー	1,900	7	3	3	1	13,300
7		ブリ・ド・ムラン	1,900	12	4	5	3	22,800
8		カマンベール	1,500	11	5	1	5	16,500
9		クロミエ	1,400	7	2	3	2	9,800
10		シュブレーム	1,400	10	5	3	2	14,000
11		ブリア・サヴァラン	1,000	13	4	5	4	13,000
12		マンステール	1,300	7	4	2	1	9,100
13		リヴァロ	1,000	4	2	1	1	4,000

❶セルH3を選択して数式バーを見ると、「=C3*D3」の数式が確認できる。

H4　=C4*D4

	A	B	C	D	E	F	G	H
1								
2		品名	単価	注文計	乃木坂店	青山店	赤坂店	合計
3		シェーヴル・フレ	1,200	8	2	4	2	9,600
4		フロマージュ・ブラン	1,000	8	3	4	1	8,000
5		プティ・スイス	1,100	12	4	4	4	13,200
6		ブリ・ド・モー	1,900	7	3	3	1	13,300
7		ブリ・ド・ムラン	1,900	12	4	5	3	22,800
8		カマンベール	1,500	11	5	1	5	16,500
9		クロミエ	1,400	7	2	3	2	9,800
10		シュブレーム	1,400	10	5	3	2	14,000
11		ブリア・サヴァラン	1,000	13	4	5	4	13,000
12		マンステール	1,300	7	4	2	1	9,100
13		リヴァロ	1,000	4	2	1	1	4,000

❷セルH3の数式がコピーされたセルH4を選択して数式バーを見ると、「= C4*D4」。セルの参照元が1行下にずれていることが確認できる。

相対参照が使われた数式をコピーすると、参照元のセルも自動でずれて正しく計算されたよね。でも、上のケースはどう？

Check!
相対参照
➜ P69

参照元がずれて、セル F2 の「冷蔵費」が加算されなくなっちゃった。どうしよう……

そこで、使いたいのが「絶対参照」ニャ。数式内に「$」を入れると、行番号や列番号が固定されて、絶対にそのセルを参照するよ。
この場合、右のように「=E5+$F$2」となるニャ

「絶対参照」の場合

絶対参照が一部に使われたセルC1の数式をC2、C3にコピーすると、下のようになります（値を登場人物に置き換えました）。

セルC1の数式
「=$A$1*B1」

セルA1（絶対参照）とセルB1（相対参照）のかけ算。C1は「チーズを食べるリコ」。

セルC2、C3の数式
「=$A$1*B2」
「=$A$1*B3」

セルA1のリコは絶対参照で固定。かける数は相対参照でずれるため、C2は「ワインを飲むリコ」、C3は「お金を持つリコ」。

▶絶対参照を使った計算例
（相対参照を絶対参照に変更）

AVERAGE ｜ =E5+F2

	A	B	C	D	E	F
1						
2					冷蔵費	500
3						
4		チーズ名	販売	個数	合計	計＋冷
5		ロックフォール	3,600	2	7,200	=E5+F2
6		ブルードーヴェルニュ	1,800	2	3,600	3,600
7		ブルー・デ・コース	2,000	3	6,000	#VALUE!
8		フルム・ダンベール	1,400	1	1,400	9,100
9		ゴルゴンゾーラ	3,600	4	14,400	18,000
10		スティルトン	1,800	2	3,600	#VALUE!
11						
12						

❶セルF5を選択し、数式バーの「F2」にカーソルを置く（Fの前、Fと2の間、2の後ろのいずれかでOK）。

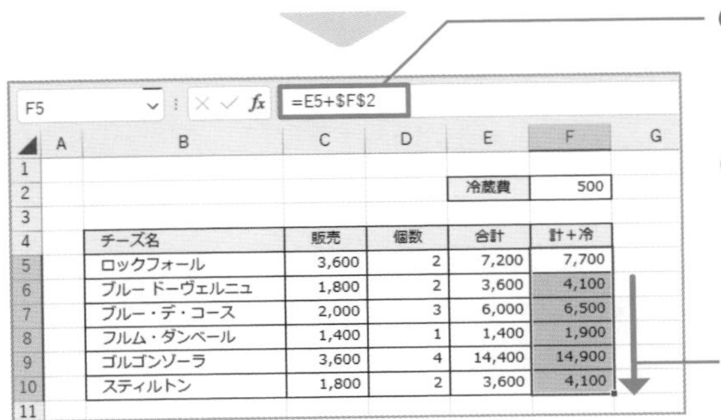
F5 ｜ =E5+$F$2

	A	B	C	D	E	F
1						
2					冷蔵費	500
3						
4		チーズ名	販売	個数	合計	計＋冷
5		ロックフォール	3,600	2	7,200	7,700
6		ブルードーヴェルニュ	1,800	2	3,600	4,100
7		ブルー・デ・コース	2,000	3	6,000	6,500
8		フルム・ダンベール	1,400	1	1,400	1,900
9		ゴルゴンゾーラ	3,600	4	14,400	14,900
10		スティルトン	1,800	2	3,600	4,100
11						

オートフィルでコピー

❷キーボードの F4 キーを1回押すと「F2」が絶対参照の「$F$2」に変わる。

❸セルF5の数式をオートフィルでコピーすると、セルF6〜F10も正しい計算に変わる。

ポイント

セルF5の数式内にあるセルの参照元F2（冷蔵費）を相対参照から絶対参照に変更しましょう。

MEMO 手順❷で F4 キーを押す際、キーボードによっては、同時に Fn キーを押す必要があります（→P34）。

相対参照(そうたいさんしょう)を絶対参照(ぜったいさんしょう)に変えるには、F4 キーを押すだけ！　いちいち「$」を手入力するのは面倒だし、ミスの原因になるニャ

F4 キーで参照方法を切り替える

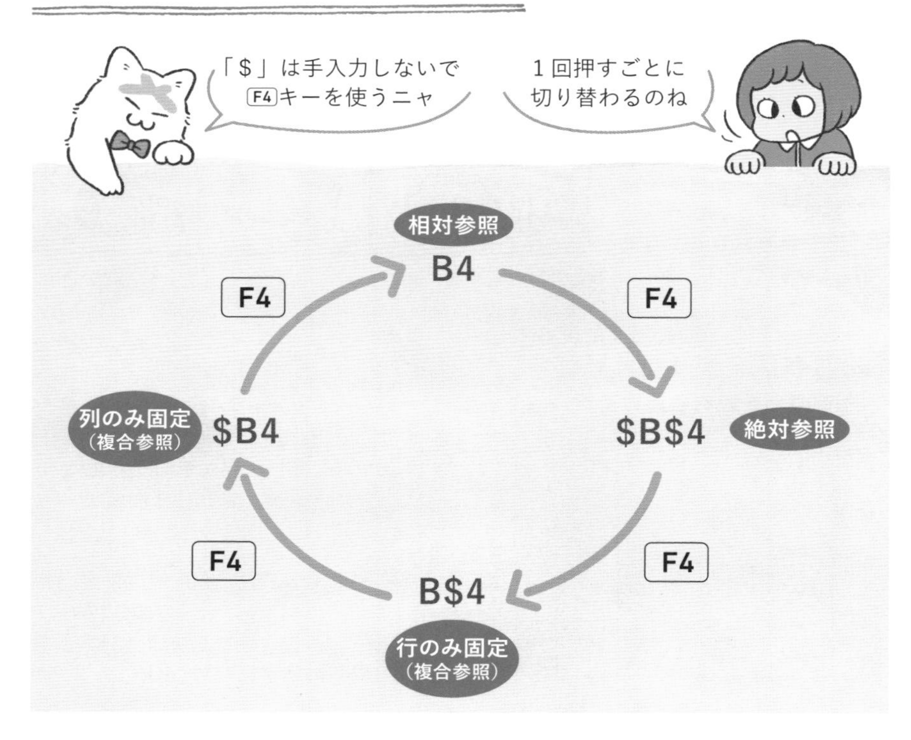

「複合参照(ふくごうさんしょう)」っていうのは、どんなときに使うの？

たとえば右ページのような式で役立つニャ。ただ、難しく考えないで、相対参照でも絶対参照でもできないときに使うと覚えておけば OK ！

複合参照の場合

複合参照を使うと、下のような表を一気に作成できます。この場合、3行目（各地の基本運賃）と、C列（追加料金）を固定したいので、行番号「3」と列番号「C」に＄マークを付けます。

▶ 複合参照を使った計算例

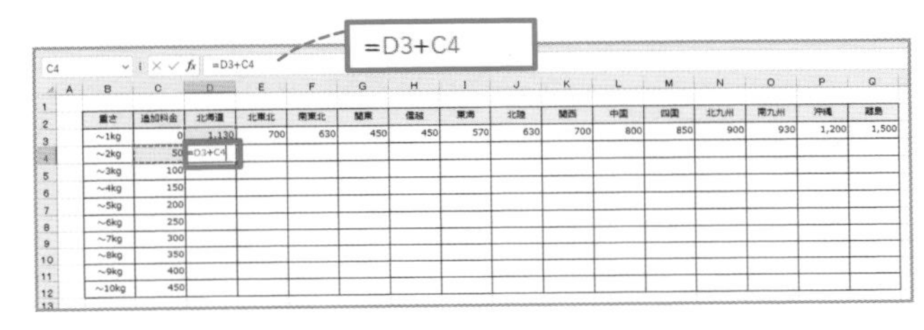

❶セルD4を選択して数式バーを見ると、「= D3＋C4」の数式が確認できる。

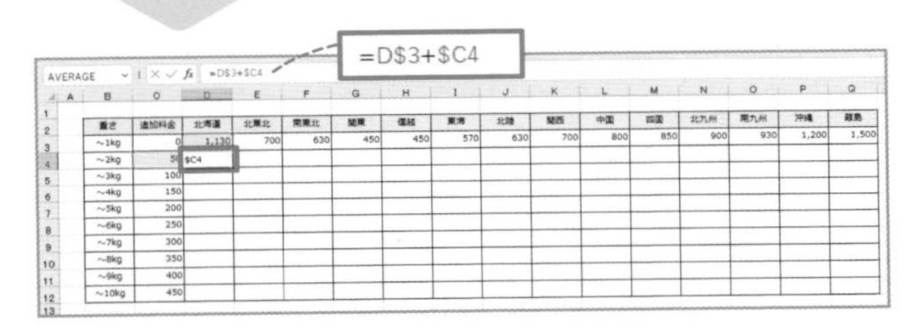

❷数式バーの「D3」にカーソルを置き、F4キーを2回押して複合参照「D$3」に切り替える。同様に、数式バーの「C4」にカーソルを置き、F4キーを3回押して複合参照「$C4」に切り替える。

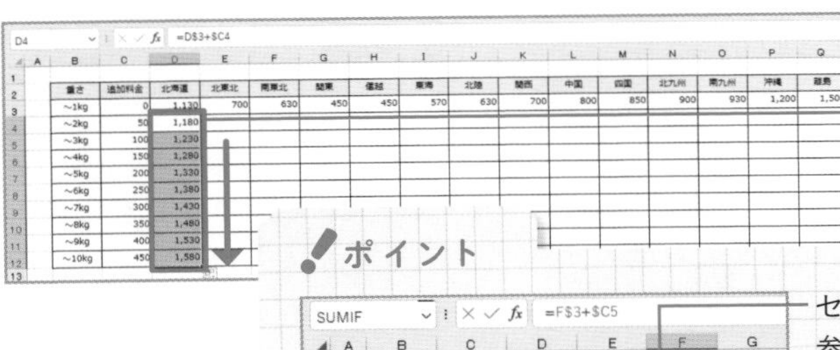

❸セルD4を下方向にオートフィルしてコピーする。

ポイント

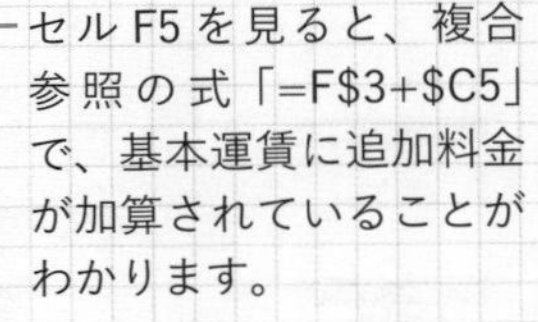

セルF5を見ると、複合参照の式「=F$3+$C5」で、基本運賃に追加料金が加算されていることがわかります。

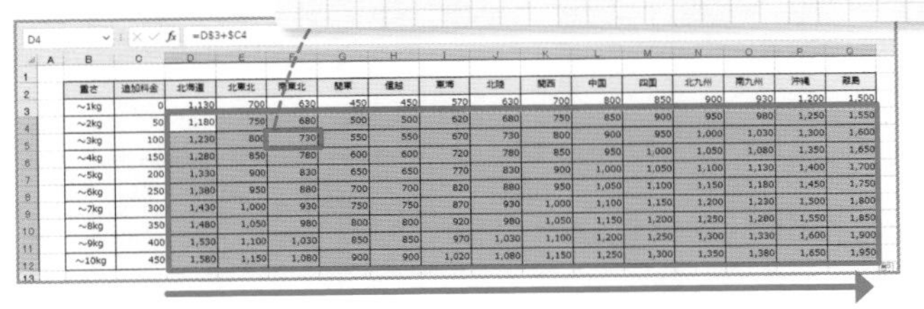

❹セルD4～D12を選択した状態のまま、右方向にオートフィルしてコピーすれば完成。

レッスン2 〝ラクに、速く、正確に〟データを入力しよう

教えて
ネコ先生！
シート操作の
コツ①

シートを分けて さらに効率よくする

シート

Excel先輩のファイルにデータを足し続けたら、こんなに入力できましたよ！ ほめてほめて！

どれどれ……って、150行以上あるニャ!! よくがんばったけど、大きすぎるデータは扱いづらいこともある。「シート」を分けて管理する方法も覚えよう

シート？ 分けると、何かいいことあるの？
（……面倒なことが増えない？）

シートを分ける

目的に応じてシートを分けると情報が整理されて管理もラクになります。たとえば支店ごとにシートを分けた売上実績なら、必要な支店のデータをすぐ取り出せ、データの追加も簡単にできます。

●シートを分けない表（Byリコ）

赤坂店　青かび種	売上	仕入れ値	粗利	残数
先月在庫	15,400	4,620	10,780	-
今月在庫	30,000	9,000	21,000	6
合計	45,400	13,620	31,780	6

乃木坂店　白かび種	売上	仕入れ値	粗利	残数
先月在庫	24,800	7,440	17,360	-
今月在庫	15,700	4,710	10,990	4
合計	40,500	12,150	28,350	4

チーズ売上表
準備完了　アクセシビリティ：問題ありません

データが大きく何度もスクロールが必要なうえ、支店が混在して見づらい。

●シートを分けた表

乃木坂店　ハード種	売上	仕入れ値	粗利	残数
先月在庫	8,700	2,610	6,090	2
今月在庫	4,250	1,275	2,975	5
合計	12,950	3,885	9,065	7

乃木坂店　白かび種	売上	仕入れ値	粗利	残数
先月在庫	24,800	7,440	17,360	-
今月在庫	15,700	4,710	10,990	4
合計	40,500	12,150	28,350	4

乃木坂店　青山店　赤坂店
準備完了　アクセシビリティ：問題ありません

乃木坂店　青山店　赤坂店

支店ごとに分かれて見やすくなった。

▶シートを増やす

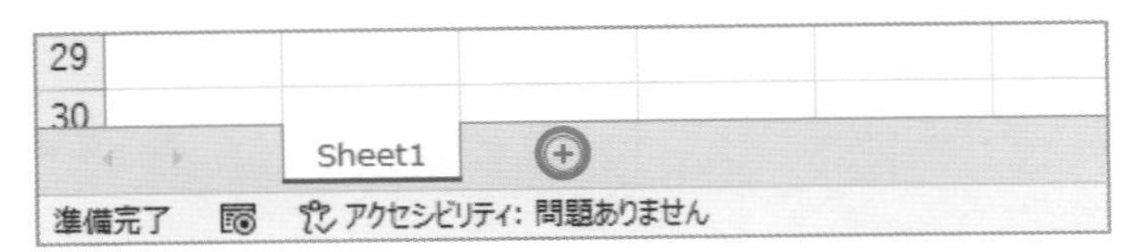

❶[＋]（新しいシート）をクリックする。

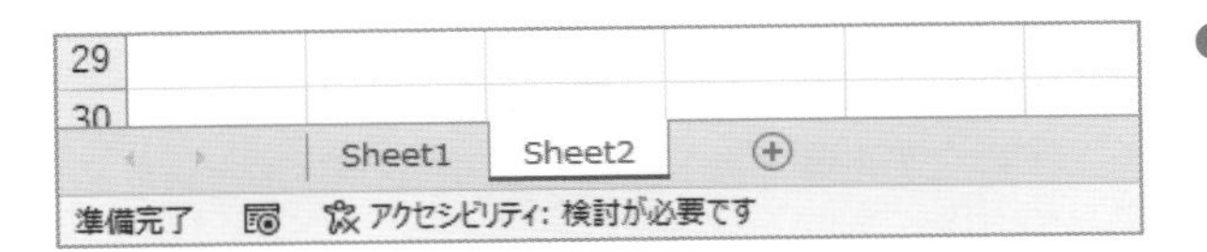

❷右隣にシートが追加され、[Sheet2] と表示される。シート名は変更可能（→P76）。

同じような形式のシートを作成するなら、コピーしたシートを追加すれば、作業が早いニャ

▶ シートをコピーする

青山店　ハード種	売上	仕入れ値	粗利	残数
先月在庫	12,800	3,840	8,960	-
今月在庫	24,580	7,374	17,206	12
合計	37,380	11,214	26,166	12

青山店　白かび種	売上	仕入れ値	粗利	残数
先月在庫	14,000	[illegible]	9,800	1
今月在庫	8,70[illegible]	[illegible]	6,090	5
合計	22,7[illegible]	[illegible]	15,890	6

乃木坂店　青山店

準備完了　アクセシビリティ: 問題ありません

❶Ctrlキーを押しながら、コピーしたいシート見出し（ここでは「青山店」）を右側へドラッグ（[▼] の表示位置にコピーされる）。

青山店　ハード種	売上	仕入れ値	粗利	残数
先月在庫	12,800	3,840	8,960	-
今月在庫	24,580	7,374	17,206	12
合計	37,380	11,214	26,166	12

青山店　白かび種	売上	仕入れ値	粗利	残数
先月在庫	14,000	4,200	9,800	1
今月在庫	8,700	2,610	6,090	5
合計	22,700	6,810	15,890	6

乃木坂店　青山店　青山店 (2)

準備完了　アクセシビリティ: 問題ありません

❷「青山店」のシートが右側にコピーされた。コピーされたシート名は「青山店 (2)」と表示される。

シンプルに管理して誰もが使いやすいシートに

シートが複数あるときは、わかりやすい名前を付けて管理しやすくしておくニャ

20XX年度チーズ売上一覧表_乃木坂店

↑こんなふうにシート名が長いと理解しづらいから、シンプルなシート名にしてほしいな

▶ シートの名前を変更する

	青山店　白かび種	売上	仕入れ値
30			
31	青山店　白かび種	売上	仕入れ値
32	先月在庫	14,000	4,200
33	今月在庫	8,700	2,610
34	合計	22,700	6,810
35			
36			

乃木坂店　青山店　青山店 (2)

準備完了　アクセシビリティ: 問題ありません

❶シート名をダブルクリックすると、シート名を編集できる（シート名を選択して右クリック→[名前の変更]でもOK)。

	青山店　白かび種	売上	仕入れ値
30			
31	青山店　白かび種	売上	仕入れ値
32	先月在庫	14,000	4,200
33	今月在庫	8,700	2,610
34	合計	22,700	6,810
35			
36			

乃木坂店　青山店　赤坂店

準備完了　アクセシビリティ: 問題ありません

❷名前を編集したらEnterキーで確定。

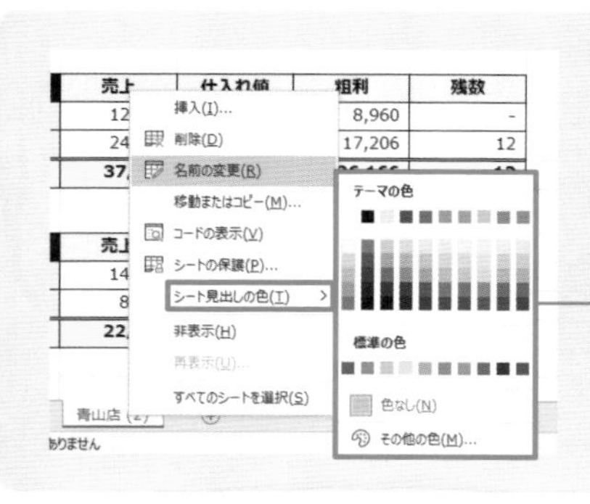

シート見出しの色は変更可能！　シート名や色の決まりをチーム内で統一すると混乱しないニャ

シート名を選択して右クリック→[シート見出しの色]をクリックすると、好きな色に変更できる。

複数のシートを作成したあとで、並び順を入れ替えることはできる？

もちろん並べ替え可能ニャ！　時系列や地域順のほか、優先度の高いものを左に並べるなど、見やすく使いやすい並びを考えよう！

▶シートを入れ替える

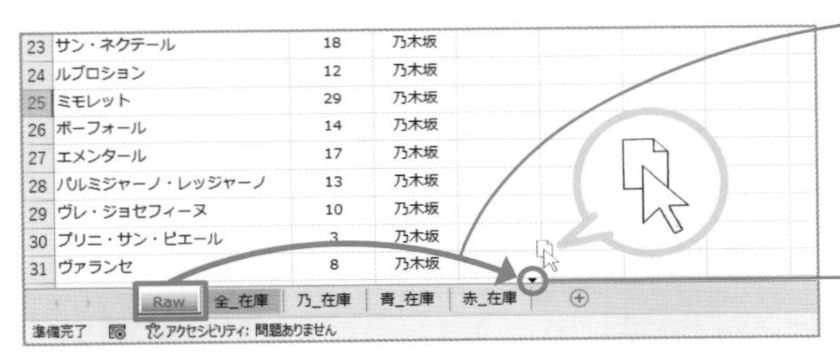

23	サン・ネクテール	18	乃木坂
24	ルブロション	12	乃木坂
25	ミモレット	29	乃木坂
26	ボーフォール	14	乃木坂
27	エメンタール	17	乃木坂
28	パルミジャーノ・レッジャーノ	13	乃木坂
29	ヴレ・ジョセフィーヌ	10	乃木坂
30	プリニ・サン・ピエール	3	乃木坂
31	ヴァランセ	8	乃木坂

❶「Raw」シートを選択。マウスの左ボタンを押しながら（マウスポインターが切り替わる）右端へドラッグ。

❷右端に［▼］が表示される。

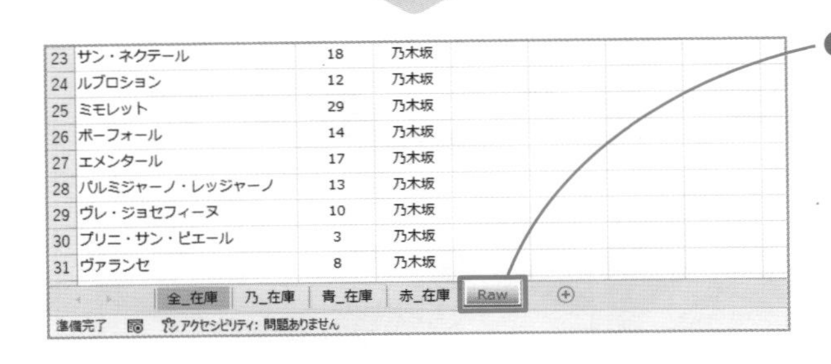

23	サン・ネクテール	18	乃木坂
24	ルブロション	12	乃木坂
25	ミモレット	29	乃木坂
26	ボーフォール	14	乃木坂
27	エメンタール	17	乃木坂
28	パルミジャーノ・レッジャーノ	13	乃木坂
29	ヴレ・ジョセフィーヌ	10	乃木坂
30	プリニ・サン・ピエール	3	乃木坂
31	ヴァランセ	8	乃木坂

❸マウスの左ボタンを離すと、［▼］表示のあった位置にシートが移動する。

不要なシートはこまめに削除

不要になったシートは削除しましょう。シートの削除は、シート名を右クリック→［削除］をクリックします。ただし、シートの削除は元に戻す操作ができないので慎重に。

挿入(I)...
削除(D)
名前の変更(R)
移動またはコピー(M)...
コードの表示(V)
シートの保護(P)...
シート見出しの色(T)
非表示(H)
再表示(U)...
すべてのシートを選択(S)

「自動保存」で作業の手戻りをゼロにする

自動回復用データ

だいぶできたぞ
保存しておかなきゃ
ん!?
フウ…

ちょっとやだーー!!
なんで
動かないのー!!
PC
フリーズ!!

大丈夫！
回復の魔法を
教えるニャ
まあ!!

じつはExcelには、自動で作業内容を保存する機能がついているニャ

自動で保存？　それならうっかり保存し忘れたり、データを消したりしてしまっても、復元できちゃうのね！

自動保存のデータが残っていれば、下の手順で復元できるニャ。ただ、自動保存の初期設定は10分ごとだから、さかのぼって9分59秒までの作業内容は復元できないよ

▶「自動回復用データ」で復元する

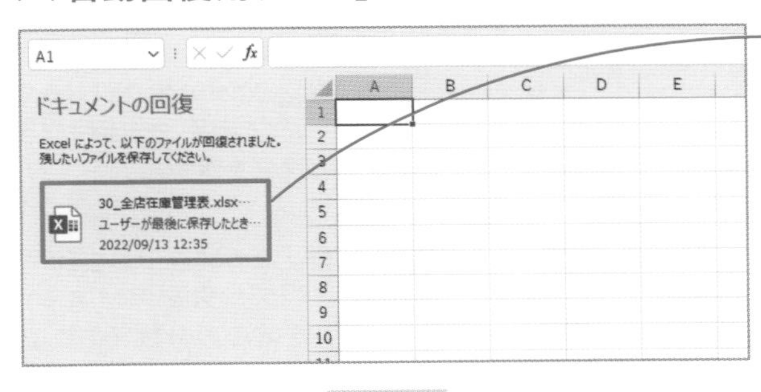

❶未保存のデータをExcelが自動保存していた場合、Excelを再起動すると画面左側に[ドキュメントの回復]が表示される。

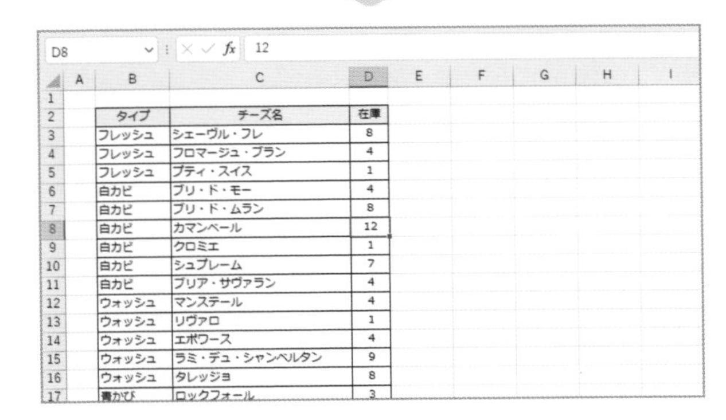

タイプ	チーズ名	在庫
フレッシュ	シェーヴル・フレ	8
フレッシュ	フロマージュ・ブラン	4
フレッシュ	プティ・スイス	1
白カビ	ブリ・ド・モー	4
白カビ	ブリ・ド・ムラン	8
白カビ	カマンベール	12
白カビ	クロミエ	1
白カビ	シュプレーム	7
白カビ	ブリア・サヴァラン	4
ウォッシュ	マンステール	4
ウォッシュ	リヴァロ	1
ウォッシュ	エポワース	4
ウォッシュ	ラミ・デュ・シャンベルタン	9
ウォッシュ	タレッジョ	8
青かび	ロックフォール	3

❷ファイル名をクリックすると、データが復元された。

10分ごとに自動保存されて復元可能なら、消えても安心だね！

いや〜、集中して作業した10分は、けっこうな分量のデータになる。自動保存の設定は「5分間隔」に変更するといいニャ！（次ページへ）

▶自動保存の間隔を変更する

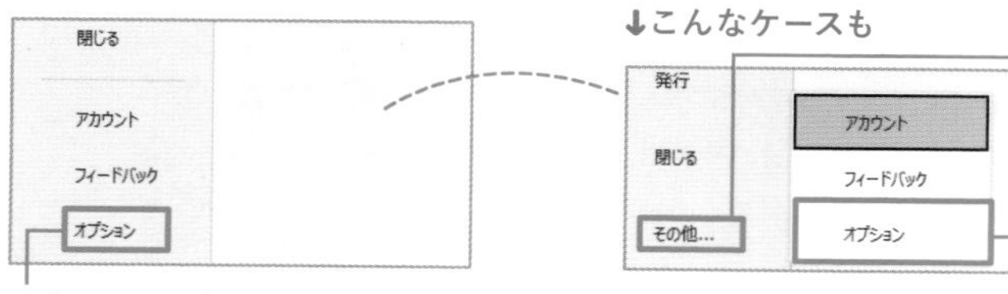

＊モニターの画面サイズによっては、［その他］の中にまとめられている場合もある。

❶［ファイル］タブの最下部にある［オプション］をクリック。

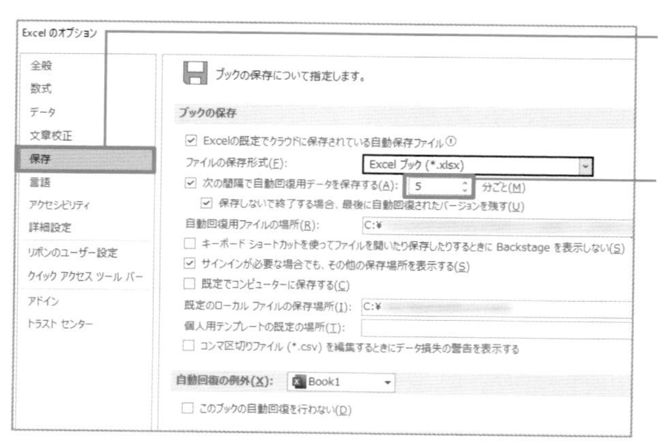

❷［Excelのオプション］が開いたら、［保存］タブを選択。

❸［次の間隔で自動回復用データを保存する］を好みの分数（ここでは「5分」）に変え［OK］をクリック。

Microsoft のデータ共有サービス「OneDrive（ワンドライブ）」を利用すれば、自動保存されるって聞いたけど本当？

Check! クラウド ➜P45

うん、自動的に「バージョン管理」※で保存されるニャ。データはクラウド上にあるから、いつでも関係者がアクセスできるし、データ消失リスクも低減されるニャ

うちみたいな小さな会社のデータ管理（共有）には便利だね。「Google ドライブ」や「Dropbox」などのクラウドサービスもあるね

バージョン管理…Microsoft の OneDrive では、バージョン履歴機能によって以前のバージョンを復元できます。法人用では設定によってバージョン管理できる数が異なります。

印刷は意外と難しい

できた！あとは
印刷するだけ
印刷
OKっと
ポチ

なんだこれ!?
どんどん出てくるぞ
?
これ
リコちゃんの？
ピーガーガー
ドサ
ドサドサ

表が途中で切れちゃってるし
ミスプリントだらけだよ……
全部で3枚のはず
なんですけど……
なんでこんなに!?
え!?
ほぼ白紙…
どっさり…

変なところにデータが残っていたり
印刷設定をミスしたりすると起きる
Excelあるあるの失敗だニャ！
プレビューはちゃんと見た!?

次は印刷の
勉強をしよう
ネコ先生〜

教えて
ネコ先生！
印刷のコツ①

A4用紙1枚に収まる形がベスト！

印刷

Excel で作った書類を印刷すると、途中で表が切れたり、白紙で印刷されたり……。失敗ばかりでうまくいかないの

印刷ボタンを押す前に、プレビュー画面でしっかり確認＆調整することが大切ニャ！

印刷プレビューをチェック

印刷ボタンをクリックすると、下のようなプレビュー画面が表示されます。ここで印刷イメージを確認し、印刷枚数が多すぎないかチェックしておけば、印刷ミスを防ぐことができます。

❶［ファイル］タブの［印刷］をクリック。印刷イメージが表示される。

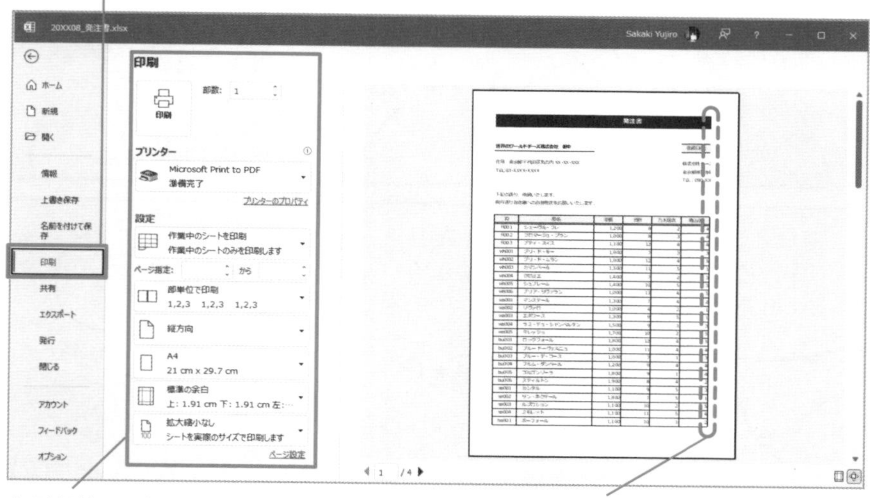

印刷部数や用紙サイズなど印刷の設定項目が並ぶ。

印刷イメージの表が途中で切れているのがわかる。

間違いなく印刷するためには、まず「印刷範囲の設定」を行うニャ

▶印刷範囲の設定を行う

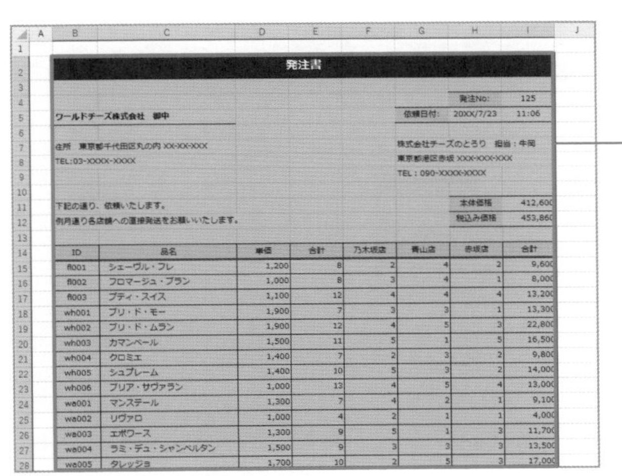

発注書

発注No: 125

ワールドチーズ株式会社　御中　　依頼日付: 20XX/7/23 11:06

住所　東京都千代田区丸の内 XX-XX-XXX
TEL:03-XXXX-XXXX

株式会社チーズのとろり　担当：牛岡
東京都港区赤坂 XXX-XXX-XXX
TEL：090-XXXX-XXXX

本体価格 412,600
税込み価格 453,860

下記の通り、依頼いたします。
例月通り各店舗への直接発送をお願いいたします。

ID	品名	単価	合計	乃木坂店	青山店	赤坂店	合計
fl001	シェーヴル・フレ	1,200	8	2	4	2	9,600
fl002	フロマージュ・ブラン	1,000	8	3	4	1	8,000
fl003	プティ・スイス	1,100	12	4	4	4	13,200
wh001	ブリ・ド・モー	1,900	7	3	3	1	13,300
wh002	ブリ・ド・ムラン	1,900	12	4	5	3	22,800
wh003	カマンベール	1,500	11	5	1	5	16,500
wh004	クロミエ	1,400	7	2	3	2	9,800
wh005	シュプレーム	1,400	10	5	3	2	14,000
wh006	ブリア・サヴァラン	1,000	13	4	5	4	13,000
wa001	マンステール	1,300	7	4	2	1	9,100
wa002	リヴァロ	1,000	4	2	1	1	4,000
wa003	エポワース	1,300	9	5	1	3	11,700
wa004	ラミ・デュ・シャンベルタン	1,500	9	3	3	3	13,500
wa005	タレッジョ	1,700	10	2	5	3	17,000

❶印刷したい範囲を選択する。

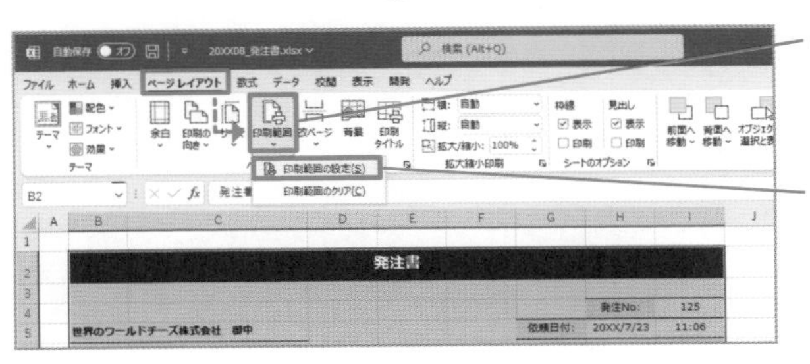

❷［ページレイアウト］タブの［印刷範囲］をクリック。

❸［印刷範囲の設定］をクリックする。

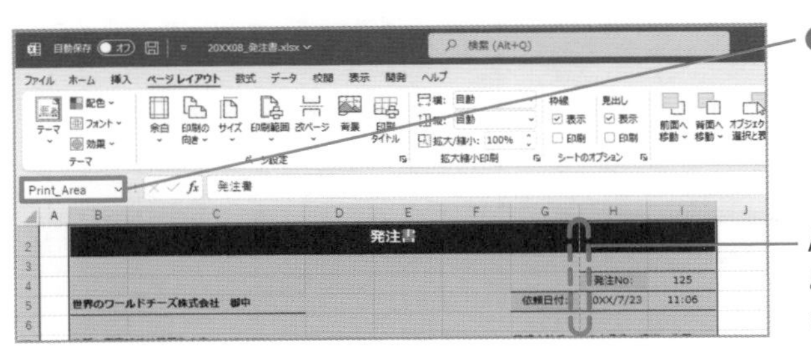

❹名前ボックスの表示が「Print_Area」に変われば、印刷範囲の設定が完了。

A4用紙サイズからはみ出ていることが、青い点線で確認できる。

次ページへ続く

印刷範囲の設定を解除するには、［ページレイアウト］タブの［印刷範囲］をクリックし［印刷範囲のクリア］をクリックします。

用紙サイズからはみ出た部分を１ページに
収めるには、次のような設定をしよう

▶横を［1ページ］に設定する

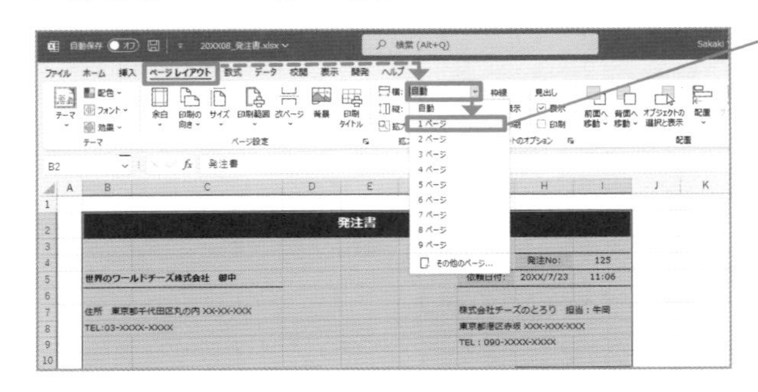

❶［ページレイアウト］タブの［横］を［自動］から［1ページ］に設定する。

完成版
プレビュー

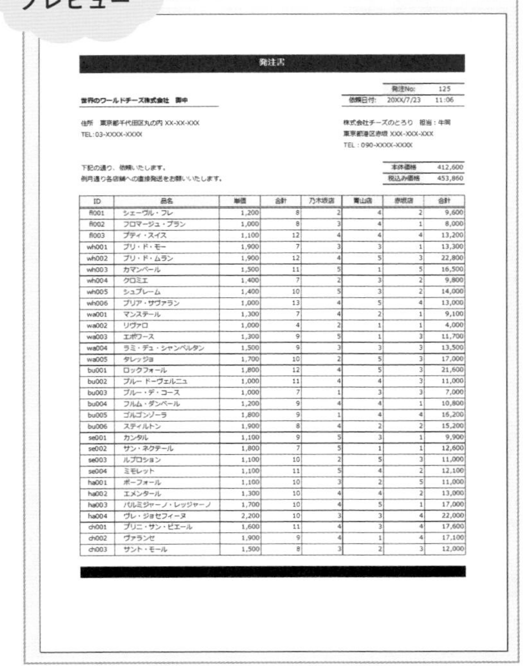

発注書

発注No:	125
依頼日付: 20XX/7/23	11:06

世界のワールドチーズ株式会社　御中

住所　東京都千代田区丸の内 XX-XX-XXX
TEL:03-XXXX-XXXX

株式会社チーズのとろり　担当：牛岡
東京都港区赤坂 XXX-XXX-XXX
TEL：090-XXXX-XXXX

下記の通り、依頼いたします。
例月通り各店舗への直接発送をお願いいたします。

本体価格	412,600
税込み価格	453,860

ID	品名	単価	合計	乃木坂店	青山店	赤坂店	合計
fl001	シェーヴル・フレ	1,200	8	2	4	2	9,600
fl002	フロマージュ・ブラン	1,000	8	3	4	1	8,000
fl003	プティ・スイス	1,100	12	4	4	4	13,200
wh001	ブリ・ド・モー	1,900	7	3	3	1	13,300
wh002	ブリ・ド・ムラン	1,900	12	4	5	3	22,800
wh003	カマンベール	1,500	11	5	1	5	16,500
wh004	クロミエ	1,400	7	2	3	2	9,800
wh005	シュプレーム	1,400	10	5	3	2	14,000
wh006	ブリア・サヴァラン	1,000	13	4	5	4	13,000
wa001	マンステール	1,300	7	4	2	1	9,100
wa002	リヴァロ	1,000	4	2	1	1	4,000
wa003	エポワース	1,300	9	5	1	3	11,700
wa004	ラミ・デュ・シャンベルタン	1,500	9	3	3	3	13,500
wa005	タレッジョ	1,700	10	2	5	3	17,000
bu001	ロックフォール	1,800	12	4	5	3	21,600
bu002	ブルー ドーヴェルニュ	1,000	11	4	4	3	11,000
bu003	ブルー・デ・コース	1,000	7	1	3	3	7,000
bu004	フルム・ダンベール	1,200	9	4	4	1	10,800
bu005	ゴルゴンゾーラ	1,800	9	1	4	4	16,200
bu006	スティルトン	1,900	8	4	2	2	15,200
se001	カンタル	1,100	9	5	3	1	9,900
se002	サン・ネクテール	1,800	7	5	1	1	12,600
se003	ルブロション	1,100	10	2	5	3	11,000
se004	ミモレット	1,100	11	5	4	2	12,100
ha001	ボーフォール	1,100	10	3	2	5	11,000
ha002	エメンタール	1,300	10	4	4	2	13,000
ha003	パルミジャーノ・レッジャーノ	1,700	10	4	5	1	17,000
ha004	ヴレ・ジョセフィーヌ	2,200	10	3	3	4	22,000
ch001	プリニ・サン・ピエール	1,600	11	4	3	4	17,600
ch002	ヴァランセ	1,900	9	4	1	4	17,100
ch003	サント・モール	1,500	8	3	2	3	12,000

❷１ページに収まるように縮小され、はみ出していた横幅がちょうどよく収まった。

ポイント

横長の表では……

横幅がある表の場合は、印刷の向きを横に変えましょう。［ページレイアウト］タブを選択し、［印刷の向き］をクリックし、［横］をクリックすればOK。

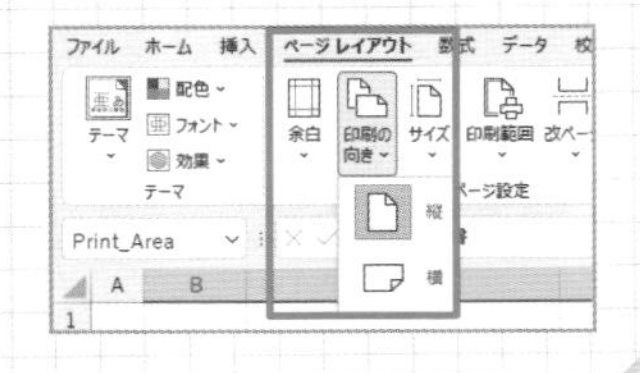

余白を意識してバランスを整える

余白　水平

こなれた書類のカギは、「余白」が握っているニャ

余白でイメージがガラッと変わる

自社のルールを確認してみるニャ

印象がぜんぜん違うね

余白の設定を社内や部署内で統一しておくと、誰が作成した書類であっても、会社としての統一感が出ます。

〈広い〉

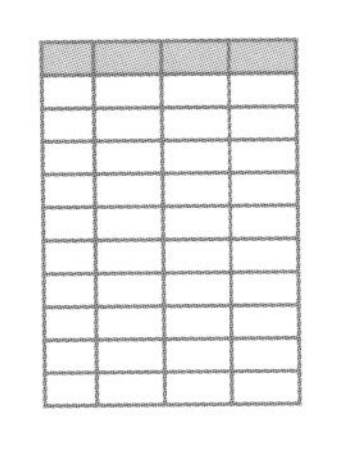

情報量は少なめ。ゆったりした印象。

〈標準〉

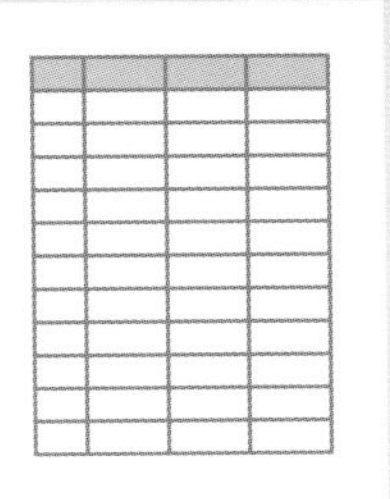

〈狭い〉

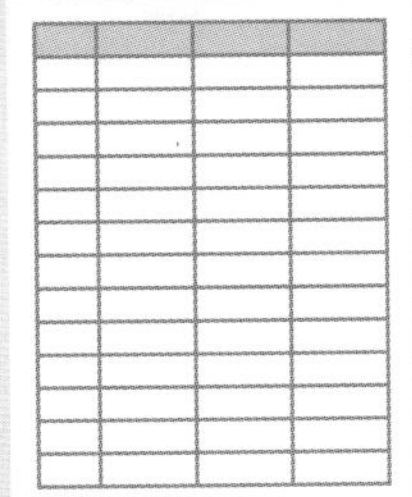

情報量は多め。スピード感のある印象。

会社や業界によって、広めの余白が好き、狭いほうがいいなどの傾向がある場合も。機会があれば公開されている他業種の文書を見てみよう

▶余白を設定する

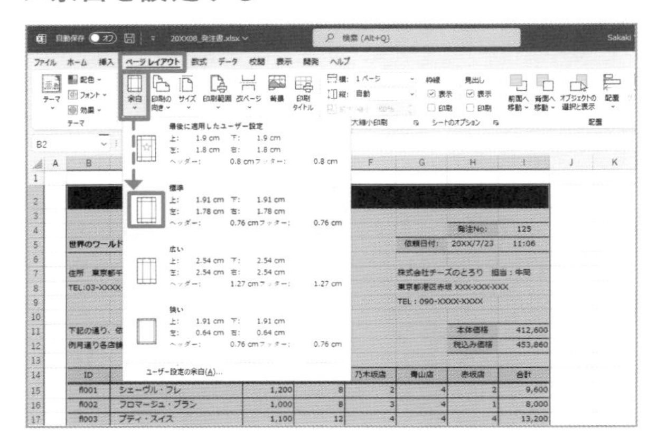

❶[ページレイアウト]タブの[余白]をクリックし、設定したい余白を選ぶ(ここでは初期設定の[標準]のまま)。

下の手順なら、余白をより細かく設定できるニャ。左右の余白を均等にする[水平]や上下の余白を均等にする[垂直]などの設定もある

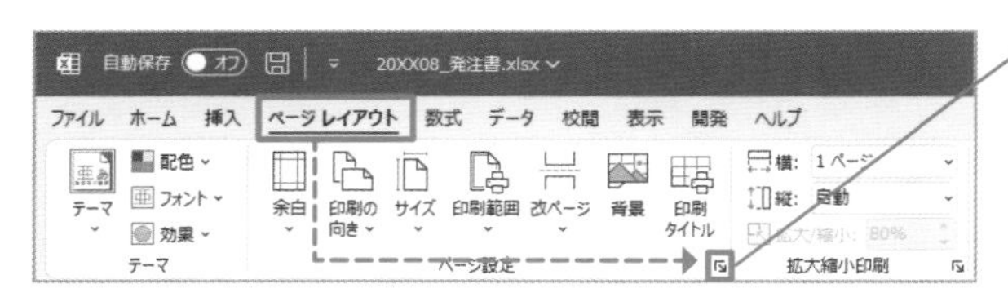

❷[ページレイアウト]タブの[ページ設定]グループにあるダイアログボックス起動ツールボタンをクリック。

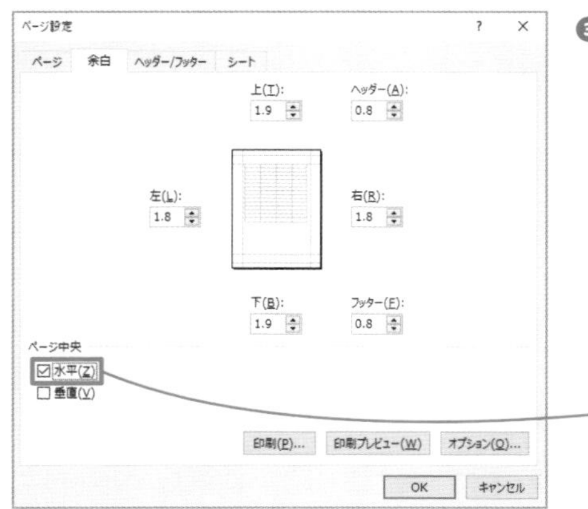

❸[ページ設定]ダイアログボックスが表示され、[余白]タブをクリック。好みの設定にしてOKを押す。

ポイント

[ページ中央]の[水平]をチェックすると、左右の余白が均等になります。ビジネス文書では原則、[水平]にチェックを入れましょう。

2枚目以降も表の見出し行を自動挿入

印刷タイトル

数ページにわたる書類は
2枚目以降にも
見出し行を付けてね
何のデータか
わかるようにね！
-3-

もう1行上に
挿入かな？
あれ
またずれた…
ブツ
ブツ
う〜ん…

リコちゃん
どうしたの？
大丈夫？
ブツ
ブツ

改ページのところに
見出しを入れたいんだけど
なかなかぴったり
入らなくて…
まさか
それも
手入力!?
またずれた

［印刷タイトル］で設定を行えば、2ページ以降にも見出し行を自動挿入することができるニャ。手入力はしなくていいんだよ

ずっと、行数を数えて力技で見出しを挿入していましたよ……

▶印刷のタイトル行を設定する

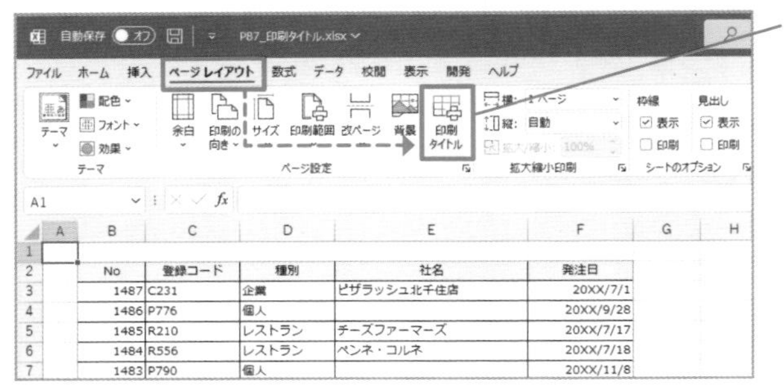

❶［ページレイアウト］タブの［印刷タイトル］をクリック。

❷［ページ設定］ダイアログボックスが表れたら、［タイトル行］の入力欄をクリックしてカーソルを置く。

❸見出しにしたい行番号（ここでは2）をクリックすると［タイトル行］に「$2:$2」と設定される。

❹［OK］をクリックする。

▶印刷イメージを確認して印刷

❶［ファイル］タブの［印刷］をクリックして、印刷イメージを確認。

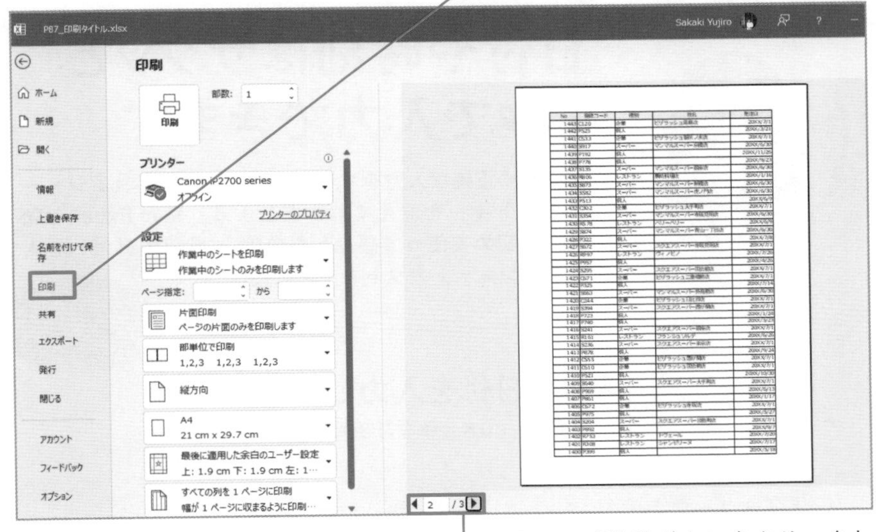

❷ページ移動ボタンをクリックして、各ページにタイトル行が入っているか確認する。

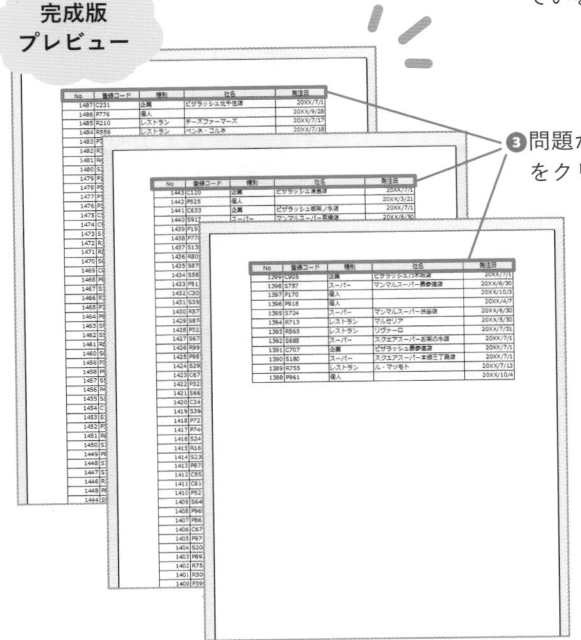

❸問題がなければ、［印刷］をクリックして完成。

Excel先輩の
ひとりごと

日付や時刻はサクッと1秒で入力できます

すばやく正確な入力をするために、よく使われるショートカットキーを覚えておきましょう。私がExcelの勉強後に初めて使って感動したのは、「今日の日付」を入力するショートカットキーでした。

Check!
ショートカットキー
➔P34

今日の日付を入力したい

（例）20××年9月30日

年月日をローマ字変換で手入力するため、20回（個）近くキーを押している

自己流

Ctrlキーを押しながら;キーを押すだけ。一瞬で今日の日付を入力できる

脱自己流

ポイント

現在の時刻は、Ctrlキーを押しながら:キーを押すだけで一発入力できるニャ。

今日の日付　Ctrl＋;キー
現在の時刻　Ctrl＋:キー

レッスン 3

相手に スッと伝わる 表に整えよう

Excelのようで Excelでないデータ？

大丈夫ですよ！
ネコ先生も昼寝してて
いいから～
大丈夫かニャ…

よし、
この2ステップで
考えよう
STEP1
元データから
必要なデータをコピー
STEP2
“美しい”
表の形に整える

じゃあ、よろしくね
外回り行ってきます
寝よ…

あった、これが
元データね！
…何か Excel と
アイコンが違う
ような…？
ま、いっか
カチ
カチッ

繝ｪ繧ｳ繝？ち
繝√？繧ｺ
キャー!?
文字化けしてる!?

ネコ先生！
寝てないで起きて!!
このデータって
Excel じゃないの？
何だか変で……
どうしたらいいの？
教えてー!!
やっぱり
ひとり立ちには
早かったニャ
まずは
データについて
説明するニャ

CSVデータってExcelじゃないの？

CSV　ファイル形式

CSVはExcelファイルじゃない

Excel以外のソフトで管理しているデータをExcelに移すときなど、CSVデータが役立つ場面は多くあります。Excelとの違いを知っておきましょう。

CSVは「Comma Separated Values」で、「カンマで区切られた値」と直訳されるテキスト形式データ。容量が軽く、書き出しがスムーズなため、さまざまなソフトで閲覧・編集できます。CSVファイルをたんにダブルクリックして開くと、文字化けや、数値の先頭の「0」が消えるなどの誤変換が起こりがち。対処法はさまざまですが、たとえば右のような方法で誤変換を解消しましょう。

ExcelとCSVの違い

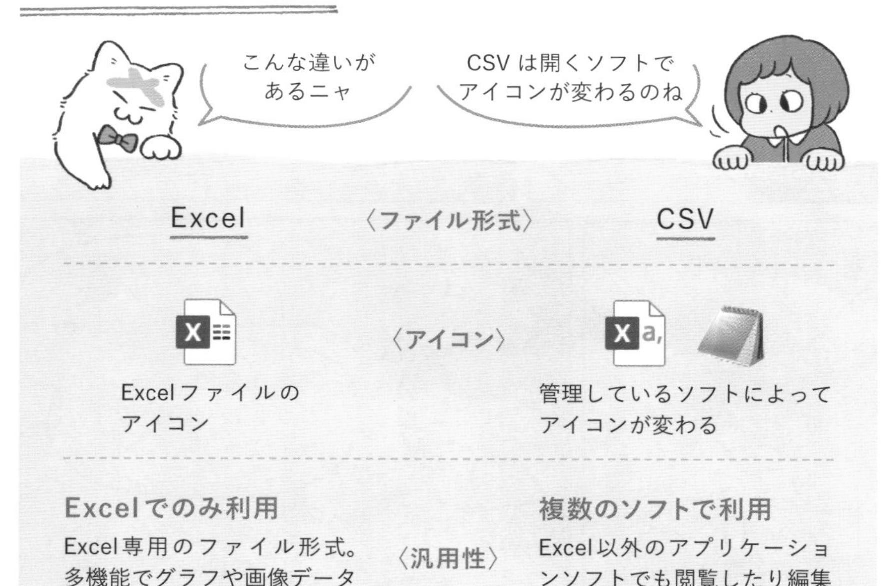

こんな違いがあるニャ
CSVは開くソフトでアイコンが変わるのね
Excel
〈ファイル形式〉
CSV
〈アイコン〉
Excelファイルのアイコン
管理しているソフトによってアイコンが変わる
Excelでのみ利用
Excel専用のファイル形式。多機能でグラフや画像データも扱うことができる。
〈汎用性〉
複数のソフトで利用
Excel以外のアプリケーションソフトでも閲覧したり編集したりできる。

MEMO　Windowsのパソコンで Excelがインストールされている場合、CSVファイルをダブルクリックすると、Excelが優先的に起動します。

▶CSVファイルを読み込む

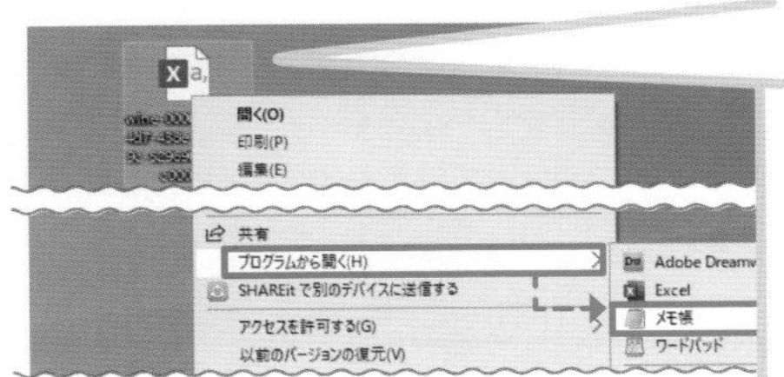

❶アイコンを右クリックして、[プログラムから開く] → [メモ帳][※]をクリックする。

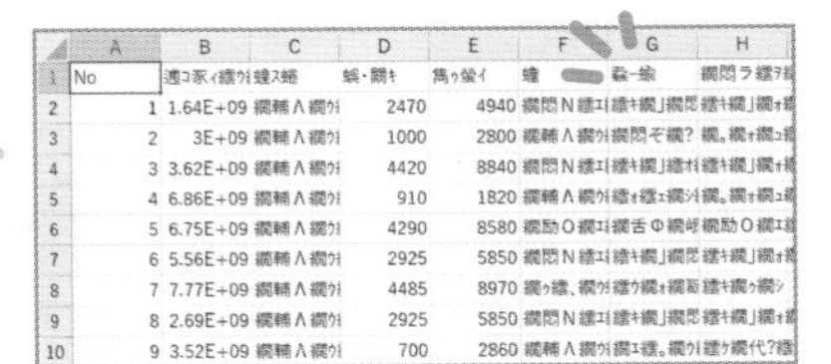

CSV ファイルをダブルクリックして Excel で開くと文字化けした。

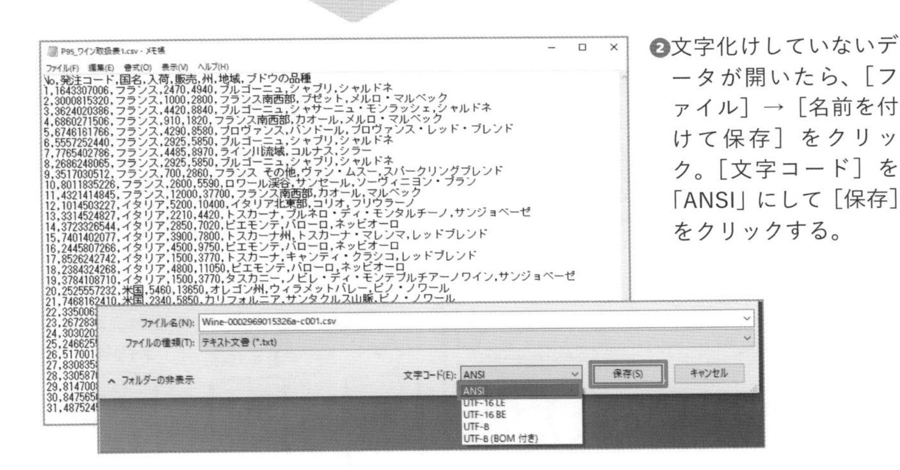

❷文字化けしていないデータが開いたら、[ファイル] → [名前を付けて保存] をクリック。[文字コード] を「ANSI」にして [保存] をクリックする。

	A	B	C	D	E	F	G	H	I	J
1	No	発注コード	国名	入荷	販売	州	地域	ブドウの品種		
2	1	1643307006	フランス	2470	4940	ブルゴーニ	シャブリ	シャルドネ		
3	2	3000815320	フランス	1000	2800	フランス南	ブゼット	メルロ・マルベック		
4	3	3624020386	フランス	4420	8840	ブルゴーニ	シャサーニ	シャルドネ		
5	4	6860271506	フランス	910	1820	フランス南	カオール	メルロ・マルベック		
6	5	6746161766	フランス	4290	8580	プロヴァン	バンドール	プロヴァンス・レッド・ブレンド		
7	6	5557252440	フランス	2925	5850	ブルゴーニ	シャブリ	シャルドネ		
8	7	7765402786	フランス	4485	8970	ライン川流	コルナス	シラー		
9	8	2686248065	フランス	2925	5850	ブルゴーニ	シャブリ	シャルドネ		
10	9	3517030512	フランス	700	2860	フランス そ	ヴァン・ム	スパークリングブレンド		
11	10	8011835226	フランス	2600	5590	ロワール渓	サンセール	ソーヴィニヨン・ブラン		
12	11	4321414845	フランス	12000	37700	フランス南	カオール	マルベック		
13	12	1014503227	イタリア	5200	10400	イタリア北	コリオ	フリウラーノ		

CSVデータの扱いはさまざま。上記の手順はこの会社の一例ニャ

❸いったんファイルを閉じてから、Excel で開くと、文字化けせずに読み込めた。B 列は、列幅を広げた（赤い矢印部分）ことで発注コードがきちんと表示されていると確認できる。

[メモ帳]…Windowsに搭載されているアプリで、テキストデータを簡易的に編集できます。レイアウトを装飾する機能はありませんが、上のような文字化け修正でも活用できます。

行高と列幅の調整で見やすい表に変身！

行高　列幅

よーし！ CSVをExcelファイルに保存しなおせた！いざ作ろう
カタ
カタ
Check!
CSV
➜P94

入力完了！
あとは美しく表を飾るぞ～！

ちょっと待ったー
キラキラに飾る前に、きちんと読めるデータにするニャ…！
ここ見切れてるぞ！
ジョセフィーヌ

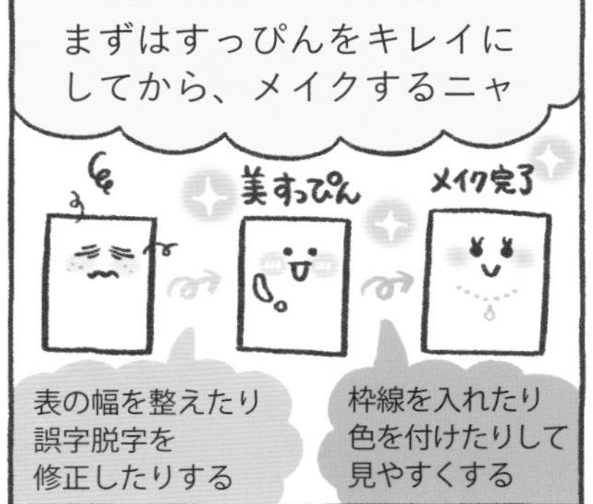

まずはすっぴんをキレイにしてから、メイクするニャ
美すっぴん
メイク完了
表の幅を整えたり誤字脱字を修正したりする
枠線を入れたり色を付けたりして見やすくする

■ 類似項目の幅を統一すると、整った印象に

上の漫画のように、データが列幅に収まっていないまま印刷すると、途切れた状態で出力されてしまいます。こうしたミスを防ぐため、入力作業をしたら行の高さや列幅を忘れずに調整しましょう。

行高や列幅は、Excelの機能で簡単に自動調整することができます。ただ、各列の最長文字幅を基準に自動調整されるため、不均等で見映えが今一つという場合も。同じ内容の項目幅は統一するなど、表全体を見ながら整えましょう。

▶列幅を自動調整する

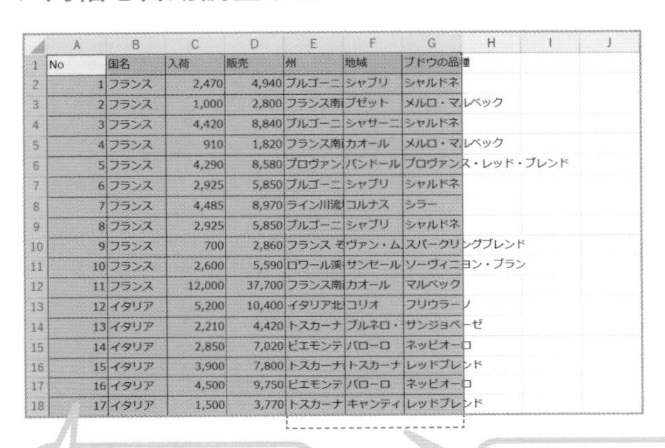

	A	B	C	D	E	F	G
1	No	国名	入荷	販売	州	地域	ブドウの品種
2	1	フランス	2,470	4,940	ブルゴーニ	シャブリ	シャルドネ
3	2	フランス	1,000	2,800	フランス南	ブゼット	メルロ・マルベック
4	3	フランス	4,420	8,840	ブルゴーニ	シャサーニ	シャルドネ
5	4	フランス	910	1,820	フランス南	カオール	メルロ・マルベック
6	5	フランス	4,290	8,580	プロヴァン	バンドール	プロヴァンス・レッド・ブレンド
7	6	フランス	2,925	5,850	ブルゴーニ	シャブリ	シャルドネ
8	7	フランス	4,485	8,970	ライン川流	コルナス	シラー
9	8	フランス	2,925	5,850	ブルゴーニ	シャブリ	シャルドネ
10	9	フランス	700	2,860	フランス そ	ヴァン・ム	スパークリングブレンド
11	10	フランス	2,600	5,590	ロワール渓	サンセール	ソーヴィニヨン・ブラン
12	11	フランス	12,000	37,700	フランス南	カオール	マルベック
13	12	イタリア	5,200	10,400	イタリア北	コリオ	フリウラーノ
14	13	イタリア	2,210	4,420	トスカーナ	ブルネロ・	サンジョベーゼ
15	14	イタリア	2,850	7,020	ピエモンテ	バローロ	ネッビオーロ
16	15	イタリア	3,900	7,800	トスカーナ	トスカーナ	レッドブレンド
17	16	イタリア	4,500	9,750	ピエモンテ	バローロ	ネッビオーロ
18	17	イタリア	1,500	3,770	トスカーナ	キャンティ	レッドブレンド

スペースが空きすぎ！

文字が見切れたり、
あふれたりしている。

❶列幅を調整したい範囲を選択する。

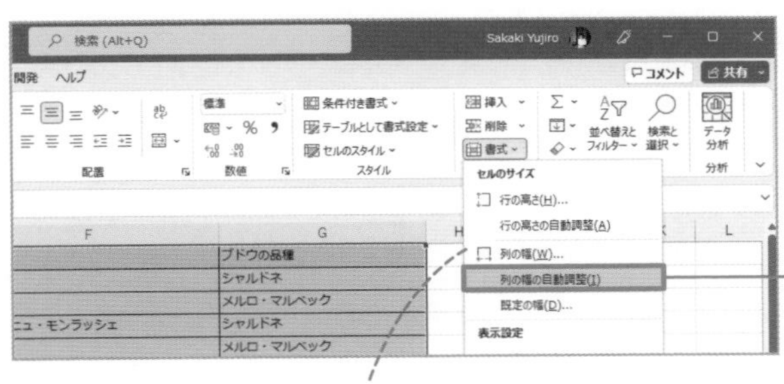

❷［ホーム］タブにある［書式］ボタンを押し、［列の幅の自動調整］をクリックする。

＊［列の幅］をクリックして数値を手入力することもできる。

列番号の右境界線をダブルクリックする方法もあるニャ

D	E	F	G
販売	州	地域	ブドウの品
4,940	ブルゴーニ	シャブリ	シャルドネ
2,800	フランス南	ブゼット	メルロ・マ

ここをダブルクリックすると、E列の幅が自動調整される

	A	B	C	D	E	F	G
1	No	国名	入荷	販売	州	地域	ブドウの品種
2	1	フランス	2,470	4,940	ブルゴーニュ	シャブリ	シャルドネ
3	2	フランス	1,000	2,800	フランス南西部	ブゼット	メルロ・マルベック
4	3	フランス	4,420	8,840	ブルゴーニュ	シャサーニュ・モンラッシェ	シャルドネ
5	4	フランス	910	1,820	フランス南西部	カオール	メルロ・マルベック
6	5	フランス	4,290	8,580	プロヴァンス	バンドール	プロヴァンス・レッド・ブ
7	6	フランス	2,925	5,850	ブルゴーニュ	シャブリ	シャルドネ
8	7	フランス	4,485	8,970	ライン川流域	コルナス	シラー
9	8	フランス	2,925	5,850	ブルゴーニュ	シャブリ	シャルドネ
10	9	フランス	700	2,860	フランス その他	ヴァン・ムスー	スパークリングブレンド
11	10	フランス	2,600	5,590	ロワール渓谷	サンセール	ソーヴィニヨン・ブラン
12	11	フランス	12,000	37,700	フランス南西部	カオール	マルベック
13	12	イタリア	5,200	10,400	イタリア北東部	コリオ	フリウラーノ
14	13	イタリア	2,210	4,420	トスカーナ	ブルネロ・ディ・モンタルチーノ	サンジョベーゼ
15	14	イタリア	2,850	7,020	ピエモンテ	バローロ	ネッビオーロ
16	15	イタリア	3,900	7,800	トスカーナ州	トスカーナ・マレンマ	レッドブレンド
17	16	イタリア	4,500	9,750	ピエモンテ	バローロ	ネッビオーロ
18	17	イタリア	1,500	3,770	トスカーナ	キャンティ・クラシコ	レッドブレンド

❸表内のデータに合わせて、列幅が自動調整された。

MEMO 行の高さを自動調整するには、［ホーム］→［書式］→［行の高さの自動調整］をクリックします。列幅と同様に、［行の高さ］をクリックして数値を手入力してもOK。

飾りや罫線は必要な分だけ。作りやすく見やすい表に

罫線　書式の設定　書式のコピー

表の見た目を整えるときは「書式の設定」をするニャ

文字の種類（フォント）や色、大きさを変えたり、罫線を引いたり、ですよね！　私もけっこう使ってますよ！！

Excelでは［ホーム］タブに書式設定に関するボタンが集まっているニャ。

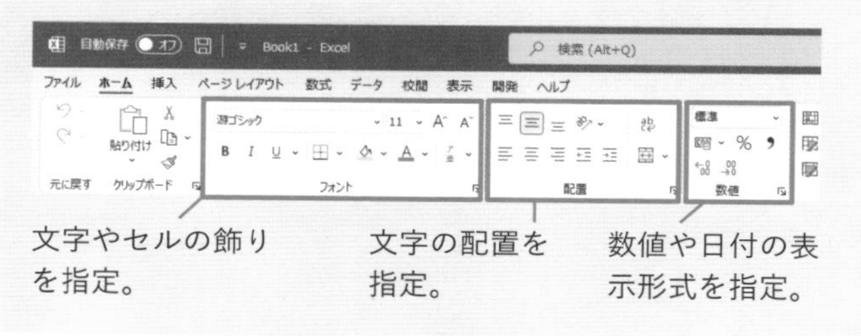

■ シンプルなほうが、まっすぐ伝わる

行高や列幅を調整したら、表に「罫線」を引きましょう。モニター上に表示されるセルの枠線（システム罫線※）は印刷されません。Excelには、破線や二重線など多彩な線種が用意されていますが、複雑な罫線を引くと手間が増えますし、項目の入れ替えなどによる修正作業も面倒になります。作成も修正も手早くできて、ミスが起こりにくいシンプルな罫線で十分でしょう。

また、上下左右すべてに罫線を引くと、詰まって見づらい場合もあります。文字の配置（→P100）を整え列の縦ラインを揃えれば、縦罫線は不要です。スッキリ見やすくなります（→P113）。

システム罫線…シート画面にあらかじめ表示されるセルの枠線のことで、紙にプリントアウトしても印刷されません。表に罫線が必要な場合は、セルの枠線上に罫線を引く作業が必要です。

▶書式のコピーで罫線を引く

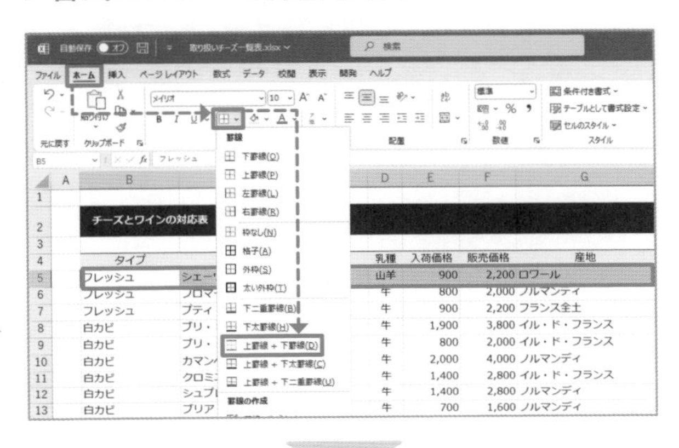

❶見出し行を個別に設定（→P111）したら、表の最初のデータ（5行目）を選択。［ホーム］タブの［罫線］ボタンを押し、［上罫線＋下罫線］をクリックする。

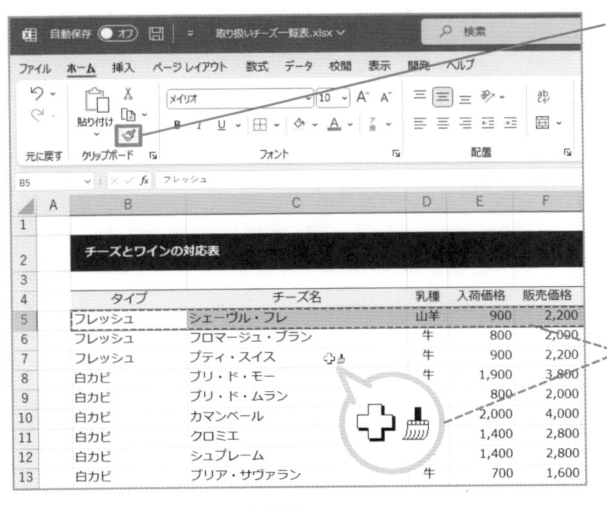

❷そのまま（5行目を選択したまま）、［書式のコピー/貼り付け］※ボタンをクリックする。

選択範囲の周囲が緑に点滅。マウスポインターは刷毛マークの付いたポインターに変わる（書式情報がコピーされた状態）。

チーズとワインの対応表

タイプ	チーズ名	乳種	入荷価格	販売価格	産地	適応するワイン・地区
フレッシュ	シェーヴル・フレ	山羊	900	2,200	ロワール	グロ ブラン・カベルネ・シャンパン
フレッシュ	フロマージュ・ブラン	牛	800	2,000	ノルマンディ	グロ ブラン・カベルネ・シャンパン
フレッシュ	プティ・スイス	牛	900	2,200	フランス全土	グロ ブラン・カベルネ・シャンパン
白カビ	ブリ・ド・モー	牛	1,900	3,800	イル・ド・フランス	メドック・ヴォルネイ
白カビ	ブリ・ド・ムラン	牛	800	2,000	イル・ド・フランス	メドック・ヴォルネイ
白カビ	カマンベール	牛	2,000	4,000	ノルマンディ	メドック・ヴォルネイ
白カビ	クロミエ	牛	1,400	2,800	イル・ド・フランス	ボジョレー ヴィラージュ
白カビ	シュプレーム	牛	1,400	2,800	ノルマンディ	ボジョレー ヴィラージュ
白カビ	ブリア・サヴァラン	牛	700	1,600	ノルマンディ	ソーミュール シャンピニー
ウォッシュ	マンステール	牛	1,300	2,600	アルザス	ボルドー
ウォッシュ	リヴァロ	牛	1,000	2,000	ノルマンディ	ボルドー
ウォッシュ	エポワース	牛	1,300	2,600	ブルゴーニュ	ボルドー
ウォッシュ	ラミ・デュ・シャンベルタン	牛	1,100	2,200	ブルゴーニュ	ボルドー

❸書式をコピーしたい範囲を選択するだけで、［上罫線＋下罫線］の書式がコピーされた。

すごい！
1行だけ整えれば、
あとは書式の
コピーで一瞬!!

レッスン3 相手にスッと伝わる表に整えよう

［書式のコピー/貼り付け］…［書式のコピー/貼り付け］ボタンをワンクリックすると1回だけ書式のコピーができます。ダブルクリックすると連続してコピー可能になります。

文字の配置を揃えると情報がスッと入ってくる

🔑 文字の配置　インデント

通常、文字列データは左揃えで表示されるけどセルの中の文字の配置は変更可能。ここでも、見映えを整える工夫ができるニャ

Check!
文字列データ
→ P55

配置を整えて、視認性を上げる

セル内での配置が整うと、グッと確認しやすくなります。
データの縦ラインが整って余分な縦罫線も省けます。

［配置］ボタンはココ！

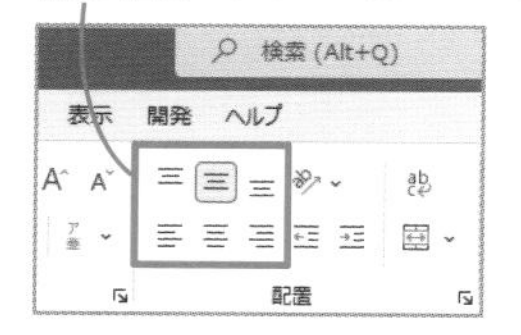

※初期設定では、［上下中央揃え］のみがオンになっている。

配置見本（9パターン）

左揃え	左右中央揃え	右揃え	
いいね	いいね	いいね	⇐ 上揃え
いいね	いいね	いいね	⇐ 上下中央揃え
いいね	いいね	いいね	⇐ 下揃え

それから、字下げする「インデント」機能を使ってあえてずらすことで、読みやすくしたり、目立たせたりする方法もあるニャ

へー、そんな機能もあるのね。でも、インデント機能を使うより、スペースキーで空白を入力するほうが簡単だと思うけど……？

初期設定では、文字列データは左揃えで表示されますが、数値データは右揃えで表示されます。これは、そのほうが数字の桁数が読みやすいためです（→P55）。

それはダメニャ!!　空白もデータの１つ。余分な空白があると、並べ替えなどのデータ活用で問題が起こるよ。インデントなら見た目を変えても、データは元のままニャ

Check!
データ活用
➜ P162

▶インデントを挿入する

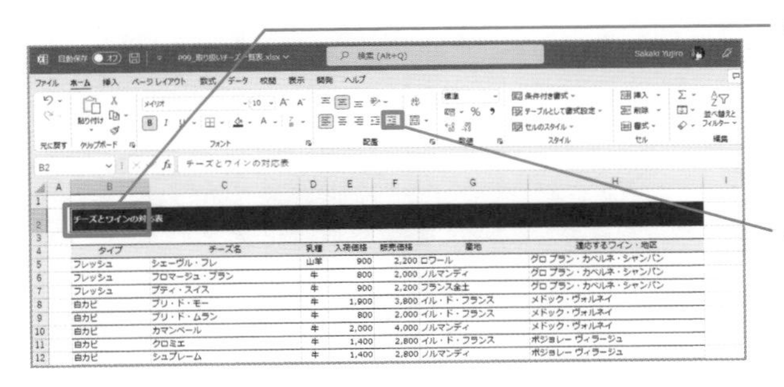

❶インデントを挿入したいセル範囲（セルB2）を選択する。

❷［ホーム］タブの［配置］グループにある［インデントを増やす］を1回クリックする。

Before

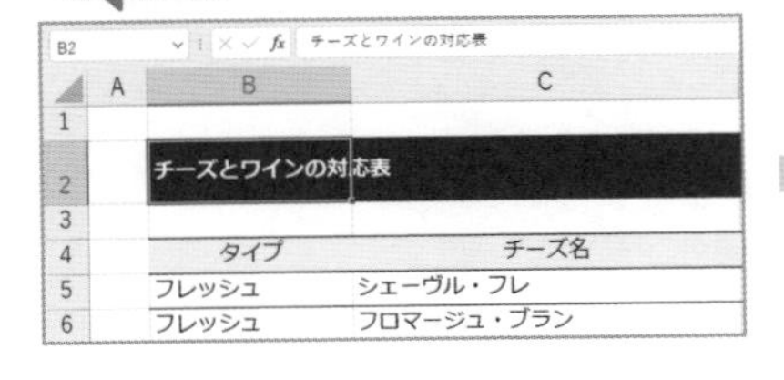

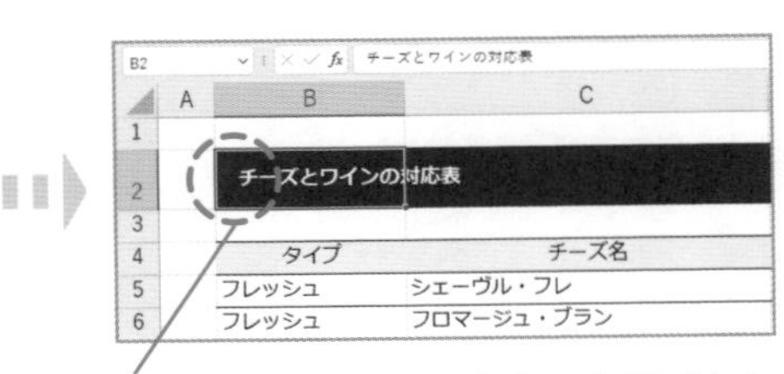

❸セルB2の文字が1字分、字下げされた。

Check!
セル結合
➜ P102

私は、タイトルを「セル結合」&「左右中央揃え」にすることが多いよ。ラクだしキレイでしょ！

セルを結合するのはあまりおすすめできないニャ。タイトルは「左１インデント」と背景色（→ P110）で十分整えられるよ

「セル結合」が必要なのは こんなときだけ

セル結合

メニュー表やシフト表などでは、複数のセルを1つに合体させる「セル結合」を使うと、レイアウトを整えることができるニャ

▶複数のセルを結合する

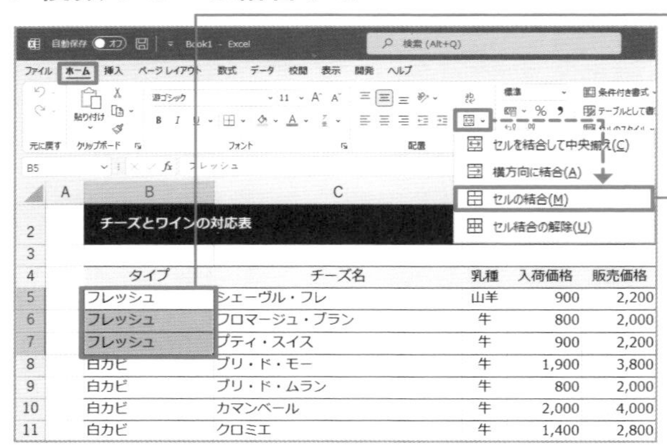

	A	B	C			
2		チーズとワインの対応表				
3						
4		タイプ	チーズ名	乳種	入荷価格	販売価格
5		フレッシュ	シェーヴル・フレ	山羊	900	2,200
6		フレッシュ	フロマージュ・ブラン	牛	800	2,000
7		フレッシュ	プティ・スイス	牛	900	2,200
8		白カビ	ブリ・ド・モー	牛	1,900	3,800
9		白カビ	ブリ・ド・ムラン	牛	800	2,000
10		白カビ	カマンベール	牛	2,000	4,000
11		白カビ	クロミエ	牛	1,400	2,800

❶結合したいセル範囲を選択する。

❷［ホーム］タブの［配置］グループにある［セルを結合して中央揃え］ボタンを押し、［セルの結合］をクリックする。

	A	B	C	D	E	F
2		チーズとワインの対応表				
3						
4		タイプ	チーズ名	乳種	入荷価格	販売価格
5		フレッシュ	シェーヴル・フレ	山羊	900	2,200
6			フロマージュ・ブラン	牛	800	2,000
7			プティ・スイス	牛	900	2,200
8		白カビ	ブリ・ド・モー	牛	1,900	3,800
9		白カビ	ブリ・ド・ムラン	牛	800	2,000
10		白カビ	カマンベール	牛	2,000	4,000
11		白カビ	クロミエ	牛	1,400	2,800

❸セルが結合され、文字列が上下中央に配置された。

こうした表では、セルを結合することで、グッと見やすさが向上するね

セル結合の解除…セルの結合を解除したいときは、結合したセルを選択して、［ホーム］→［セルを結合して中央揃え］ボタンを再度クリックすれば、元に戻すことができます。

■ セルを結合するのは、集計しないシートだけ

メニューやシフト表などは、セルを結合することでレイアウトを整えることができます。一方、売上表や見積もりのように集計（計算）を行う表では、セル結合は原則、使わないようにしてください。集計目的でなくても、顧客名簿や住所一覧、商品一覧などのデータベースでもセル結合は適しません。結合されたセルがあることで、計算ミスだけでなく、オートフィル（→P56）の不具合、並べ替え（→P176）の不具合といったエラーが起きてしまうのです。結合されたセルがあると、貼り付け（コピー&ペースト）もうまくいかないケースが出てきます。セル結合の使いどころには、注意が必要です。

▶ セル結合の不適切な例

E 列と F 列の、ここのセルが結合されている。

C	D	E	F
種別	社名	割引	売上
レストラン	ビストロ　ヴァンデリス	10%	45,200
レストラン	藤本レストラン		28,750
レストラン	リヴァーロ		32,110
個人		集計対象外	
レストラン	ヴィノピノ	5%	78,000
レストラン	ドヴェール		35,240
レストラン	ホワイトナイフ		
レストラン	ラ・グランメゾン・シャンゼリーヌ		

Microsoft Excel

この操作を行うには、すべての結合セルを同じサイズにする必要があります。

OK

たとえば F 列でオートフィルをすると、途中にセル結合があるため、下のエラーが表示されてしまう。

セルを結合することで見やすくなる表がある反面、上のように使いどころを間違えると“悪者”になってしまうニャ

な、なるほどー。便利なオートフィルもできなくなっちゃうのか……

セルを結合しなくても、結合したように見せるテクニックはある！　110 ページで詳しく紹介するニャ

見やすい数値のカギは最適な「表示形式」にある

表示形式　セルの書式設定

■ 数値や日付の見せ方を変える

「表示形式」を変更すると、データ自体はそのままに、見せ方だけを簡単に変えることが可能です。たとえば、％を付ける、カンマを入れる、￥マークを付ける、小数点以下を表示するなどの変更を、クリック1つで正確にできます。

どの表示形式にするかは、会社やチームによって、また扱う書類によって異なるでしょう。作成中の書類にはどの表示形式が適しているのか、過去の事例を見直したり、仲間に確認したりして、同じ表示形式に合わせましょう。

表示形式のいろいろ

これは一例で
他にも多様な
形式があるニャ

クリック１つで
パッと変わって
感動！

数値や日付の表示形式は、下のように多種多様です。表示形式を変えるとこのように見え方が変わりますが、元のデータは変更されません。

〈［標準］の表示形式〉　　〈変更例〉

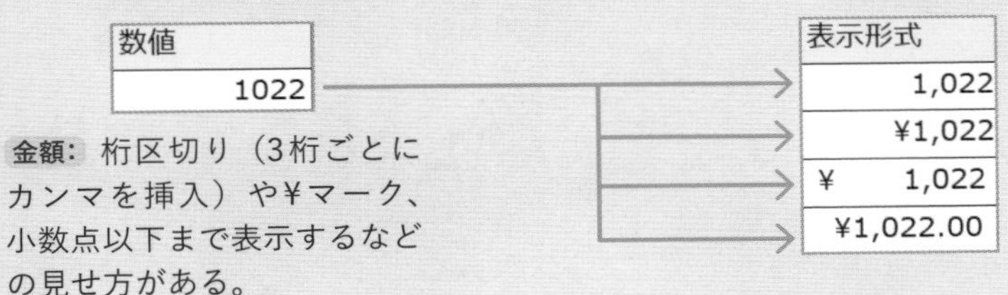

金額： 桁区切り（3桁ごとにカンマを挿入）や¥マーク、小数点以下まで表示するなどの見せ方がある。

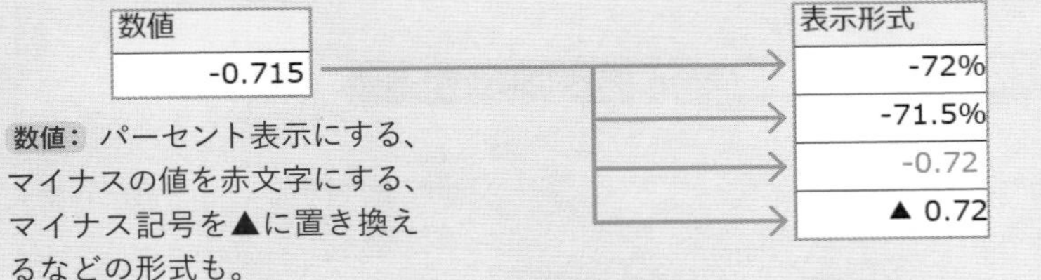

数値： パーセント表示にする、マイナスの値を赤文字にする、マイナス記号を▲に置き換えるなどの形式も。

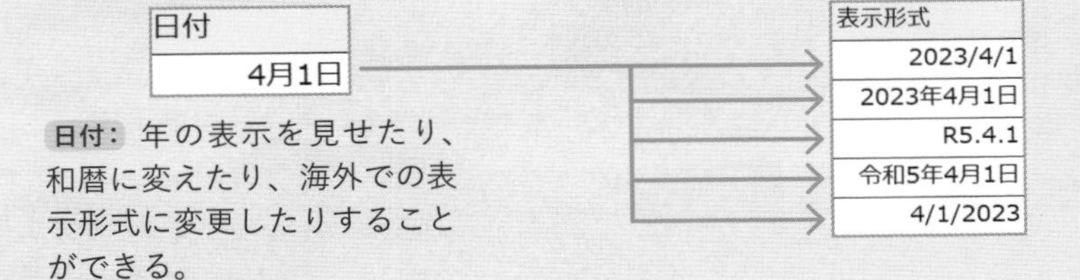

日付： 年の表示を見せたり、和暦に変えたり、海外での表示形式に変更したりすることができる。

会社によっては
使用する形式にこだわりがある。
組織内では同じ形式で
統一しておこう

それでは、表示形式を「通貨」に変更する方法を紹介するニャ

▶表示形式を「標準」から「通貨」に変更する

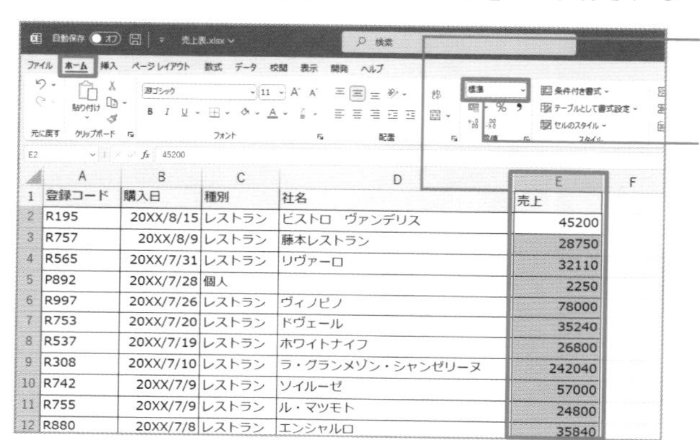

	A	B	C	D	E
1	登録コード	購入日	種別	社名	売上
2	R195	20XX/8/15	レストラン	ビストロ　ヴァンデリス	45200
3	R757	20XX/8/9	レストラン	藤本レストラン	28750
4	R565	20XX/7/31	レストラン	リヴァーロ	32110
5	P892	20XX/7/28	個人		2250
6	R997	20XX/7/26	レストラン	ヴィノピノ	78000
7	R753	20XX/7/20	レストラン	ドヴェール	35240
8	R537	20XX/7/19	レストラン	ホワイトナイフ	26800
9	R308	20XX/7/10	レストラン	ラ・グランメゾン・シャンゼリーヌ	242040
10	R742	20XX/7/9	レストラン	ソイルーゼ	57000
11	R755	20XX/7/9	レストラン	ル・マツモト	24800
12	R880	20XX/7/8	レストラン	エンシャルロ	35840

❶表示形式を変えたいセルの範囲を選択する。

❷［ホーム］タブの［数値の書式］をクリックする。

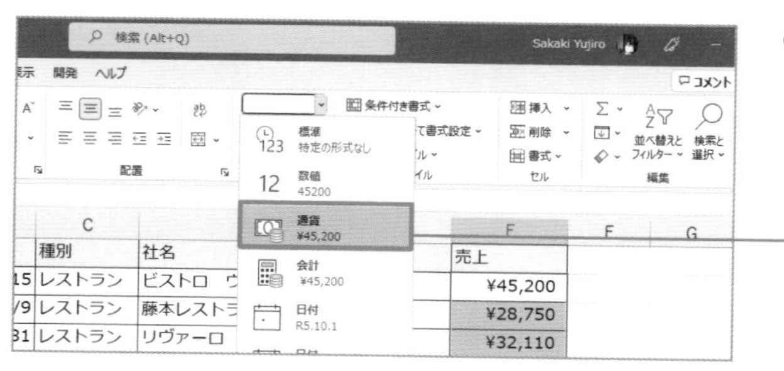

❸一覧の中から［通貨］をクリックする。

E2　45200

	A	B	C	D	E
1	登録コード	購入日	種別	社名	売上
2	R195	20XX/8/15	レストラン	ビストロ　ヴァンデリス	¥45,200
3	R757	20XX/8/9	レストラン	藤本レストラン	¥28,750
4	R565	20XX/7/31	レストラン	リヴァーロ	¥32,110
5	P892	20XX/7/28	個人		¥2,250
6	R997	20XX/7/26	レストラン	ヴィノピノ	¥78,000

❹表示形式が「通貨」に変わり、通貨の記号と桁区切りのカンマが入った。

数式バーを見ると、実際のデータは元の通りだと確認できる。

表示形式をもっと細かく設定

下のように、[セルの書式設定]ダイアログボックスを開いて、より細かく表示形式などを指定することができます。

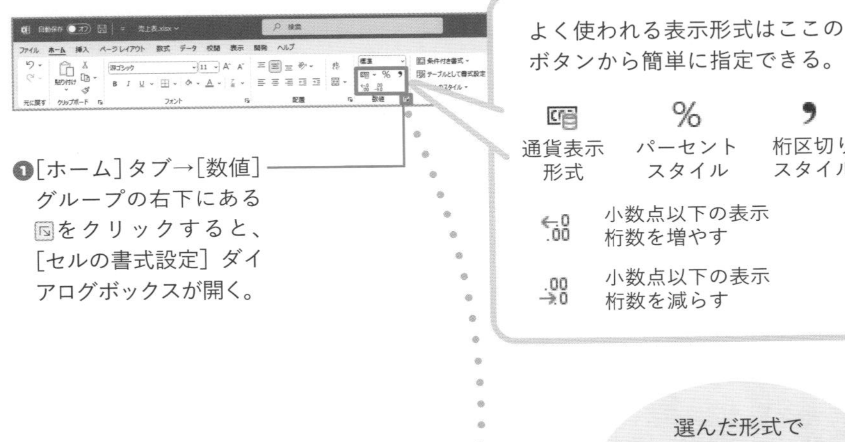

よく使われる表示形式はここのボタンから簡単に指定できる。
通貨表示形式
パーセントスタイル
桁区切りスタイル
小数点以下の表示桁数を増やす
小数点以下の表示桁数を減らす

❶[ホーム]タブ→[数値]グループの右下にある⧅をクリックすると、[セルの書式設定] ダイアログボックスが開く。

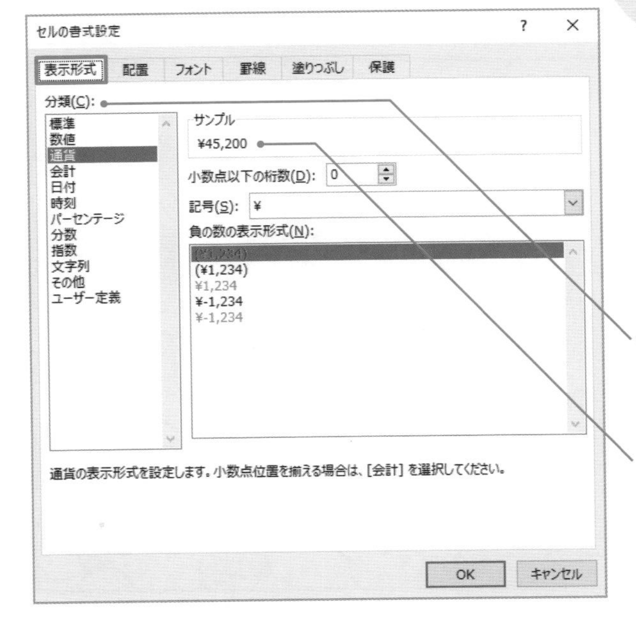

❷[表示形式] タブの[分類] から、使いたい表示形式を選択する。

❸選択した表示形式で実際にどのように表示されるのか、[サンプル] で確認することができる。

選んだ形式でどのように表示されるのか確認できるからわかりやすいね！

“見映え”より“見慣れ”。いつものレシピを用意

表の体裁　表示形式

■ チーム内の誰でも、ぶれない表が作れるように

あれこれと体裁に凝って「見映えのいい表！」と自分が思っていても、相手が「見やすい」と思ってくれなくては、せっかくの努力も水の泡です。

仕事で作成するExcel文書の多くは、チーム内や取引先と共有するもの。それぞれの現場に合った見やすい形で体裁を整えることを心掛けましょう。

たとえば、タイトル部分や表組の項目見出しの体裁、罫線の入れ方や、数値データの表示形式などは、チーム内の誰もが共通して使えるようにルールを決めましょう。料理でいう「基本のレシピ」を決めておくことで、素材や状況によって多少のアレンジをしても、みんなが“見慣れ”ている表を作成できます。レシピがあることで、作業時間が短縮できる、引き継ぎがスムーズに行えるといったメリットも少なくありません。

次ページから、リコちゃんの会社のレシピに沿った作成手順を紹介します。こうした例を参考に、自分たちのオリジナルレシピを考えてみてください。

それではレッスン３のおさらいニャ！　Excel先輩が作成したわが社の統一ルールに基づいて表を整えよう

フォント※は「メイリオ」に統一。罫線だけ引いてみたよ

●リコちゃんが入力を終えたデータ

タイプ	チーズ名	乳種	販売価格	産地	適応するワイン・地区	ワインタイプ	最低価格	最高価格
フレッシュ	シェーヴル・フレ	山羊	2200	ロワール	グロ プラン・カベルネ・シャンパン	辛口白、辛口ロゼ、シャンパン	2700	6700
フレッシュ	フロマージュ・ブラン	牛	2000	ノルマンディ	グロ プラン・カベルネ・シャンパン	辛口白、辛口ロゼ、シャンパン	2000	4600
フレッシュ	プティ・スイス	牛	2200	フランス全土	グロ プラン・カベルネ・シャンパン	辛口白、辛口ロゼ、シャンパン	2000	6700
白カビ	ブリ・ド・モー	牛	3800	イル・ド・フランス	メドック・ヴォルネイ	ライトボディ～ミディアムボディのしなやかな赤	1600	5600
白カビ	ブリ・ド・ムラン	牛	2000	イル・ド・フランス	メドック・ヴォルネイ	ライトボディ～ミディアムボディのしなやかな赤	1400	4400
白カビ	カマンベール	牛	4000	ノルマンディ	メドック・ヴォルネイ	ライトボディ～ミディアムボディのしなやかな赤	1000	7500
白カビ	クロミエ	牛	2800	イル・ド・フランス	ボジョレー ヴィラージュ	ライトボディ～ミディアムボディのしなやかな赤	1900	7400
白カビ	シュプレーム	牛	2800	ノルマンディ	ボジョレー ヴィラージュ	ライトボディ～ミディアムボディのしなやかな赤	2300	7600
白カビ	ブリア・サヴァラン	牛	1600	ノルマンディ	ソーミュール シャンピニー	ライトボディ～ミディアムボディのしなやかな赤	2900	4800
ウォッシュ	マンステール	牛	2600	アルザス	ボルドー	力強い上質な赤	1100	6800
ウォッシュ	リヴァロ	牛	2000	ノルマンディ	ボルドー	力強い上質な赤	1100	5100
ウォッシュ	エポワース	牛	2600	ブルゴーニュ	ボルドー	力強い上質な赤	1100	4400
ウォッシュ	ラミ・デュ・シャンベルタン	牛	2200	ブルゴーニュ	ボルドー	力強い上質な赤	2400	3600

レシピ(1)　タイトルまわりを整える

背景色だけでタイトルが結合して見える！

タイプ	チーズ名	乳種	販売価格	産地	適応するワイン・地区	ワインタイプ
フレッシュ	シェーヴル・フレ	山羊	2200	ロワール	グロ プラン・カベルネ・シャンパン	辛口白、辛口ロゼ、シャンパン
フレッシュ	フロマージュ・ブラン	牛	2000	ノルマンディ	グロ プラン・カベルネ・シャンパン	辛口白、辛口ロゼ、シャンパン
フレッシュ	プティ・スイス	牛	2200	フランス全土	グロ プラン・カベルネ・シャンパン	辛口白、辛口ロゼ、シャンパン
白カビ	ブリ・ド・モー	牛	3800	イル・ド・フランス	メドック・ヴォルネイ	ライトボディ～ミディアムボディのしなやかな赤
白カビ	ブリ・ド・ムラン	牛	2000	イル・ド・フランス	メドック・ヴォルネイ	ライトボディ～ミディアムボディのしなやかな赤
白カビ	カマンベール	牛	4000	ノルマンディ	メドック・ヴォルネイ	ライトボディ～ミディアムボディのしなやかな赤
白カビ	クロミエ	牛	2800	イル・ド・フランス	ボジョレー ヴィラージュ	ライトボディ～ミディアムボディのしなやかな赤
白カビ	シュプレーム	牛	2800	ノルマンディ	ボジョレー ヴィラージュ	ライトボディ～ミディアムボディのしなやかな赤
	ブリア・サヴァラン	牛	1600	ノルマンディ	ソーミュール シャンピニー	ライトボディ～ミディアムボディのしなやかな赤
	マンステール	牛	2600	アルザス	ボルドー	力強い上質な赤
	リヴァロ	牛	2000	ノルマンディ	ボルドー	力強い上質な赤
	エポワース	牛	2600	ブルゴーニュ	ボルドー	力強い上質な赤

Check! 列幅・行高 → P96

❶A列の列幅を「4」に設定（「A列」を選択して、［書式］→［列の幅］をクリックして数値「4」を手入力する）。

❷タイトルの行（2行目）の高さは「30」に設定（「2行目」を選択して、［書式］→［行の高さ］をクリック。数値「30」を手入力する）。

❸表の幅に合わせてセル選択し、背景色を「濃い青」にする（［塗りつぶしの色］から選択）。

❹タイトルを「太字」、文字色を「白」にして、左インデントを1つ入れる。

Check! インデント → P101

フォント…明朝体やゴシック体など、文字の形のこと。フォントが揃っていると視認性が高まります。リコちゃんの会社では、WindowsとMacで互換性のある「メイリオ」を使用しています。

レシピ(2) 表の見出し行&先頭行のデータを整える

1R x 9C　fx　フレッシュ

	A	B	C	D	E	F	G
1							
2		チーズとワインの対応表					
3							
4		タイプ	チーズ名	乳種	販売価格	産地	適応するワイン・地区
5		フレッシュ	シェーヴル・フレ	山羊	2200	ロワール	グロ プラン・カベルネ・シャンパン
6		フレッシュ	フロマージュ・ブラン	牛	2000	ノルマンディ	グロ プラン・カベルネ・シャンパン
7		フレッシュ	プティ・スイス	牛	2200	フランス全土	グロ プラン・カベルネ・シャンパン
8		白カビ	ブリ・ド・モー	牛	3800	イル・ド・フランス	メドック・ヴォルネイ
9		白カビ	ブリ・ド・ムラン	牛	2000	イル・ド・フランス	メドック・ヴォルネイ
10		白カビ	カマンベール	牛	4000	ノルマンディ	メドック・ヴォルネイ
11		白カビ	クロミエ	牛	2800	イル・ド・フランス	ボジョレー ヴィラージュ
12		白カビ	シュプレーム	牛	2800	ノルマンディ	ボジョレー ヴィラージュ
13		白カビ	ブリア・サヴァラン	牛	1600	ノルマンディ	ソーミュール シャンピニー

❶表全体を選択して、[罫線]→[枠なし]をクリック。いったんすべての罫線を消す。

❷表の見出し行を選択して、背景色を「グレー」にする([塗りつぶしの色]から選択)。続けて[中央揃え]を設定。

❸表の見出し行と最初のデータ行に[上罫線+下罫線]を設定。

Check! 罫線 ➔P99

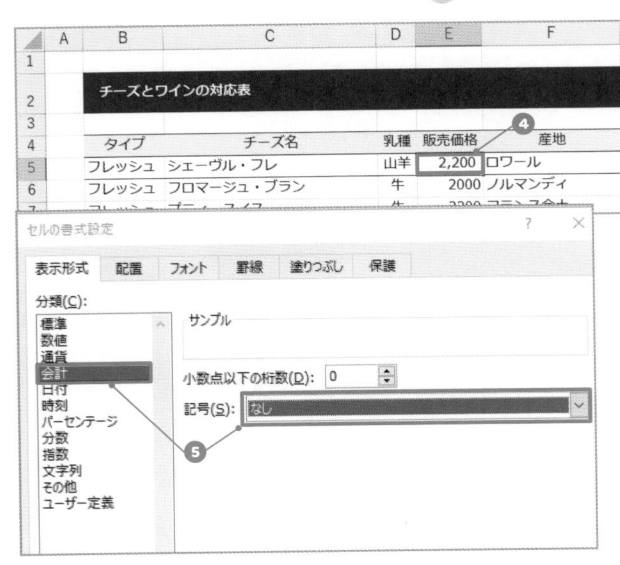

❹先頭行(5行目)の金額列を選択して右クリック→[セルの書式設定]をクリックする。

❺[表示形式]タブの[分類]で[会計]※を選択。[記号]は[なし]を選択する(「¥」をなしに設定)。

次ページへ続く

[会計]…表示形式の[会計]は、税理士事務所のようにお金を扱う職場で使われることの多い表示形式です。リコちゃんの会社は、会計スタイルで「¥」の記号なしというレシピ(ルール)です。

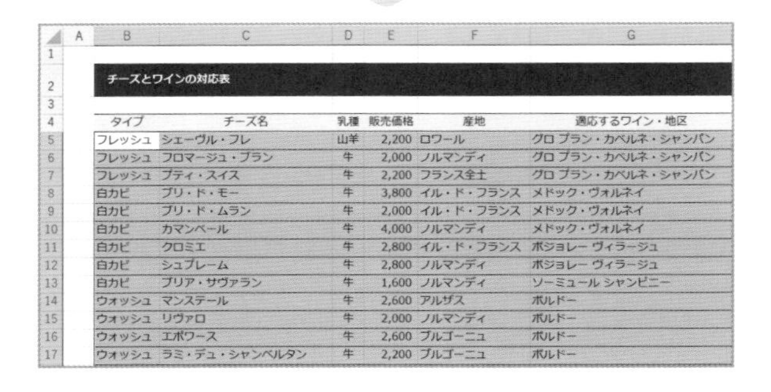

	A	B	C	D	E	F	G
1							
2		チーズとワインの対応表					
3							
4		タイプ	チーズ名	乳種	販売価格	産地	適応するワイン・地区
5		フレッシュ	シェーヴル・フレ	山羊	2,200	ロワール	グロ プラン・カベルネ・シャンパン
6		フレッシュ	フロマージュ・ブラン	牛	2,000	ノルマンディ	グロ プラン・カベルネ・シャンパン
7		フレッシュ	プティ・スイス	牛	2,200	フランス全土	グロ プラン・カベルネ・シャンパン
8		白カビ	ブリ・ド・モー	牛	3,800	イル・ド・フランス	メドック・ヴォルネイ
9		白カビ	ブリ・ド・ムラン	牛	2,000	イル・ド・フランス	メドック・ヴォルネイ
10		白カビ	カマンベール	牛	4,000	ノルマンディ	メドック・ヴォルネイ
11		白カビ	クロミエ	牛	2,800	イル・ド・フランス	ボジョレー ヴィラージュ
12		白カビ	シュプレーム	牛	2,800	ノルマンディ	ボジョレー ヴィラージュ
13		白カビ	ブリア・サヴァラン	牛	1,600	ノルマンディ	ソーミュール シャンピニー
14		ウォッシュ	マンステール	牛	2,600	アルザス	ボルドー
15		ウォッシュ	リヴァロ	牛	2,000	ノルマンディ	ボルドー
16		ウォッシュ	エポワース	牛	2,600	ブルゴーニュ	ボルドー
17		ウォッシュ	ラミ・デュ・シャンベルタン	牛	2,200	ブルゴーニュ	ボルドー

❻先頭行（5行目）の書式をコピーしたら、すべての行を選択して書式を貼り付け、全行を整える。

Check!
書式のコピー
➜P99

レシピ(3) チーズのタイプ別にセル結合

	A	B	C	D	E	F	G
1							
2		チーズとワインの対応表					
3							
4		タイプ	チーズ名	乳種	販売価格	産地	適応するワイン・地区
5		フレッシュ	シェーヴル・フレ	山羊	2,200	ロワール	グロ プラン・カベルネ・シャンパン
6			フロマージュ・ブラン	牛	2,000	ノルマンディ	グロ プラン・カベルネ・シャンパン
7			プティ・スイス	牛	2,200	フランス全土	グロ プラン・カベルネ・シャンパン
8		白カビ	ブリ・ド・モー	牛	3,800	イル・ド・フランス	メドック・ヴォルネイ
9			ブリ・ド・ムラン	牛	2,000	イル・ド・フランス	メドック・ヴォルネイ
10			カマンベール	牛	4,000	ノルマンディ	メドック・ヴォルネイ
11			クロミエ	牛	2,800	イル・ド・フランス	ボジョレー ヴィラージュ
12			シュプレーム	牛	2,800	ノルマンディ	ボジョレー ヴィラージュ
13			ブリア・サヴァラン	牛	1,600	ノルマンディ	ソーミュール シャンピニー
14		ウォッシュ	マンステール	牛	2,600	アルザス	ボルドー
15			リヴァロ	牛	2,000	ノルマンディ	ボルドー
16			エポワース	牛	2,600	ブルゴーニュ	ボルドー
17			ラミ・デュ・シャンベルタン	牛	2,200	ブルゴーニュ	ボルドー

❶「タイプ」の列は、同じタイプごとにセルを結合する(結合する範囲を選択→[セルを結合して中央揃え]→[セルの結合]をクリック)。

Check!
セル結合
➜P102

Check!
列幅の調整
➜P96

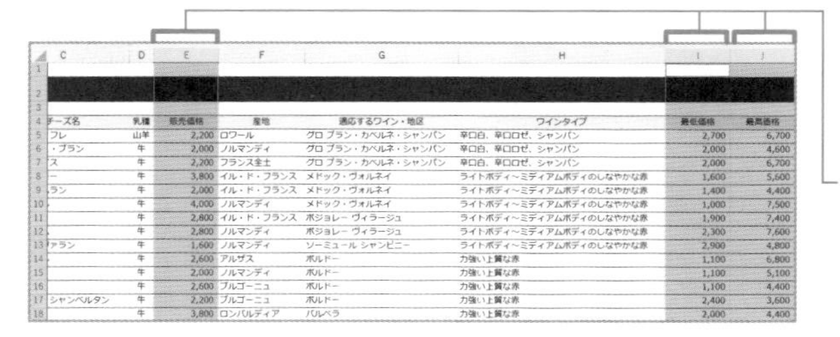

	C	D	E	F	G	H	I	J
1								
2								
3								
4	チーズ名	乳種	販売価格	産地	適応するワイン・地区	ワインタイプ	最低価格	最高価格
5	フレ	山羊	2,200	ロワール	グロ プラン・カベルネ・シャンパン	辛口白、辛口ロゼ、シャンパン	2,700	6,700
6	・ブラン	牛	2,000	ノルマンディ	グロ プラン・カベルネ・シャンパン	辛口白、辛口ロゼ、シャンパン	2,000	4,600
7	ス	牛	2,200	フランス全土	グロ プラン・カベルネ・シャンパン	辛口白、辛口ロゼ、シャンパン	2,000	6,700
8	ー	牛	3,800	イル・ド・フランス	メドック・ヴォルネイ	ライトボディ〜ミディアムボディのしなやかな赤	1,600	5,600
9	ラン	牛	2,000	イル・ド・フランス	メドック・ヴォルネイ	ライトボディ〜ミディアムボディのしなやかな赤	1,400	4,400
10		牛	4,000	ノルマンディ	メドック・ヴォルネイ	ライトボディ〜ミディアムボディのしなやかな赤	1,000	7,500
11		牛	2,800	イル・ド・フランス	ボジョレー ヴィラージュ	ライトボディ〜ミディアムボディのしなやかな赤	1,900	7,400
12		牛	2,800	ノルマンディ	ボジョレー ヴィラージュ	ライトボディ〜ミディアムボディのしなやかな赤	2,300	7,600
13	ァラン	牛	1,600	ノルマンディ	ソーミュール シャンピニー	ライトボディ〜ミディアムボディのしなやかな赤	2,900	4,800
14		牛	2,600	アルザス	ボルドー	力強い上質な赤	1,100	6,800
15		牛	2,000	ノルマンディ	ボルドー	力強い上質な赤	1,100	5,100
16		牛	2,600	ブルゴーニュ	ボルドー	力強い上質な赤	1,100	4,400
17	シャンベルタン	牛	2,200	ブルゴーニュ	ボルドー	力強い上質な赤	2,400	3,600
18		牛	3,800	ロンバルディア	バルベラ	力強い上質な赤	2,000	4,400

❷列幅を自動調整して余白を設ける。

価格の列（E列、I列、J列）を同じ幅に設定すると見やすさがアップする。

これが、Excel先輩の
作成したわが社の
ルールね！

完成！ その他のルールを確認

●A列と1行目は使わない

表の上側、左側にそれぞれ余白を設けるスタイル。

ポイント

A列や1行目を使うと、端の罫線が見えなくなります。また、ホームポジション（セルA1）が空白なら、ファイルを開いたときにキーボードを触ってうっかり入力ミスする心配もなくなります。

Check!
ホームポジション
➜P51

チーズとワインの対応表

タイプ	チーズ名	乳種	販売価格	産地	適応するワイン・地区	ワインタイプ	最低価格	最高価格
	シェーヴル・フレ	山羊	2,200	ロワール	グロ プラン・カベルネ・シャンパン	辛口白、辛口ロゼ、シャンパン	2,700	6,700
フレッシュ	フロマージュ・ブラン	牛	2,000	ノルマンディ	グロ プラン・カベルネ・シャンパン	辛口白、辛口ロゼ、シャンパン	2,000	4,600
	プティ・スイス	牛	2,200	フランス全土	グロ プラン・カベルネ・シャンパン	辛口白、辛口ロゼ、シャンパン	2,000	6,700
	ブリ・ド・モー	牛	3,800	イル・ド・フランス	メドック・ヴォルネイ	ライトボディ～ミディアムボディのしなやかな赤	1,600	5,600
	ブリ・ド・ムラン	牛	2,000	イル・ド・フランス	メドック・ヴォルネイ	ライトボディ～ミディアムボディのしなやかな赤	1,400	4,400
白カビ	カマンベール	牛	4,000	ノルマンディ	メドック・ヴォルネイ	ライトボディ～ミディアムボディのしなやかな赤	1,000	7,500
	クロミエ	牛	2,800	イル・ド・フランス	ボジョレー ヴィラージュ	ライトボディ～ミディアムボディのしなやかな赤	1,900	7,400
	シュプレーム	牛	2,800	ノルマンディ	ボジョレー ヴィラージュ	ライトボディ～ミディアムボディのしなやかな赤	2,300	7,600
	ブリア・サヴァラン	牛	1,600	ノルマンディ	ソーミュール シャンピニー	ライトボディ～ミディアムボディのしなやかな赤	2,900	4,800
	マンステール	牛	2,600	アルザス	ボルドー	力強い上質な赤	1,100	6,800
	リヴァロ	牛	2,000	ノルマンディ	ボルドー	力強い上質な赤	1,100	5,100
ウォッシュ	エポワース	牛	2,600	ブルゴーニュ	ボルドー	力強い上質な赤	1,100	4,400
	ラミ・デュ・シャンベルタン	牛	2,200	ブルゴーニュ	ボルドー	力強い上質な赤	2,400	3,600
	タレッジョ	牛	3,800	ロンバルディア	バルベラ	力強い上質な赤	2,000	4,400
	ロックフォール	羊	2,000	ルエルグ	バニュルス	力強い上質赤、甘口白、甘口VDN	2,300	4,600
	ブルー ドーヴェルニュ	牛	1,800	オーヴェルニュ	シャトー ドゥ ローヌ	力強い上質赤、甘口白、甘口VDN	2,400	6,100
青かび	ブルー・デ・コース	牛	2,000	ルエルグ	シャトー ドゥ ローヌ	力強い上質赤、甘口白、甘口VDN	1,000	6,000
	フルム・ダンベール	牛	1,400	オーヴェルニュ	シャトー ドゥ ローヌ	力強い上質赤、甘口白、甘口VDN	1,600	5,000
	ゴルゴンゾーラ	牛	3,600	ロンバルディア	ヴァルテッリーナ	力強い上質赤、甘口白、甘口VDN	1,500	4,600
	スティルトン	牛	1,800	ピエモンテ	ボルドー	力強い上質赤、甘口白、甘口VDN	2,800	7,500
	カンタル	牛	2,200	オーヴェルニュ	シュッド ウエスト（南西）	軽く、柔和な赤・白・ロゼ	1,400	4,300
セミハード	サン・ネクテール	牛	3,600	オーヴェルニュ	シュッド ウエスト（南西）	軽く、柔和な赤・白・ロゼ	2,000	7,400
	ルブロション	牛	2,200	サヴォア	シュッド ウエスト（南西）	軽く、柔和な赤・白・ロゼ	1,000	7,000
	ミモレット	牛	2,200	フランドル	ボルドー	軽く、柔和な赤・白・ロゼ	1,200	6,500
	ボーフォール	牛	1,600	サヴォア	サヴォア	フルーティーな赤・白・ロゼ	1,400	6,400
ハード	エメンタール	牛	2,600	フランシュ・コンテ	サヴォア	フルーティーな赤・白・ロゼ	2,100	3,100
	パルミジャーノ・レッジャーノ	牛	3,400	ロマーニャ	ロマーニャ	フルーティーな赤・白・ロゼ	1,000	6,300
	ヴレ・ジョセフィーヌ	牛	7,000	プロヴァンス	ロマーニャ	フルーティーな赤・白・ロゼ	2,200	5,000

●行の非表示やセル結合は原則使わない

非表示はトラブルの原因になりがち（→ P42）。セル結合も不具合につながることが多いため、なるべく控える。

●縦罫線はなるべく控える

罫線は少ないほうがスッキリする。縦罫線がないぶん、縦のラインが崩れないよう注意する。

業界や
会社によって
使いやすい形式は
だいぶ違うよ

OK
みんなそれぞれに
自分たちが使いやすい
レシピを考えれば
いいニャ！

Excelデータは宝の山！

お役に立てて
よかった
ジョセフィーヌ
リコちゃんの大好きなチーズだね
っていうか、
うちのジョセフィーヌの
利益率、
すごくないですか!?

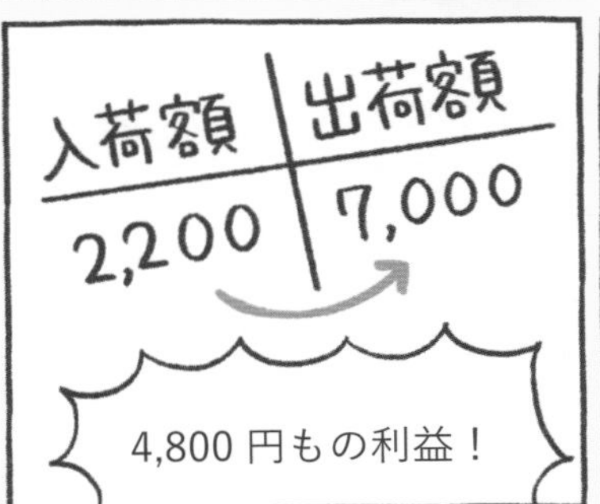
入荷額
出荷額
2,200
7,000
4,800 円もの利益！

粗利率
(利益 / 出荷額)は
なんと 68.6%！
粗利率ランキング〜
CHEESE

ジョセフィーヌが
看板商品とは
知ってたけど…
この一覧表を作るまで
こんなに儲かる商品とは
知らなかったな
おいしくってこんなに稼いでくれるなんて最高!!

表を作って、
データを見たことで
気づけるなんて
成長した
ニャ〜
すごい進歩だ!!

よーし、
たくさん売って
どんどん
儲けましょう！

Excel先輩の
ひとりごと

相手先に送るファイルは「PDF」に変換しましょう

Excelファイルは、相手先のパソコン環境によっては閲覧できない場合があります。取引先などに見積書や請求書などを送る際は、変更を加えることが難しく、いろいろなパソコンで閲覧可能な「PDF」に変換しましょう。

・相手先がExcelを使えないパソコンの場合、閲覧できない
・作業中の未完成ファイルが届いたような印象を与えてしまう
・たとえば請求書の金額を勝手に書き換えられてしまう可能性も……

取引先へ、
PDFに変換した
ファイルを送る

・Excelを閲覧できないパソコンでも内容を確認できる
・データを簡単に変更されてしまう心配がなくなる

▶PDFに変換する方法

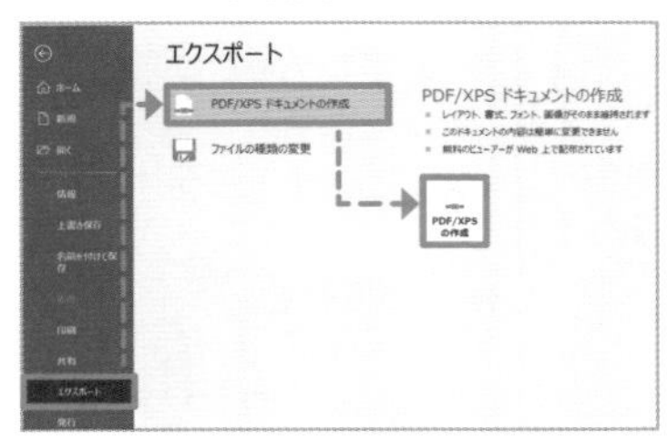

［ファイル］→［エクスポート］→［PDF/XPSの作成］をクリック。表示されたダイアログボックスから保存場所とファイル名を指定し［発行］を押すだけでOKです。

「関数」で会社の数字を浮き彫りにしよう

このExcel表、
計算式が入っているけど、
何を計算しているのか
わからない!!
SUMIF?
C3>D3?
落ち着いて…

関数をわかるようになりたい！

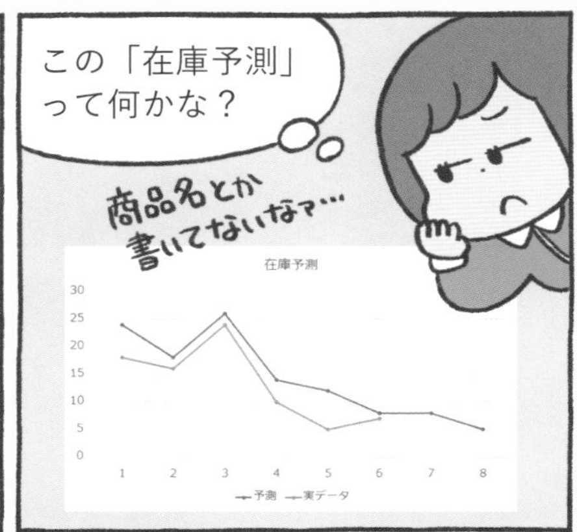

このままだと
会社の売上が
ダウンしちゃう…
会社
売上
あ゛あ゛あ゛
ってことは
お給料やボーナスも!?
どうしよう……

うちの会社、
大丈夫かな……
他のファイルも
見てみよう
青めもに
いろいろ
入ってる…

このExcel表、
計算式が入っているけど、
何を計算しているのか
わからない!!
SUMIF?
C3>D3?
落ち着いて…

こうなったら、
私の電卓スキルで!!
ヒ〜
落ち着いて!
簡単な関数だニャ
電卓で何する気!?

今のリコちゃんなら、
関数も理解
できるはずニャ!
解説してあげるから
ホント…?

自分の仕事に必要な関数をマスターしよう

関数　参照演算子　関数の入力方法

関数かぁ……。昔から数学は苦手だし、イヤだな～

大丈夫！　Excelの関数は、あらかじめ計算処理がセットされた仕組みのこと。複雑な計算も一瞬ニャ！

この前学んだたし算やかけ算の計算式（数式）とは別ものなの？

Check!
数式
→P64

うん。たとえば足したい数字が100個あるとき、数式なら「＋」記号が99回も必要。関数なら一度に計算できるニャ

複雑な計算も、ややこしい処理も、誰でも簡単にできる

Excelの関数は、計算処理がひとまとめになった「仕組み」のことです。

たとえば、セルに「SUM（サム）」という合計を出力する関数を入力し、数値データの入った100セル分の範囲を指定すると、100セル分の合計が計算されます。同じように、平均を出力する関数を入力すれば、100セル分の平均が計算されます。関数を使えば、複雑な計算も、ややこしい処理も簡単にできます。

最新バージョンのExcelには、480種以上の関数が用意されていますが、全部覚える必要なんてありません。自分の仕事に合わせて必要なものだけをマスターすれば十分。自動販売機や電子レンジは、構造を理解していなくても使うことができます。Excelの関数も同じ。手順さえ覚えてしまえば、誰でも使いこなせる便利な道具なのです。

数式と関数の違い

合計を求める
「数式」と「関数」
を比べたニャ

へー、
だいぶ違う！

● **演算子を使って合計する（数式）**

セルG2に、セルB2～F2のセル参照を演算子の「＋」をはさみながら入力。合計する項目が増えるほど、手間が増え、数式も長くなります。

	A	B	C	D	E	F	G	H	I	J
1										
2		10	20	30	40	50	=B2+C2+D2+E2+F2			
3										
4										

=B2+C2+D2+E2+F2

● **関数を使って合計する**

セルG2に、「＝」と、合計を求める関数名（SUM）と、合計する範囲（セルB2～F2）を入力。項目が増えても数式は簡潔です。

	A	B	C	D	E	F	G	H	I
1									
2		10	20	30	40	50	=SUM(B2:F2)		
3									
4									

=SUM(B2:F2)

どんな引数を
どう指定するかは
関数によって違うんだ

関数の仕組み

イコール
数式と同じように先頭には必ず「＝」を入力。

関数名
使用する関数名をアルファベットで入力。

引数（ひきすう）※
( )内に、計算に必要な引数（値やセル、セル範囲等）を入力。引数が複数のときはカンマで区切る。

・引数に使う「参照演算子」

記号	読み	意味
:	コロン	連続したセルを示す。A1:A10は、セルA1～A10を示す。
,	カンマ	離れたセルを示す。A1,A10は、セルA1とセルA10を示す。

引数…引数の読み方は「ひきすう」です。「いんすう」でも読み方の間違いではありませんが、因数（いんすう）と区別するため、「ひきすう」と解説していきます。

関数の入力方法はけっこう簡単！

関数の入力方法は、直接入力のほか、[オートSUM] ボタン、[数式] タブの [関数ライブラリ] から関数名を指定する方法、[関数の挿入] ダイアログボックスを使う方法などさまざま。

関数の入力方法（1） ［オートSUM］ボタンを使う（合計を求める）

合計を求める「SUM 関数」は、下のように Σ ［オート SUM］ボタンを使うと簡単。クリックするだけで自動的に関数名やカッコが入力され、引数も指定されます。平均を求める関数など特定の関数は Σ で入力できます（→ P126）。

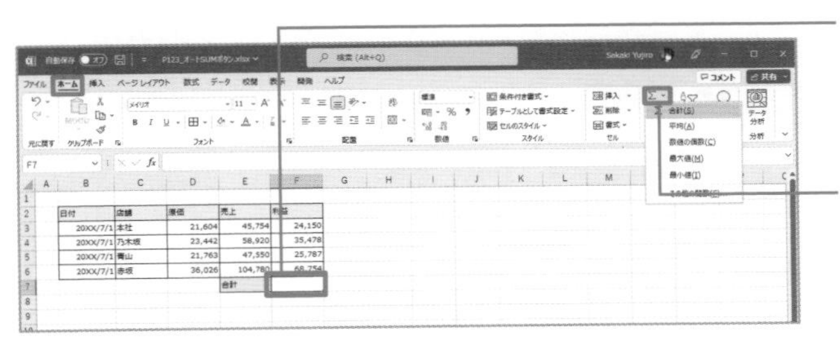

❶結果を表示させたいセル（ここでは F7）を選択する。

❷［ホーム］タブ→［編集］グループの Σ（合計）をクリックする。

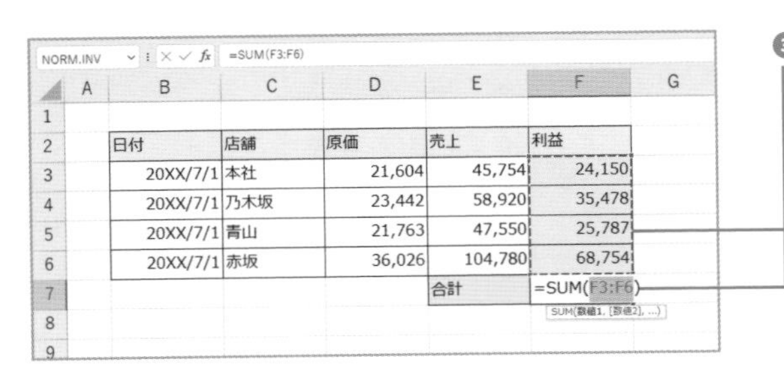

NORM.INV　=SUM(F3:F6)

	A	B	C	D	E	F	G
1							
2		日付	店舗	原価	売上	利益	
3		20XX/7/1	本社	21,604	45,754	24,150	
4		20XX/7/1	乃木坂	23,442	58,920	35,478	
5		20XX/7/1	青山	21,763	47,550	25,787	
6		20XX/7/1	赤坂	36,026	104,780	68,754	
7					合計	=SUM(F3:F6)	
8						SUM(数値1, [数値2], ...)	

❸自動認識された合計範囲が点線で囲まれ、関数名と引数が自動入力される。範囲が正しく選択されているか確認し、間違っているときは、点線部分をドラッグで動かして修正する。

F8

	A	B	C	D	E	F	G
1							
2		日付	店舗	原価	売上	利益	
3		20XX/7/1	本社	21,604	45,754	24,150	
4		20XX/7/1	乃木坂	23,442	58,920	35,478	
5		20XX/7/1	青山	21,763	47,550	25,787	
6		20XX/7/1	赤坂	36,026	104,780	68,754	
7					合計	154,169	
8							
9							
10							

❹ Enter キーをクリックすると、計算結果（合計）が表示される。

関数の入力方法(2) ［関数ライブラリ］を使う（合計を求める）

［数式］タブの［関数ライブラリ］には関数がカテゴリー別に分類されています。ここでもSUM（サム）関数の入力方法を紹介しましょう。ダイアログボックスのサポートで、簡単に入力できます。

最近使った関数は
［最近使った関数］※
ボタンにも
分類されるよ

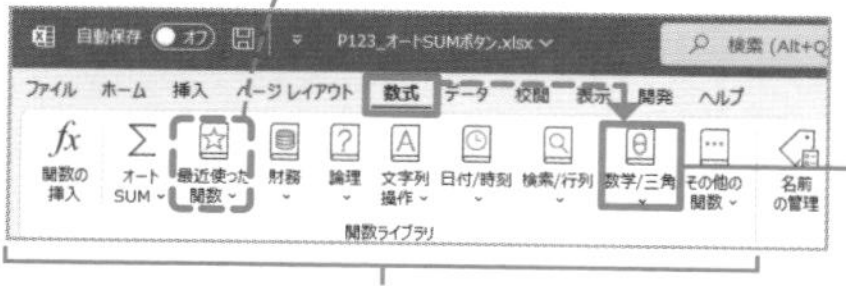

関数ライブラリ

❶P123と同じように、合計を表示したいセルF7を選択したら、［数式］タブの［数学/三角］をクリックする。

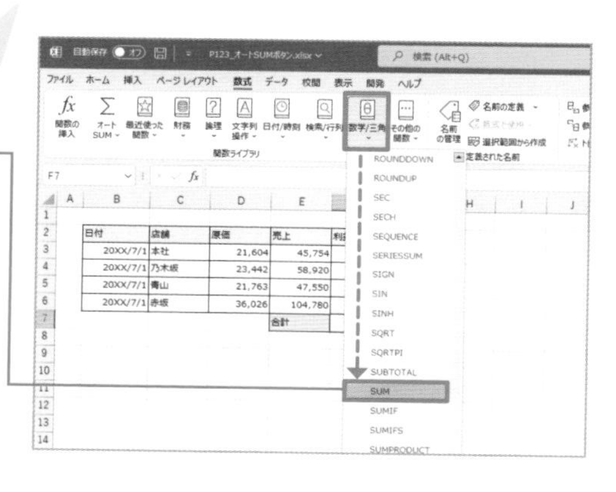

❷一覧から［SUM］を選択して、クリックする。

❸［関数の引数（ひきすう）］ダイアログボックスが表示される。

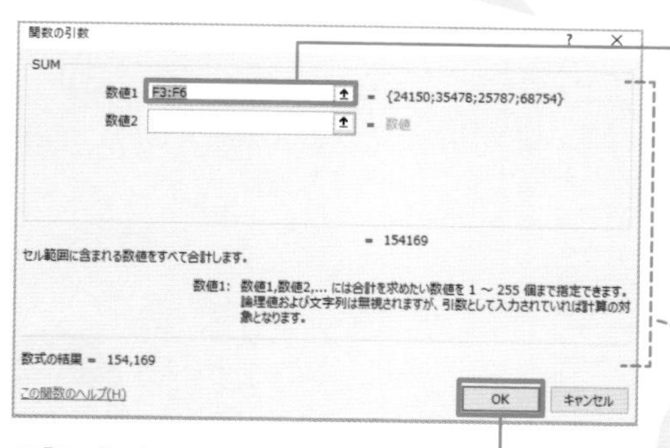

❹［数値1］に引数(F3:F6）が自動入力されていることを確認する。入力されていないときは、［数値1］欄をクリックして、シート上の合計したいセル範囲(セルF3～F6）をドラッグすると［数値1］欄に引数が入力される。

❺［OK］をクリックすると、試算結果（合計）が表示される。

ここで引数の
説明や試算結果を
確認できるのか～

［最近使った関数］…［関数ライブラリ］グループの［最近使った関数］ボタンを押すと、直前に使った関数が分類されています。同じ関数を何度も使うときは、ここをクリックすると便利です。

目当ての関数が見つからないときや、どの関数を使えばいいかわからないときは？

[関数の挿入] ボタンを押すと [関数の挿入] ダイアログボックスが開いて、検索できるニャ！

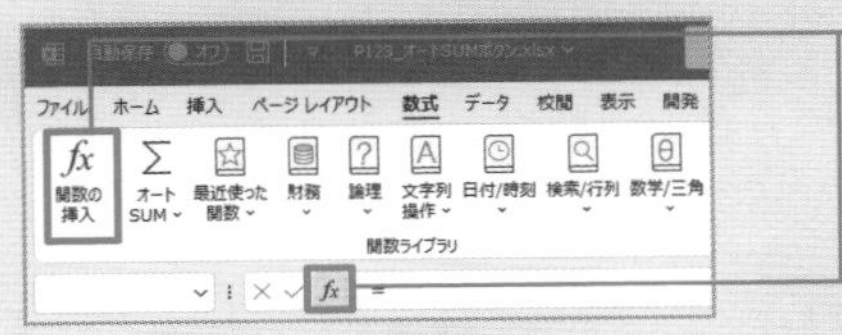

どちらの [関数の挿入] ボタンでもOK！

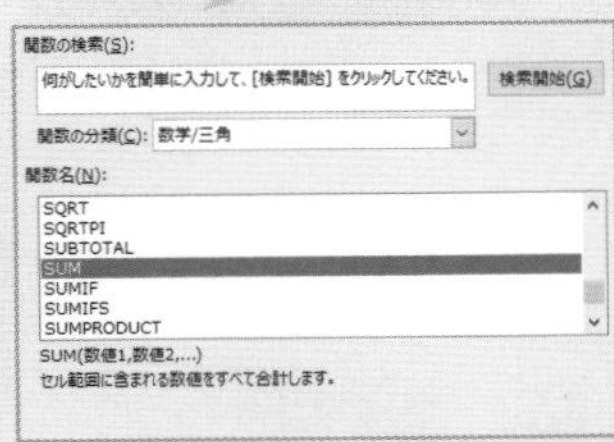

目的から検索したり、一覧から選んだりできる。関数名をクリックすると、P124❸と同様に [関数の引数] ダイアログボックスが開く。その後の手順は同じ。

困ったときは、[ヘルプ機能] が頼りになるニャ（→P158）

まずはこれだけで十分! しっかり使えるようにしたい基礎関数

目的	関数名
数値を合計する	SUM関数➜P126
数値の平均を求める	AVERAGE関数➜P128
最大値を求める	MAX関数➜P128
最小値を求める	MIN関数➜P128
数値データが入力されたセルを数える	COUNT関数➜P128
空白セル以外を数える	COUNTA関数➜P129
空白セルを数える	COUNTBLANK関数➜P129

目的	関数名
条件をもとに結果を示す	IF関数➜P130
条件を満たす数値を合計する	SUMIF関数➜P134
複数の条件を満たす数値を合計する	SUMIFS関数➜P155
条件を満たすセルを数える	COUNTIF関数➜P138
参照する表からデータを探す	VLOOKUP関数➜P140
エラー表示を置き換える	IFERROR関数➜P148

基本の関数を一度に習得！
——SUM（サム）（合計）、AVERAGE（アベレージ）（平均）、MAX（マックス）（最大値）、MIN（ミニマム）（最小値）、COUNT（カウント）（数値の個数）

オートSUM　SUM関数　ステータスバー

［オートSUM］ボタンで、「合計」以外の関数も入力できると聞いたけど、何ができるの？

平均、最大、最小の値を求めたり、個数を数える関数を入力したりできる。まずはSUM関数の便利な使い方を覚えてほしいニャ

SUM関数

指定した範囲の数値の合計を出力する関数。売上や在庫数、成績などを合計するときに役立ちます。SUMはあらゆる分析の基本です。

仕組み　=SUM(セル範囲)

（例）　=SUM(B3:B8)　セルB3 ～ B8の数値データを合計する。
　　　　=SUM(B3,B8)　セルB3とセルB8の数値データを合計する。

	A	B	C	D	E	F	G	H	I	J
1										
2		チーズ	4月	5月	6月	7月	8月	9月	上期合計	
3		ロックフォール	96,596	98,782	90,764	95,116	84,588	104,140		
4		ブルー ドーヴェルニュ	117,068	97,625	83,319	100,634	80,938	111,373		
5		ブルー・デ・コース	111,026	85,096	111,260	90,474	109,853	117,837		
6		ブリ・ド・モー	102,881	119,105	90,273	92,661	102,995	119,286		
7		ブリ・ド・ムラン	89,472	103,581	104,980	84,763	114,696	96,393		
8		エメンタール	116,194	113,252	108,584	107,059	126,887	104,382		
9		ヴレ・ジョセフィーヌ	484,524	345,454	332,544	258,750	109,620	87,470		
10		シェーヴル・フレ	118,316	92,054	97,329	91,910	105,304	130,007		
11		サント・モール	110,928	103,818	81,032	99,453	117,798	113,670		
12										

ここの合計を出す方法を右ページで実践！

▶SUM関数の便利な使い方

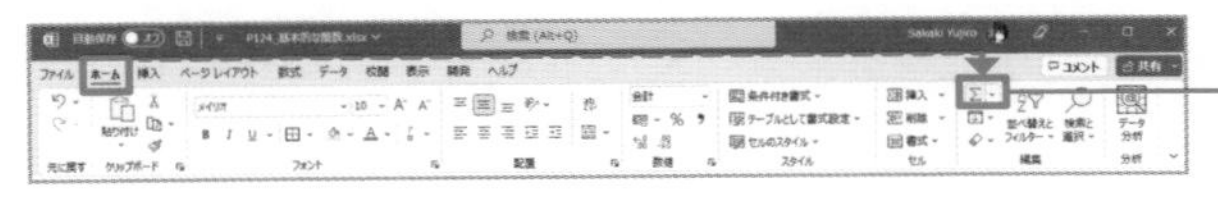

SUM ｜ =SUM(C3:H3)

	A	B	C	D	E	F	G	H	I
1									
2		チーズ	4月	5月	6月	7月	8月	9月	上期合計
3		ロックフォール	96,596	98,782	90,764	95,116	84,588	104,140	=SUM(C3:H3)
4		ブルー ドーヴェルニュ	117,068	97,625	83,319	100,634	80,938	111,373	SUM(数値1, [数値2], ...
5		ブルー・デ・コース	111,026	85,096	111,260	90,474	109,853	117,837	
6		ブリ・ド・モー	102,881	119,105	90,273	92,661	102,995	119,286	
7		ブリ・ド・ムラン	89,472	103,581	104,980	84,763	114,696	96,393	
8		エメンタール	116,194	113,252	108,584	107,059	126,887	104,382	
9		ヴレ・ジョセフィーヌ	484,524	345,454	332,544	258,750	109,620	87,470	
10		シェーヴル・フレ	118,316	92,054	97,329	91,910	105,304	130,007	
11		サント・モール	110,928	103,818	81,032	99,453	117,798	113,670	
12									

❶合計を表示したいセル（ここではセルI3）を選択し、[ホーム]→[オートSUM] ボタンをクリック。

❷合計するセル範囲が自動認識されて点線で囲まれ、関数名と引数も自動入力される。

C	D	E	F	G	H	I
月	5月	6月	7月	8月	9月	上期合計
,596	98,782	90,764	95,116	84,588	104,140	569,986
,068	97,625	83,319	100,634	80,938	111,373	
,026	85,096	111,260	90,474	109,853	117,837	
,881	119,105	90,273	92,661	102,995	119,286	
,472	103,581	104,980	84,763	114,696	96,393	
,194	113,252	108,584	107,059	126,887	104,382	
,524	345,454	332,544	258,750	109,620	87,470	
,316	92,054	97,329	91,910	105,304	130,007	
,928	103,818	81,032	99,453	117,798	113,670	

C	D	E	F	G	H	I
月	5月	6月	7月	8月	9月	上期合計
,596	98,782	90,764	95,116	84,588	104,140	569,986
,068	97,625	83,319	100,634	80,938	111,373	590,957
,026	85,096	111,260	90,474	109,853	117,837	625,546
,881	119,105	90,273	92,661	102,995	119,286	627,201
,472	103,581	104,980	84,763	114,696	96,393	593,885
,194	113,252	108,584	107,059	126,887	104,382	676,358
,524	345,454	332,544	258,750	109,620	87,470	1,618,362
,316	92,054	97,329	91,910	105,304	130,007	634,920
,928	103,818	81,032	99,453	117,798	113,670	626,699

❸Enterキーを押すと、合計が表示される。セルI3を選択し、セル右下角の■フィルハンドルにカーソルを合わせて（カーソルが「＋」に変わる）、セルI11までドラッグする。

❹オートフィルで、SUM関数がコピーされ、一気に合計が出力された。

Check!
数式のオートフィル➔P67

合計を表示したいセル範囲をあらかじめ選択して集計すれば、オートフィルも不要だよ

	A	B	C	D	E	F	G	H	I
1									
2		チーズ	4月	5月	6月	7月	8月	9月	上期合計
3		ロックフォール	96,596	98,782	90,764	95,116	84,588	104,140	
4		ブルー ドーヴェルニュ	117,068	97,625	83,319	100,634	80,938	111,373	
5		ブルー・デ・コース	111,026	85,096	111,260	90,474	109,853	117,837	
6		ブリ・ド・モー	102,881	119,105	90,273	92,661	102,995	119,286	
7		ブリ・ド・ムラン	89,472	103,581	104,980	84,763	114,696	96,393	
8		エメンタール	116,194	113,252	108,584	107,059	126,887	104,382	
9		ヴレ・ジョセフィーヌ	484,524	345,454	332,544	258,750	109,620	87,470	
10		シェーヴル・フレ	118,316	92,054	97,329	91,910	105,304	130,007	
11		サント・モール	110,928	103,818	81,032	99,453	117,798	113,670	
12									

❶セルI3～I11を選択して、[オートSUM] ボタンをクリック。

	A	B	C	D	E	F	G	H	I
1									
2		チーズ	4月	5月	6月	7月	8月	9月	上期合計
3		ロックフォール	96,596	98,782	90,764	95,116	84,588	104,140	569,986
4		ブルー ドーヴェルニュ	117,068	97,625	83,319	100,634	80,938	111,373	590,957
5		ブルー・デ・コース	111,026	85,096	111,260	90,474	109,853	117,837	625,546
6		ブリ・ド・モー	102,881	119,105	90,273	92,661	102,995	119,286	627,201
7		ブリ・ド・ムラン	89,472	103,581	104,980	84,763	114,696	96,393	593,885
8		エメンタール	116,194	113,252	108,584	107,059	126,887	104,382	676,358
9		ヴレ・ジョセフィーヌ	484,524	345,454	332,544	258,750	109,620	87,470	1,618,362
10		シェーヴル・フレ	118,316	92,054	97,329	91,910	105,304	130,007	634,920
11		サント・モール	110,928	103,818	81,032	99,453	117,798	113,670	626,699
12									

❷合計するセル範囲が自動認識され、それぞれの合計が一発で表示された。

［オートSUM（サム）］ボタンΣの右横にある⌄をクリックすると、ここから入力できる他の関数も表示されるニャ

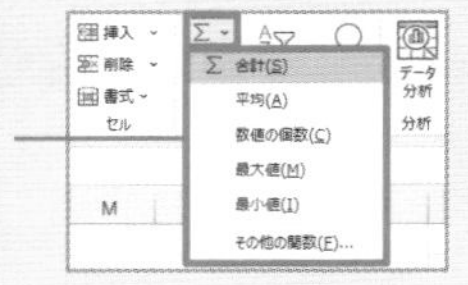

AVERAGE関数

指定した範囲の数値の平均を出力する関数。［オートSUM］→［平均］をクリックして入力します。

仕組み =AVERAGE（アベレージ）(セル範囲)

（例） =AVERAGE(B3:B8) セルB3～B8の数値データの平均を計算する。

MAX関数／MIN関数

MAX関数は範囲内の最大値を、MIN関数は範囲内の最小値を出力する関数。［オートSUM］→［最大値］または［最小値］をクリックして入力します。

仕組み =MAX（マックス）(セル範囲)
=MIN（ミニマム）(セル範囲)

（例） =MAX(B3:B8) セルB3～B8の数値データの最大値を求める。
=MIN(B3:B8) セルB3～B8の数値データの最小値を求める。

COUNT関数

範囲内で数値データが入力されているセルの個数を出力する関数。［オートSUM］→［数値の個数］をクリックして入力します。

仕組み =COUNT（カウント）(セル範囲)

（例） =COUNT(B3:B8) セルB3～B8で数値データが入力されているセルを数える。

件数を数えるときには、数値データが入力されたセルを数えるCOUNT関数だけでなく、COUNTA（カウントエー）関数やCOUNTBLANK（カウントブランク）関数も便利だよ！　3つセットで覚えておこう

「COUNT関数」	数値データの個数だけを数える
「COUNTA関数」	空白セル以外の個数を数える
「COUNTBLANK関数」	空白セルの個数を数える

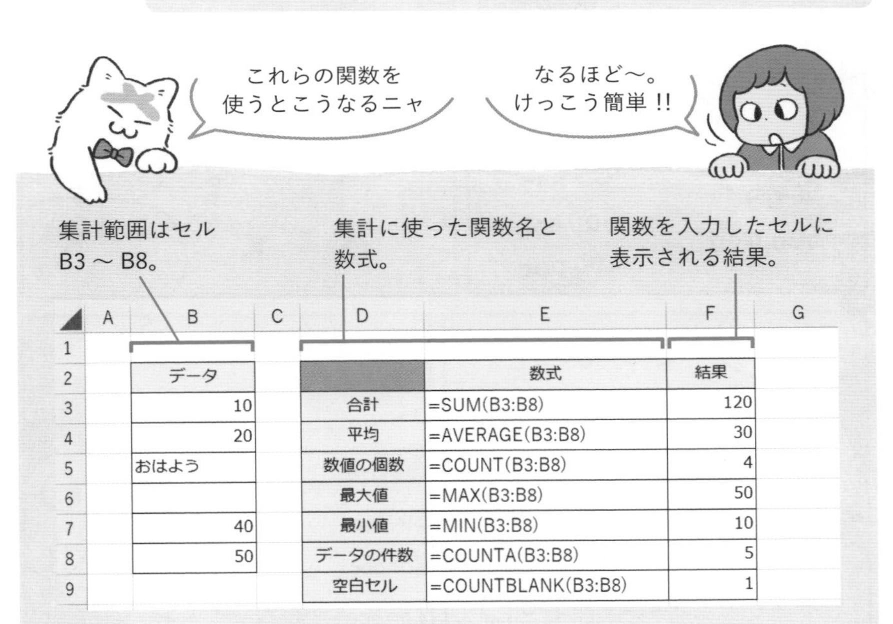
これらの関数を
使うとこうなるニャ
なるほど〜。
けっこう簡単!!
集計範囲はセル
B3 〜 B8。
集計に使った関数名と
数式。
関数を入力したセルに
表示される結果。

	A	B	C	D	E	F	G
1							
2		データ			数式	結果	
3		10		合計	=SUM(B3:B8)	120	
4		20		平均	=AVERAGE(B3:B8)	30	
5		おはよう		数値の個数	=COUNT(B3:B8)	4	
6				最大値	=MAX(B3:B8)	50	
7		40		最小値	=MIN(B3:B8)	10	
8		50		データの件数	=COUNTA(B3:B8)	5	
9				空白セル	=COUNTBLANK(B3:B8)	1	

確認するだけなら「ステータスバー」をチェック！

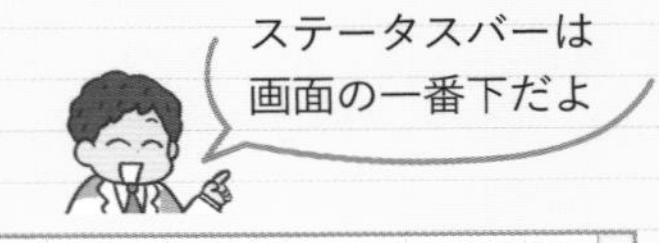
ステータスバーは
画面の一番下だよ

数値データが入力されたセル範囲を選択すると、範囲内の数値の合計や平均などが「ステータスバー」に表示されます。結果を知るだけなら、範囲選択をしてここを確認しましょう。

平均: 31.42857143　データの個数: 7　合計: 220
100%

条件に合うデータか判定する IF（イフ）関数

IF関数　IFS関数　比較演算子

条件に応じて表示結果を変える

「IF関数」を使うと、売上の達成度合や在庫の状況を○×で判定する、成績をABCでランク分けするといったことができます。指定した条件に合うかどうかで結果（処理）を変える、「条件分岐」ができる点が、IF関数の特徴です。

条件の指定は、右のような「論理式」を用います。使うのは、等号や不等号などの「比較演算子（ひかくえんざんし）」と、数値や文字列、セル参照。難しく感じるかもしれませんが、記号の使い方をマスターすれば、すぐに論理式を作成できます。

論理式では算術演算子（さんじゅつえんざんし）（→P64）を使うこともあります。たとえば、かけ算の記号「*」を用いた「E3>D3*80%」という式なら、「セルE3が、セルD3の80%より大きい」という意味になります。

IF関数

※IF関数は、［関数ライブラリ］→［論理］に分類されています。

仕組み =IF(論理式, 真の場合, 偽の場合)
引数❶ 論理式、引数❷ 真の場合、引数❸ 偽の場合

引数（ひきすう）（→P121）が複数あるときは各引数をカンマで区切ります。

指定した条件（引数❶）に合うデータかどうかを判定し、当てはまるときは引数❷を、当てはまらないときは引数❸を表示します。

（例） =IF(C3>D3,"○","×")

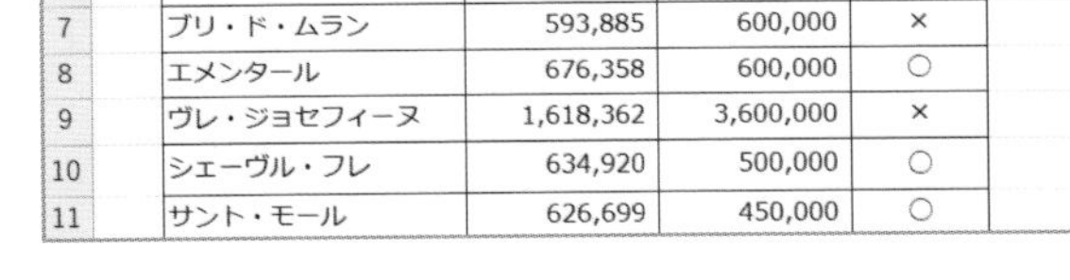

E3 =IF(C3>D3,"○","×")

	A	B	C	D	E	F
1						
2		チーズ	上期合計	売上目標	判定	
3		ロックフォール	569,986	500,000	○	
4		ブルー ドーヴェルニュ	590,957	600,000	×	
5		ブルー・デ・コース	625,546	600,000	○	
6		ブリ・ド・モー	627,201	450,000	○	
7		ブリ・ド・ムラン	593,885	600,000	×	
8		エメンタール	676,358	600,000	○	
9		ヴレ・ジョセフィーヌ	1,618,362	3,600,000	×	
10		シェーヴル・フレ	634,920	500,000	○	
11		サント・モール	626,699	450,000	○	

セルC3の値（上期合計）がD3の値（売上目標）より大きければ「○」を、そうでなければ「×」を表示します。○や×のような文字列は、" "（ダブルクォーテーション）で囲みましょう。

入力方法は、次ページへ

比較演算子の使い方

比較演算子の例	意味
	（セルE3が）
E3<100	100より小さい
E3>100	100より大きい
E3<=100	100以下
E3>=100	100以上
E3=100	100と等しい
E3<>100	100と等しくない
E3=""	空白セルである
E3="乃木坂"	乃木坂である
E3<>"乃木坂"	乃木坂でない

IF関数の2大ポイント

- 数字・記号は半角で入力
- 論理式は、主となるデータを先に記す

Check! 全角/半角 ➜P40

論理式は、自然な日本語で読める順に作成することが大切。左の表2行目を「100>E3」と記すと、「100がセルE3より大きい」という理解しづらい構文になってしまいます。

▶IF（イフ）関数の入力方法

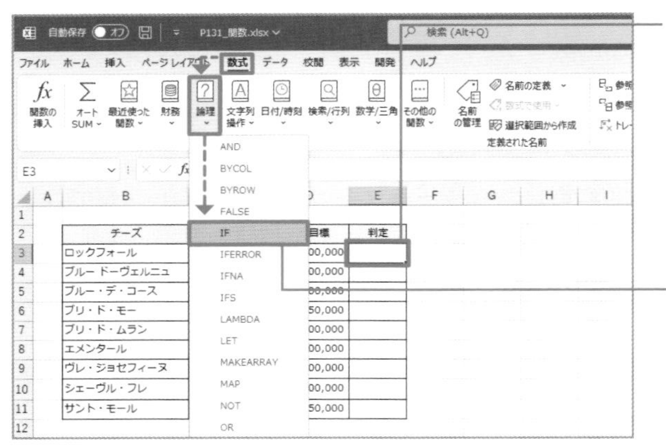

❶結果を表示させたいセルE3を選択する。

❷［数式］タブ→［論理］→［IF］をクリックする。

❸［関数の引数（ひきすう）］ダイアログボックスが表示される。

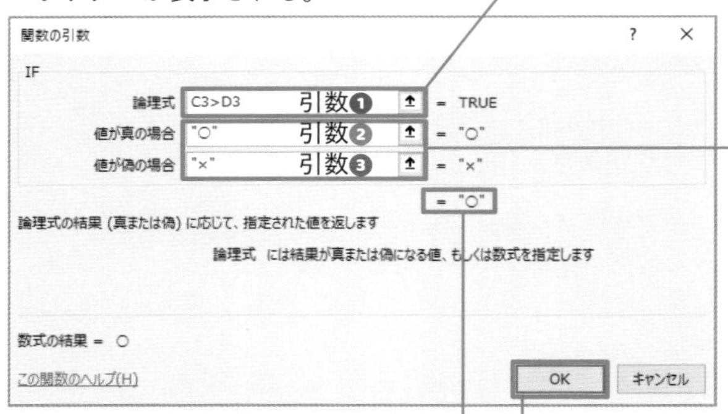

❹引数❶となる［論理式］欄に「C3>D3」と半角で入力する。

❺引数❷となる［値が真の場合］欄に「○」を、引数❸となる［値が偽の場合］欄に「×」を入力する。

❻思い通りの出力結果になったかを確認し、［OK］をクリック。

ポイント

出力結果を指定する引数に文字列データのみ入力した場合、次の項目に移動すると自動的に「"」（ダブルクォーテーション）が設定されます。

E3 =IF(C3>D3,"○","×")

チーズ	上期合計	売上目標	判定
ロックフォール	569,986	500,000	○
ブルー ドーヴェルニュ	590,957	600,000	×
ブルー・デ・コース	625,546	600,000	○
ブリ・ド・モー	627,201	450,000	○
ブリ・ド・ムラン	593,885	600,000	×
エメンタール	676,358	600,000	○
ヴレ・ジョセフィーヌ	1,618,362	3,600,000	×
シェーヴル・フレ	634,920	500,000	○
サント・モール	626,699	450,000	○

❼セルE3に結果「○」が表示される。

❽セルE3の右下角にある■（フィルハンドル）を下までドラッグして数式をコピーすると、すべての判定結果が表示される。

Check! 数式のコピー ➜P67

○△×……のような3通り以上の結果を分けて表示することはできるのかな？

もちろんできるニャ。複数の条件を指定できる「IFS関数」※を使うと簡単だよ（Excel2019版以降で使えます）

▶IFS関数で結果を3通りに表示する

❶結果を表示させたいセルE3を選択し、[数式]タブ→[論理]→[IFS]をクリックすると、[関数の引数]ダイアログボックスが表示される。

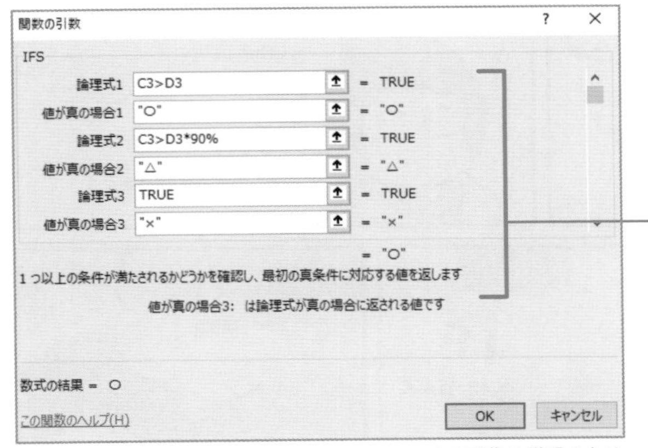

＊上の画像は説明のために加工しています。

❷論理式の内容は、以下の通り。

論理式1
「C3>D3」
セルC3（上期合計）がセルD3（売上目標）より上ならば「○」

論理式2
「C3>D3*90%」
セルC3が、セルD3の90%超なら「△」
(*はかけ算の記号)

論理式3
「TRUE」
論理式1、2に当てはまらないときは「×」

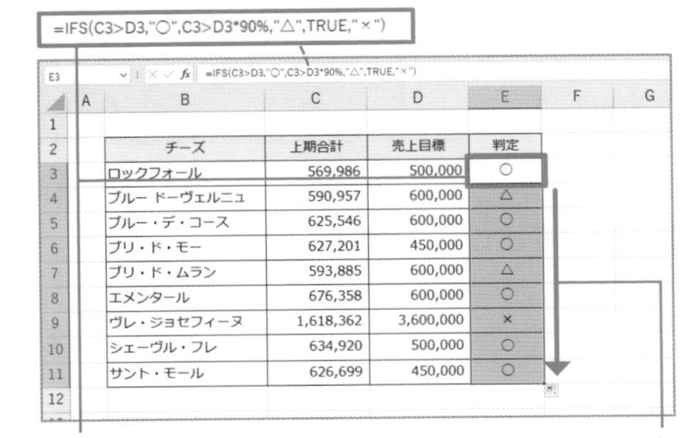

	A	B	C	D	E
1					
2		チーズ	上期合計	売上目標	判定
3		ロックフォール	569,986	500,000	○
4		ブルー ドーヴェルニュ	590,957	600,000	△
5		ブルー・デ・コース	625,546	600,000	○
6		ブリ・ド・モー	627,201	450,000	○
7		ブリ・ド・ムラン	593,885	600,000	△
8		エメンタール	676,358	600,000	○
9		ヴレ・ジョセフィーヌ	1,618,362	3,600,000	×
10		シェーヴル・フレ	634,920	500,000	○
11		サント・モール	626,699	450,000	○
12					

❸セルE3の数式バーを見ると、IFS関数の計算式を確認できる。

❹数式をコピーすることで、すべての判定結果が3通りで表示された。

ポイント
論理式3に「TRUE」と入力することで、「それ以外は」という論理式が成り立ちます。

IFS関数…読み方は「イフス・イフズ・イフエス」とさまざまですが、本書では「イフス」と表示していきます。

教えて
ネコ先生!
関数のコツ④

条件に合う数値を合計する SUMIF（サムイフ）関数

SUMIF関数 ワイルドカード

最近、青かび
タイプのチーズが
よく売れてるんだ

商品のタイプ別
売上高を出して
みようかな
へ～!!
えっと…
青かびだけ
コピー＆ペーストで
SUM 関数…？
あれ…
めんどうだな??

そんなときは、
SUMIF 関数ニャ！
P130
ズッ
SUM
合計
IF
条件分岐
P126
～に当てはまる
○○だけを合計する
これなら、条件に
当てはまるものだけを
合計できるよ

へー!!
なんて便利！

■ 商品別の合計や、店舗別の合計を出したいときに便利

「SUMIF関数」を使うと、条件に当てはまるセルの合計を求めることができます。たとえば、全体のデータから「商品のカテゴリー別の販売数」や「店舗別の売上」「○万円以上の大口注文の合計額」などを求めたいときに役立ちます。

SUMIF関数は、引数（ひきすう）（→P121）として「範囲」「検索条件」「合計範囲」の3つを指定する仕組みです(右ページ参照)。引数の並び順を間違えないように、注意して入力しましょう。

SUMIF関数

※SUMIF関数は、[関数ライブラリ]→[数学/三角]に分類されている。

仕組み =SUMIF(範囲, 検索条件, 合計範囲)

範囲：引数❶　検索条件：引数❷　合計範囲：引数❸

指定した範囲内（引数❶）で、条件（引数❷）を満たすデータを探し、その指定範囲（引数❸）の値を合計します。

（例）　=SUMIF(C3:C11,"青かび",F3:F11)

H3　=SUMIF(C3:C11,"青かび",F3:F11)

	A	B	C	D	E	F	G	H	I
1									
2		チーズ	タイプ	販売金額	販売個数	売上		青かび	
3		ゴルゴンゾーラ	青かび	3,600	25	90,000		207,200	
4		スティルトン	青かび	1,800	34	61,200			
5		パルミジャーノ・レッジャーノ	ハード	3,400	14	47,600			
6		ブリ・ド・ムラン	白かび	2,000	7	14,000			
7		ブリ・ド・モー	白かび	3,800	8	30,400			
8		ボーフォール	ハード	1,600	12	19,200			
9		マンステール	ウォッシュ	2,600	4	10,400			
10		ミモレット	セミハード	2,200	8	17,600			
11		ロックフォール	青かび	2,000	28	56,000			

セルC3 ～ C11（タイプ）の中で「青かび」のデータを探し、その行のセルF3 ～ F11（売上）の値の合計を出力します。

入力方法は、
次ページへ

ちなみに、検索したいものがうろ覚えのときは
下のような「ワイルドカード」を使うニャ

ワイルドカード	意味	使用例
?	任意の1文字の代用	"愛?県" ➜ 愛知県、愛媛県（愛で始まる県名）
*	任意の0文字以上の文字列の代用	"*川県" ➜ 神奈川県、香川県（川で終わる県名）

では、クイズ！　"*島*県"に当てはまる県はいくつあるでしょう？（答えは次ページ欄外）

▶SUMIF（サムイフ）関数の入力方法（青かびタイプのチーズのみ集計する）

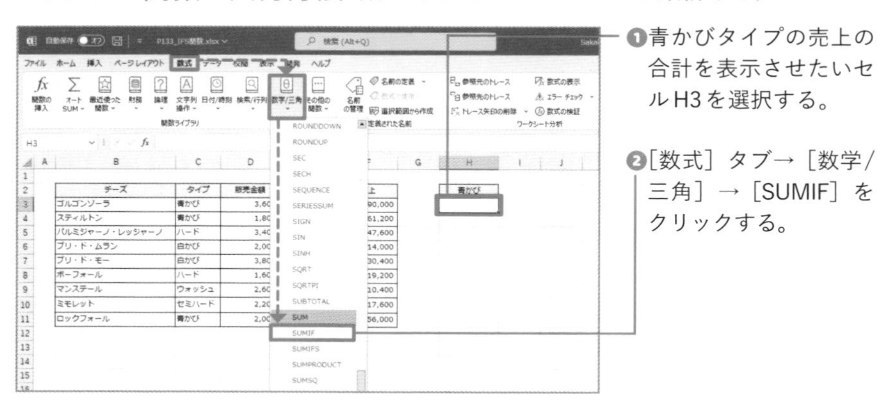

❶青かびタイプの売上の合計を表示させたいセルH3を選択する。

❷［数式］タブ→［数学/三角］→［SUMIF］をクリックする。

❸［関数の引数（ひきすう）］ダイアログボックスが表示される。

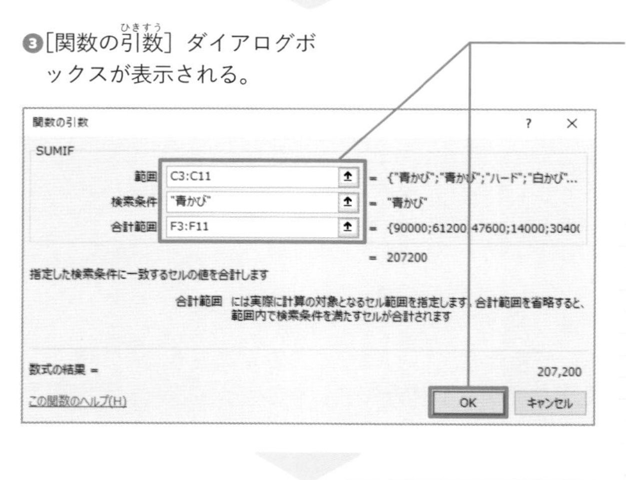

❹［範囲］は「C3:C11」、［検索条件］は「青かび」、［合計範囲］は「F3:F11」として、［OK］をクリックする。

ポイント
引数の入力は、［範囲］欄にカーソルを置いて、シート上のセル範囲をドラッグすると自動入力されます。手入力よりラクで正確です。

=SUMIF(C3:C11,"青かび",F3:F11)

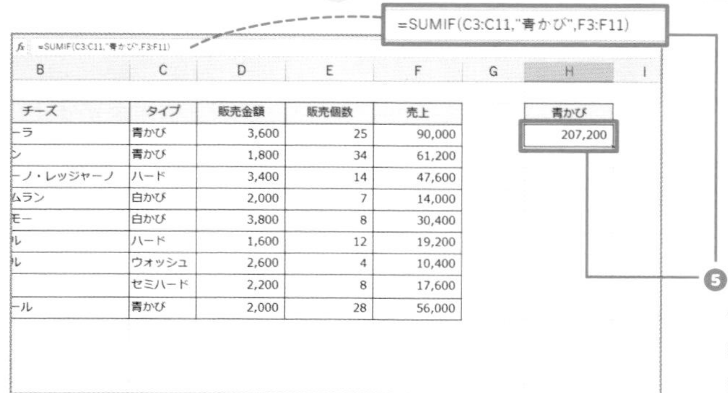

チーズ	タイプ	販売金額	販売個数	売上
ーラ	青かび	3,600	25	90,000
ン	青かび	1,800	34	61,200
ーノ・レッジャーノ	ハード	3,400	14	47,600
ムラン	白かび	2,000	7	14,000
モー	白かび	3,800	8	30,400
ル	ハード	1,600	12	19,200
ル	ウォッシュ	2,600	4	10,400
	セミハード	2,200	8	17,600
ール	青かび	2,000	28	56,000

青かび
207,200

❺青かびタイプの売上の合計が表示された。数式バーを見ると、計算式が確認できる。

【P135クイズの答え】5つ（福島県、島根県、広島県、徳島県、鹿児島県）。「"*島"」は「～島」（島で終わる）、「"島*"」は「島～」（島で始まる）を意味し、「"*島*"」は島を含む値であることを示します。

検索条件を文字列の「青かび」ではなく、下のようなセル参照にすれば、数式のコピー（→ P67）で他のタイプも集計できるニャ！

=SUMIF($C$3:$C$11,H3,$F$3:$F$11)

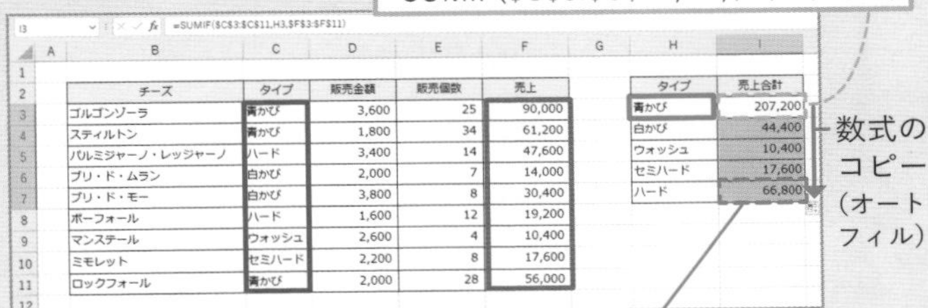

	A	B	C	D	E	F	G	H	I
1									
2		チーズ	タイプ	販売金額	販売個数	売上		タイプ	売上合計
3		ゴルゴンゾーラ	青かび	3,600	25	90,000		青かび	207,200
4		スティルトン	青かび	1,800	34	61,200		白かび	44,400
5		パルミジャーノ・レッジャーノ	ハード	3,400	14	47,600		ウォッシュ	10,400
6		ブリ・ド・ムラン	白かび	2,000	7	14,000		セミハード	17,600
7		ブリ・ド・モー	白かび	3,800	8	30,400		ハード	66,800
8		ボーフォール	ハード	1,600	12	19,200			
9		マンステール	ウォッシュ	2,600	4	10,400			
10		ミモレット	セミハード	2,200	8	17,600			
11		ロックフォール	青かび	2,000	28	56,000			
12									

セル範囲を絶対参照で指定すると、セルI7の式は「=SUMIF($C$3:$C$11,H7,$F$3:$F$11)」となり、セルH7の「ハード」と一致するチーズが集計された。

Check! 絶対参照 ➜P71

絶対参照に置き換えるのを忘れちゃいそう！
数式も「$」だらけでごちゃごちゃするなぁ……

それなら、「列」で範囲選択するといいニャ。列で集計すれば、数式もシンプルになるよ

=SUMIF(C:C,H3,F:F)

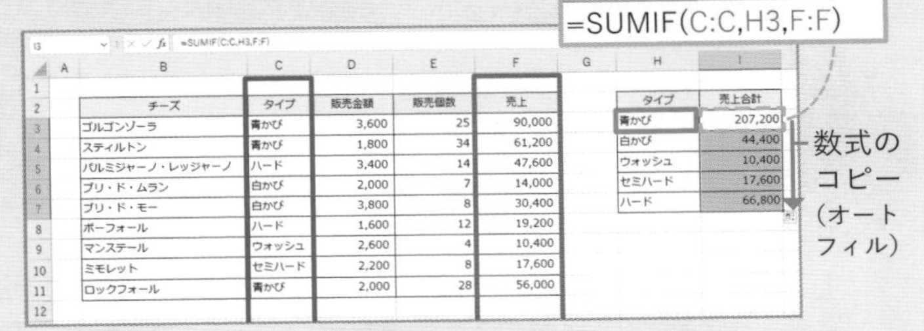

	A	B	C	D	E	F	G	H	I
1									
2		チーズ	タイプ	販売金額	販売個数	売上		タイプ	売上合計
3		ゴルゴンゾーラ	青かび	3,600	25	90,000		青かび	207,200
4		スティルトン	青かび	1,800	34	61,200		白かび	44,400
5		パルミジャーノ・レッジャーノ	ハード	3,400	14	47,600		ウォッシュ	10,400
6		ブリ・ド・ムラン	白かび	2,000	7	14,000		セミハード	17,600
7		ブリ・ド・モー	白かび	3,800	8	30,400		ハード	66,800
8		ボーフォール	ハード	1,600	12	19,200			
9		マンステール	ウォッシュ	2,600	4	10,400			
10		ミモレット	セミハード	2,200	8	17,600			
11		ロックフォール	青かび	2,000	28	56,000			
12									

範囲選択でシート上の列番号CやFをクリックすると、列全体が選択され、引数に「C:C」や「F:F」と入力される。列で集計する際は、セル結合（→P103）や、表の下に別の表を作るのは厳禁！

数式もグッとシンプルになったね。
これなら迷わずにできそう！

条件に合うセルの数を数える COUNTIF関数

次はCOUNTIF関数かぁ……。COUNT関数(→ P128)やIF関数(→ P130)と関係があるの？

その通り！　指定した範囲で、条件に合うデータの件数を数える関数ニャ。SUMIF関数(→ P134)と似ているよ

商品の種類を数えたり、指定した値以上のデータ件数を数えたりするときに使えるよ

COUNTIF関数

※COUNTIF関数は、［関数ライブラリ］→［その他の関数］→［統計］に分類されています。

仕組み　=COUNTIF（範囲, 検索条件）

範囲：引数❶　検索条件：引数❷

指定した範囲（引数❶）で、条件（引数❷）に一致しているデータの件数を出力します。

（例）　=COUNTIF(G3:G10,"要確認")

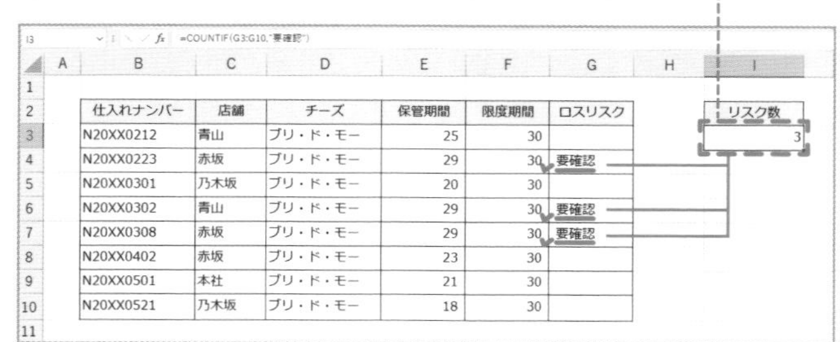
I3　=COUNTIF(G3:G10,"要確認")

	A	B	C	D	E	F	G	H	I
1									
2		仕入れナンバー	店舗	チーズ	保管期間	限度期間	ロスリスク		リスク数
3		N20XX0212	青山	ブリ・ド・モー	25	30			3
4		N20XX0223	赤坂	ブリ・ド・モー	29	30	要確認		
5		N20XX0301	乃木坂	ブリ・ド・モー	20	30			
6		N20XX0302	青山	ブリ・ド・モー	29	30	要確認		
7		N20XX0308	赤坂	ブリ・ド・モー	29	30	要確認		
8		N20XX0402	赤坂	ブリ・ド・モー	23	30			
9		N20XX0501	本社	ブリ・ド・モー	21	30			
10		N20XX0521	乃木坂	ブリ・ド・モー	18	30			
11									

セルG3～G10（ロスリスク）の範囲で「要確認」と入力されたデータの件数を出力します。

入力方法は、右ページへ

▶COUNTIF関数の入力方法（「要確認」と入力された件数を数える）

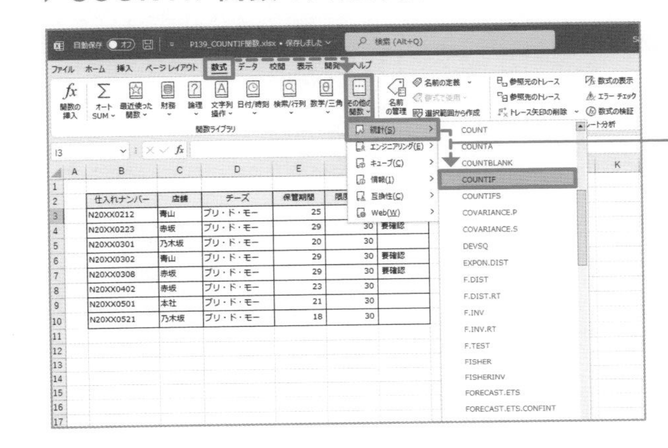

❶結果を表示させたいセルI3を選択したら、［数式］タブ→［その他の関数］→［統計］→［COUNTIF］をクリック。

❷［関数の引数］ダイアログボックスが表示される。

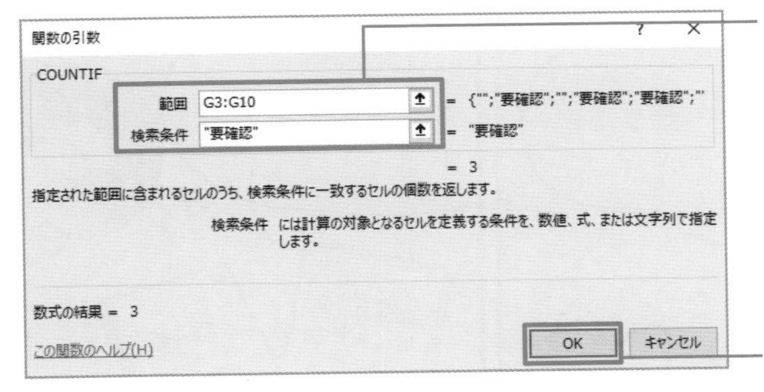

❸［範囲］は「G3:G10」とし、［検索条件］に「要確認」と入力する。カーソルが［検索条件］欄から離れると、"要確認 "と自動的にダブルクォーテーションが付く。

❹［OK］をクリックする。

E	F	G	H	I
保管期間	限度期間	ロスリスク		リスク数
25	30			3
29	30	要確認		
20	30			
29	30	要確認		
29	30	要確認		
23	30			

❺結果が表示された。

表から必要なデータを取り出す VLOOKUP（ブイルックアップ）関数

VLOOKUP関数 / TRUEとFALSE / マスターデータ

いよいよ山場！
VLOOKUP 関数ニャ !!
Excelできます！
って言うなら
外せないぞ
どんな関数
なの？

たとえば、
スーパーのレジ
猫缶 198円
ピッ
バーコードに、
「商品名」や「価格」が
ひもづいているよね

表の中から、
キーワード（検索値）と一致する
情報を探して、対応データを
取り出す仕組みニャ
N003
= 猫缶(C)
索引 N001 → 猫缶(A)
N002 → 猫缶(B)
N003 → 猫缶(C)

ビジネスシーンで
出番がたくさん
あるぞ！
ほほ〜
お得意様
リスト
ワイン一覧

■ ぜひともマスターしたい関数

「VLOOKUP関数」を使うと、表に商品IDを入力するだけで、対応する商品名や価格などが瞬時に表示される仕組みを作成できます。これは、IDや商品名、価格などの情報をまとめたマスターデータ※から、必要なデータだけを抽出する仕組みともいえます。ビジネスの現場でとても役に立つ関数です。

VLOOKUP関数を使ってデータを抽出できれば、Excelスキルは脱初心者レベル。面接などでも自信をもってExcelスキルを伝えることができるでしょう。

マスターデータ（マスタデータ）…さまざまな業務の基礎情報となるデータ。何も編集していないデータをRaw（ロー）（生）データとも呼びます。

VLOOKUP関数

※VLOOKUP関数は、［関数ライブラリ］→［検索/行列］に分類されています。

仕組み =VLOOKUP(検索値, 範囲, 列番号, 検索方法)

検索値：引数❶　範囲：引数❷　列番号：引数❸　検索方法：引数❹

指定した範囲（引数❷）の1列目（左端の列）を上から調べます。検索値（引数❶）のデータを検索方法（引数❹）に基づいて探し（ない場合はエラー #N/A）、該当データの左から○列目（引数❸）のデータを出力します。

（例）　=VLOOKUP(B3,Raw!A:F,6,FALSE)

● VLOOKUP関数を使うシート

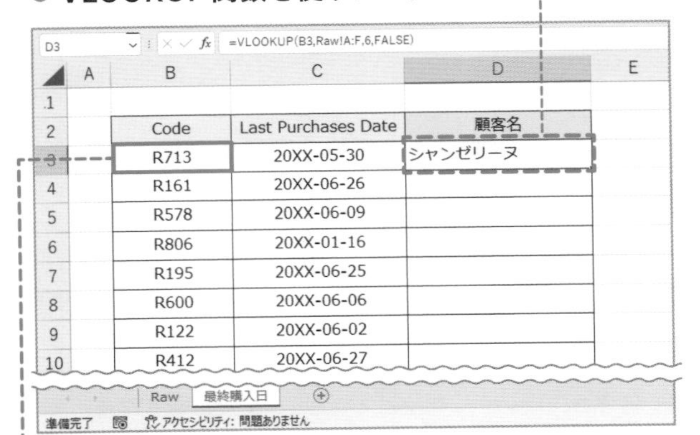

D3　=VLOOKUP(B3,Raw!A:F,6,FALSE)

	A	B	C	D	E
1					
2		Code	Last Purchases Date	顧客名	
3		R713	20XX-05-30	シャンゼリーヌ	
4		R161	20XX-06-26		
5		R578	20XX-06-09		
6		R806	20XX-01-16		
7		R195	20XX-06-25		
8		R600	20XX-06-06		
9		R122	20XX-06-02		
10		R412	20XX-06-27		

Raw　最終購入日

準備完了　アクセシビリティ: 問題ありません

「Raw」シートのA列（登録コード）を上から調べて、セルB3のデータ（R713）と一致するデータを探します。R713を見つけたら、その行の左から6列目のデータ（シャンゼリーヌ）を出力します。

V（Vertical）垂直方向にLOOKUP 調べる

● 情報が入力された「Raw」シート（マスターデータ）

I29

	A	B	C	D	E	F	G
1	登録コード	種別	登録年	登録月	購入回数	社名	
2	P961	レストラン	20XL	5	16	フィガーロ	
3	R755	レストラン	20XL	7	21	ル・マツモト	
4	S180	スーパー	20XL	9	47	スクエアスーパー本郷三丁目店	
5	C707	企業	20XX	7	7	ピザラッシュ表参道店	
6	S685	スーパー	20XL	11	7	スクエアスーパーお茶の水店	
7	R565 ①	レストラン ②	③ 20XL	④ 2	⑤ 35	リヴァーロ ⑥	
8	R713	レストラン	20XO	9	1	シャンゼリーヌ	
9	S724	レストラン	20XL	10	36	フランシュソルテ	
10	P918	個人	20XL	11	1		
11	S757	スーパー	20XX	7	29	マンマルスーパー表参道店	
12	C905	企業	20XL	6	48	ベリーベリー	
13	P399	個人	20XL	10	26		
14	S724	レストラン	20XO	2	26	ヴィノピノ	

Raw　最終購入日

準備完了　アクセシビリティ: 問題ありません

同じ登録コードでひもづいている

入力方法は、次ページへ

▶VLOOKUP関数の入力方法（登録コードにひもづく顧客名を出力する）

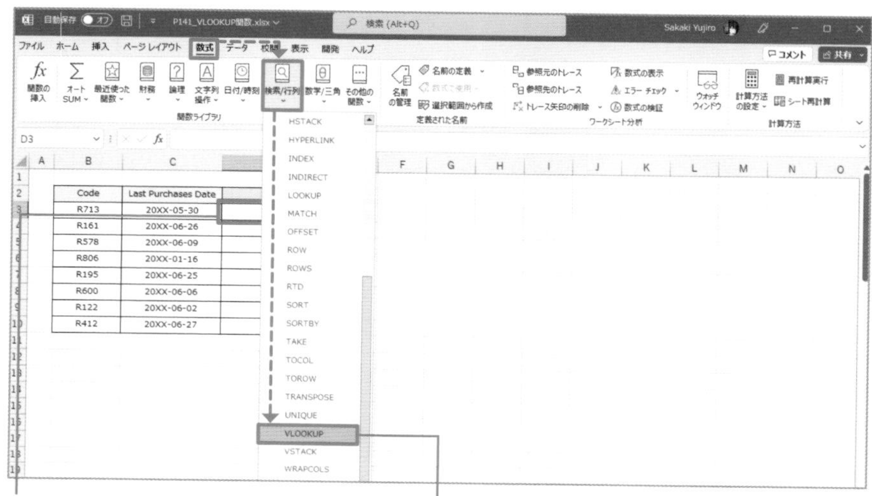

❶結果を表示させたいセルD3を選択する。

❷［数式］タブ→［検索/行列］→［VLOOKUP］をクリックする。

❸［関数の引数］ダイアログボックスが表示される。

❹［検索値］を「B3」にすると、セルB3に入力されている登録コードR713が検索キーワードとなる。

❺［範囲］を「Raw!A:F」にすると、「Raw」シートのA列～F列が検索範囲となる。

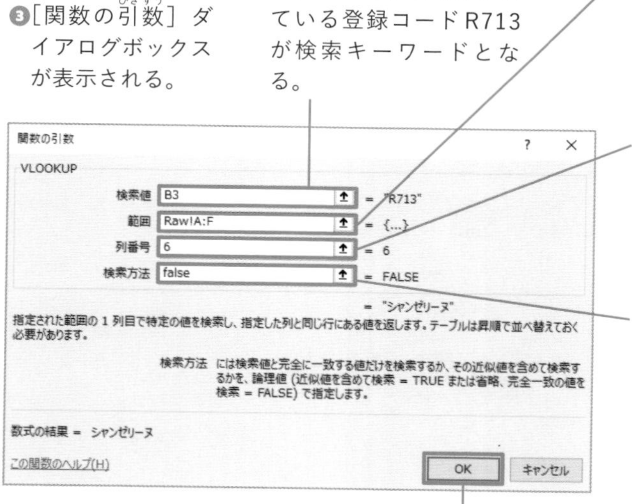

❻［列番号］を「6」にすると、検索値が見つかった行の左から6列目のデータが出力される。

❼完全に一致したデータを検索するときには、［検索方法］※に「false」と入力する。入力は小文字でOK。確定されると大文字に自動変換される。

❽［OK］をクリックする。

P144へ続く

［検索方法］…「FALSE」の代わりに「0」を入力しても、完全一致する値だけを検索できます。一方、近似値も含めて検索するときは「TRUE」または「1」を入力しますが、めったに使いません。

ポイント

［範囲］の参照は、別シートが便利

コードやID、商品名、購入個数、価格などの情報をまとめたデータベース（マスターデータ）は、別のシートに準備しておくと、範囲の指定がラクにできます。

別シートの参照は「シート名！セル参照」（例　Raw!A:F）の形式で指定するニャ

セル範囲をドラッグすればシート名とセル参照が［範囲］欄に自動入力されるんだね！

ポイント

検索値は［範囲］の左端に

VLOOKUP 関数は、範囲内の１列目（左端の列）で［検索値］を探します。１列目に検索値がない場合、エラー表示「#N/A」になります。

	A	B	C	D	E	F
1	登録コード	種別	登録年	登録月	購入回数	社名
8	R713	レストラン	20XO	9	11	シャンゼリーヌ
9	S724	レストラン	20XL	10	36	フランシュソルテ
10	P918	個人	20XL	11	1	
11	S757	スーパー	20XX	7	29	マンマルスーパー表参道店
12	C905	企業	20XL	6	48	ベリーベリー
13	P399	個人	20XL	10	26	
14	S724	レストラン	20XO	2	26	ヴィノピノ
15	R753	レストラン	20XL	9	22	ドヴェール

Check!
条件付き書式
➜ P186

ポイント

重複データに注意！

セル A9 と A14 のように、同じ検索値が複数あっても、上から順に調べて先にマッチしたデータ（セル A9）しか検索されません。条件付き書式機能などで、重複データがないかあらかじめ確認しておきましょう。

TRUEとFALSEって何？

引数に入力する「FALSE」（または「0」）は、完全に一致する値だけを検索します。一方の「TRUE」（または「1」）は、近似値も含めて検索。これらは調べ方を切り替えるスイッチだとイメージしましょう。

TRUE
近似一致※

FALSE
完全一致

近似一致…ピッタリ同じ値がなくても、一番近い値（検索値未満の近似値）を検索します。より詳しい説明は、サンプルファイル（→P6）を参照ください。

P142から続く

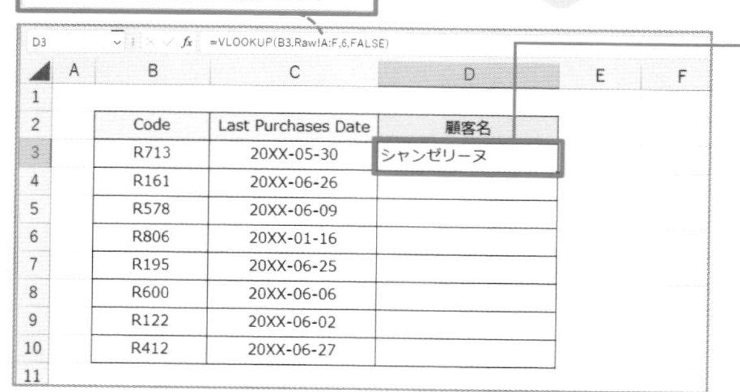

D3 =VLOOKUP(B3,Raw!A:F,6,FALSE)

	A	B	C	D	E	F
1						
2		Code	Last Purchases Date	顧客名		
3		R713	20XX-05-30	シャンゼリーヌ		
4		R161	20XX-06-26			
5		R578	20XX-06-09			
6		R806	20XX-01-16			
7		R195	20XX-06-25			
8		R600	20XX-06-06			
9		R122	20XX-06-02			
10		R412	20XX-06-27			
11						

❾セルD3に結果（登録コードR713に対応する顧客名のデータ）が出力された。

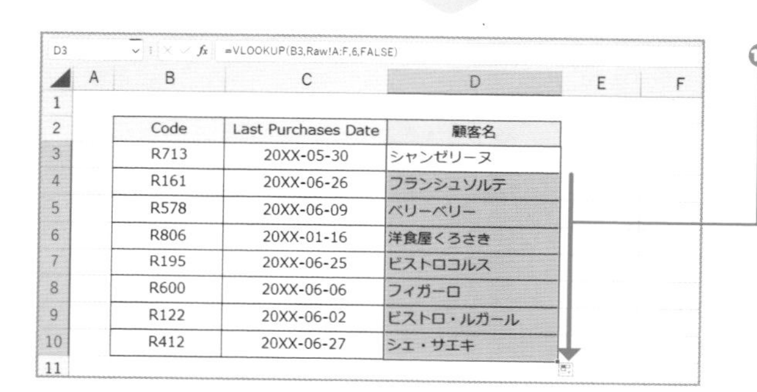

D3 =VLOOKUP(B3,Raw!A:F,6,FALSE)

	A	B	C	D	E	F
1						
2		Code	Last Purchases Date	顧客名		
3		R713	20XX-05-30	シャンゼリーヌ		
4		R161	20XX-06-26	フランシュソルテ		
5		R578	20XX-06-09	ベリーベリー		
6		R806	20XX-01-16	洋食屋くろさき		
7		R195	20XX-06-25	ビストロコルス		
8		R600	20XX-06-06	フィガーロ		
9		R122	20XX-06-02	ビストロ・ルガール		
10		R412	20XX-06-27	シェ・サエキ		
11						

❿セルD3の右下角にある■（フィルハンドル）をセルD10までドラッグして数式をコピー。各登録コードに対応する顧客名データが表示された。

Check!
数式のコピー
➜P67

もし、列番号を「5」にするとどうなるかな？

=**VLOOKUP**(B3,Raw!A:F,6,FALSE)

↓

=**VLOOKUP**(B3,Raw!A:F,5,FALSE)

えっと、「Raw」シートのA列から5列目だから……、購入回数の「11」が表示されるのね！　な、なるほど〜

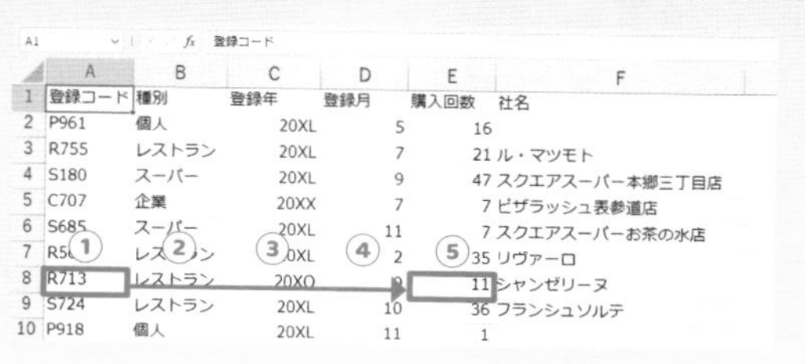

A1 登録コード

	A	B	C	D	E	F
1	登録コード	種別	登録年	登録月	購入回数	社名
2	P961	個人	20XL	5	16	
3	R755	レストラン	20XL	7	21	ル・マツモト
4	S180	スーパー	20XL	9	47	スクエアスーパー本郷三丁目店
5	C707	企業	20XX	7	7	ピザラッシュ表参道店
6	S685	スーパー	20XL	11	7	スクエアスーパーお茶の水店
7	R5	レス ン	XL	2	35	リヴァーロ
8	R713	レストラン	20XO		11	シャンゼリーヌ
9	S724	レストラン	20XL	10	36	フランシュソルテ
10	P918	個人	20XL	11	1	

VLOOKUP（ブイルックアップ）関数を簡素化！XLOOKUP（エックスルックアップ）関数

XLOOKUP関数

XLOOKUP関数は、VLOOKUP関数を簡素化したもの。Microsoft 365（→P30）や2021年版以降のExcelで使うことができるニャ

XLOOKUP関数

※XLOOKUP関数は、［関数ライブラリ］→［検索/行列］に分類されています。

仕組み =XLOOKUP（検索値, 検索範囲, 戻り範囲, 見つからない場合, 一致モード, 検索モード）

引数❶ 引数❷ 引数❸ 引数❹ 引数❺ 引数❻

引数（ひきすう）❻までありますが、実際に使用するのは引数❸までの３つでOK。その場合、検索値（引数❶）と完全に一致するデータを指定した範囲（引数❷）から探し、そのデータの同一行にある戻り範囲※（引数❸）のデータを出力します。

戻り範囲…結果を返す範囲（データを取り出す範囲）のことを戻り範囲といいます。

P141 の VLOOKUP 関数と同じことをするなら、こうなるニャ

（例）=VLOOKUP(B3,Raw!A:F,6,FALSE)

↓

=XLOOKUP(B3,Raw!A:A,Raw!F:F)

引数❶ B3　引数❷ Raw!A:A　引数❸ Raw!F:F

XLOOKUP 関数では、「Raw」シートの A 列から、セル B3 のデータと完全一致するデータを探し、マッチした行の F 列のデータを出力する、となる。VLOOKUP 関数よりシンプルになったニャ！

▶XLOOKUP（エックスルックアップ）関数の入力方法

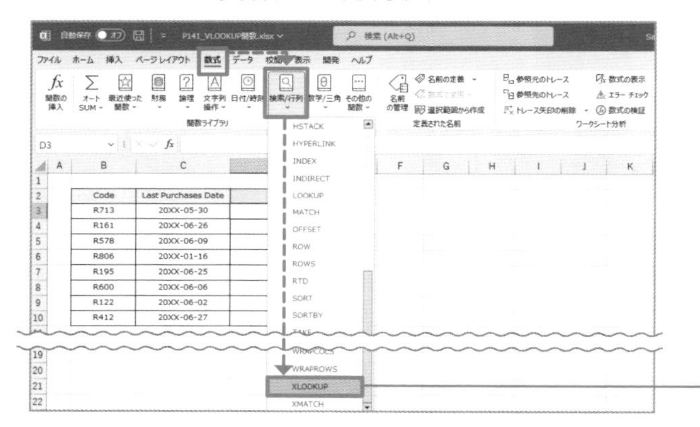

❶結果を表示させたいセルD3を選択し、[数式] タブ→［検索/行列］→[XLOOKUP]をクリックする。

❷[関数の引数] ダイアログボックスが表示される。

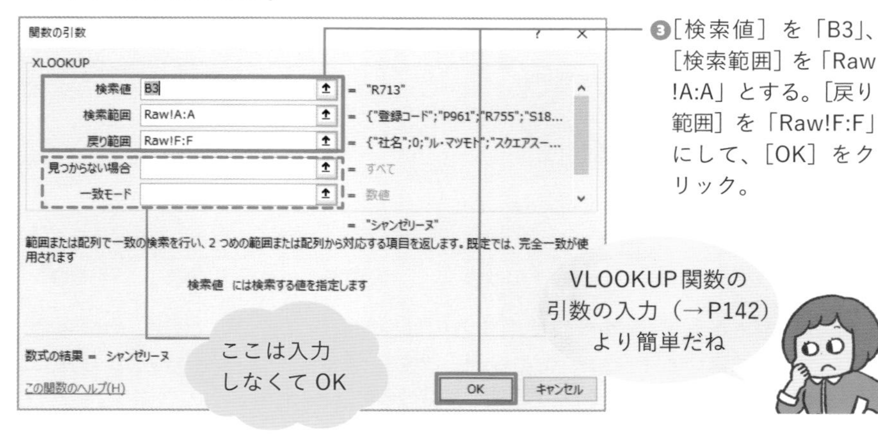

❸[検索値] を「B3」、[検索範囲] を「Raw!A:A」とする。[戻り範囲] を「Raw!F:F」にして、[OK] をクリック。

=XLOOKUP(B3,Raw!A:A,Raw!F:F)

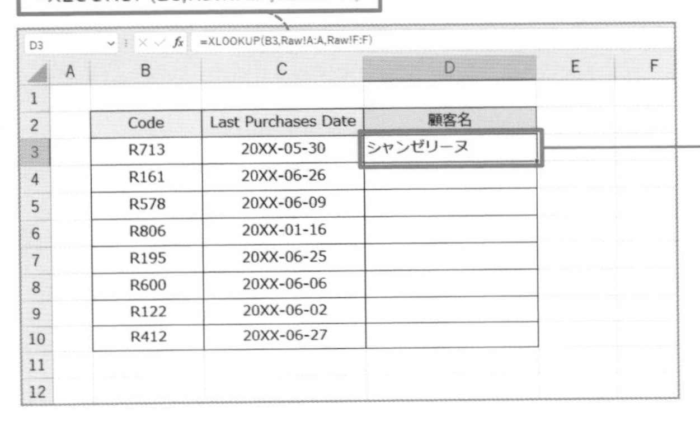

D3 =XLOOKUP(B3,Raw!A:A,Raw!F:F)

	A	B	C	D	E	F
1						
2		Code	Last Purchases Date	顧客名		
3		R713	20XX-05-30	シャンゼリーヌ		
4		R161	20XX-06-26			
5		R578	20XX-06-09			
6		R806	20XX-01-16			
7		R195	20XX-06-25			
8		R600	20XX-06-06			
9		R122	20XX-06-02			
10		R412	20XX-06-27			
11						
12						

❹セルD3に顧客名が出力された。

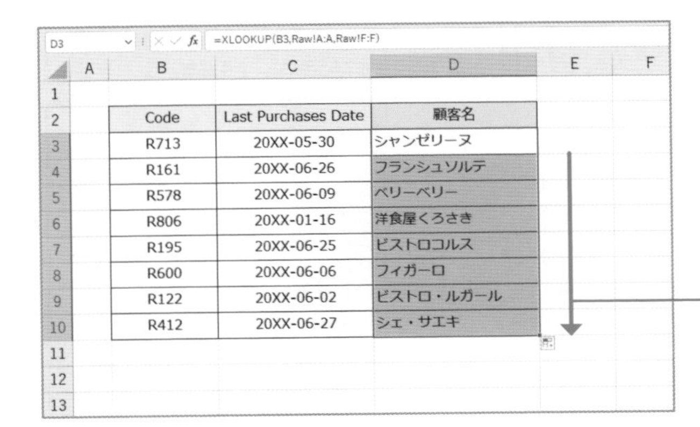

D3 =XLOOKUP(B3,Raw!A:A,Raw!F:F)

	A	B	C	D	E	F
1						
2		Code	Last Purchases Date	顧客名		
3		R713	20XX-05-30	シャンゼリーヌ		
4		R161	20XX-06-26	フランシュソルテ		
5		R578	20XX-06-09	ベリーベリー		
6		R806	20XX-01-16	洋食屋くろさき		
7		R195	20XX-06-25	ビストロコルス		
8		R600	20XX-06-06	フィガーロ		
9		R122	20XX-06-02	ビストロ・ルガール		
10		R412	20XX-06-27	シェ・サエキ		
11						
12						
13						

❺セルD3の右下角にある■（フィルハンドル）をセルD10までドラッグし数式をコピー。各登録コードに対応する顧客名データが出力された。

Check!
数式のコピー
➜ P67

XLOOKUP 関数では、VLOOKUP 関数みたいに［列番号］をいちいち数えて指定する必要がないのね。ラク～！

XLOOKUP 関数は、まだまだ使い方が多様だけど、まずはここまでの使い方を確実にマスターすれば十分ニャ

数式エラーを放っておかない IFERROR（イフエラー）関数

🔑 エラー表示　IFERROR関数

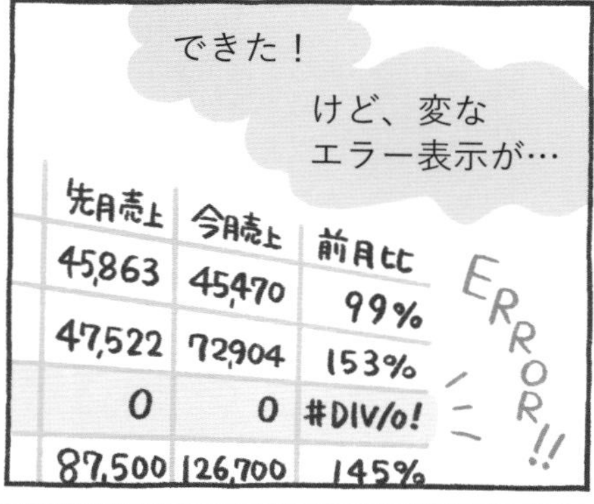

■ エラー表示を見映えよく置き換える

数式や関数によっては、データの未入力や、「0」の数値があるせいでエラー値が表示される場合があります。作成者やエラー表示の意味を読みとれる人にとってはエラー値も大切な情報です。しかし、エラー表示のままの資料を上司やお客様に提出することはできません。「IFERROR関数」を使うと、こうしたエラー値を「保留」「入力待ち」「要確認」などのわかりやすい文言に置き換えたり、0に置き換えて目立たなくさせたりすることができます。

IFERROR関数

仕組み　=IFERROR(値, エラーの場合の値)
引数❶　引数❷

値（引数❶）がエラーになる場合、引数❷のデータを代入（置き換え）します。エラーでない場合は、そのまま値を出力します。

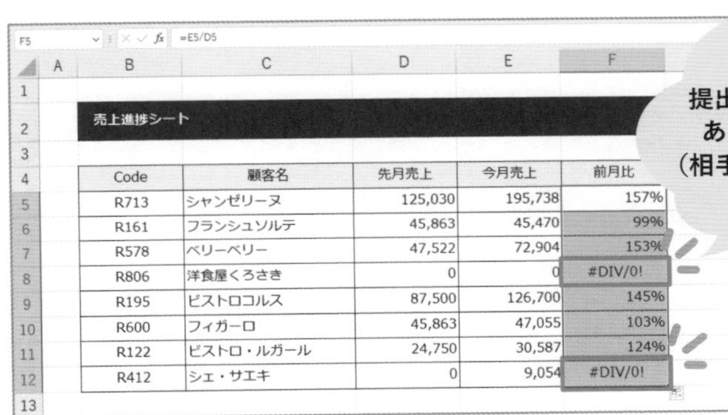
F5　=E5/D5

売上進捗シート

Code	顧客名	先月売上	今月売上	前月比
R713	シャンゼリーヌ	125,030	195,738	157%
R161	フランシュソルテ	45,863	45,470	99%
R578	ベリーベリー	47,522	72,904	153%
R806	洋食屋くろさき	0	0	#DIV/0!
R195	ビストロコルス	87,500	126,700	145%
R600	フィガーロ	45,863	47,055	103%
R122	ビストロ・ルガール	24,750	30,587	124%
R412	シェ・サエキ	0	9,054	#DIV/0!

提出書類にエラー表示があると格好がつかない（相手に正しく伝わらない）

前月比のセルF5～12にはパーセントスタイル（→P107）を設定。

（例）　=IFERROR(E5/D5,0)

F5　=IFERROR(E5/D5,0)

売上進捗シート

Code	顧客名	先月売上	今月売上	前月比
R713	シャンゼリーヌ	125,030	195,738	157%
R161	フランシュソルテ	45,863	45,470	99%
R578	ベリーベリー	47,522	72,904	153%
R806	洋食屋くろさき	0	0	0%
R195	ビストロコルス	87,500	126,700	145%
R600	フィガーロ	45,863	47,055	103%
R122	ビストロ・ルガール	24,750	30,587	124%
R412	シェ・サエキ	0	9,054	0%

セルE5÷セルD5の値がエラーでなければ値を表示し、エラーならば「0」を代入します。セルF12まで数式をコピーすると、エラー表示が置き換わりました。

引数❷に""と入力すれば、空白セルを表現できるニャ

計算エラーの箇所が0%になって気にならなくなった

※空白セルに置き換えると、数式が入っているのに何も入力されていないと誤解されてトラブルが起こることも。「未入力」などの文言を代入するか、「0」で目立たなくするとよいでしょう。

▶IFERROR（イフエラー）関数の入力方法

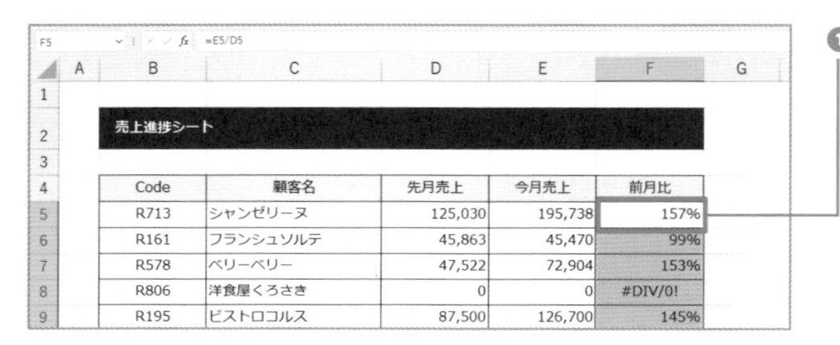

Code	顧客名	先月売上	今月売上	前月比
R713	シャンゼリーヌ	125,030	195,738	157%
R161	フランシュソルテ	45,863	45,470	99%
R578	ベリーベリー	47,522	72,904	153%
R806	洋食屋くろさき	0	0	#DIV/0!
R195	ビストロコルス	87,500	126,700	145%

❶エラー表示の出たF列の先頭行のセルF5を選択する。数式［=E5/D5］が入力されている。

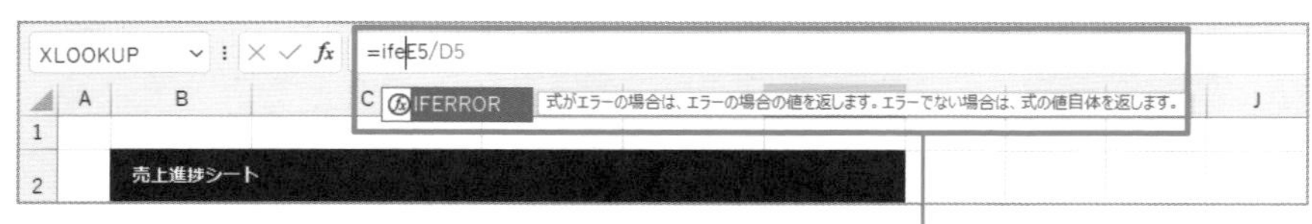

❷数式バーの「=」の後ろにカーソルを置き、「ife」の3文字を手入力する。数式オートコンプリート機能によって、IFERROR関数が表示される。

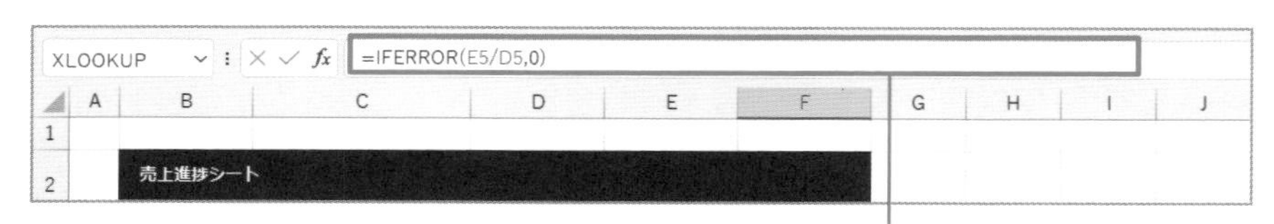

❸ Tab キーを押すと、「=IFERROR(」まで自動入力される。数式の最後に、「,0)」（カンマ ゼロ カッコ閉じる）を入力して、Enter キーで確定する。

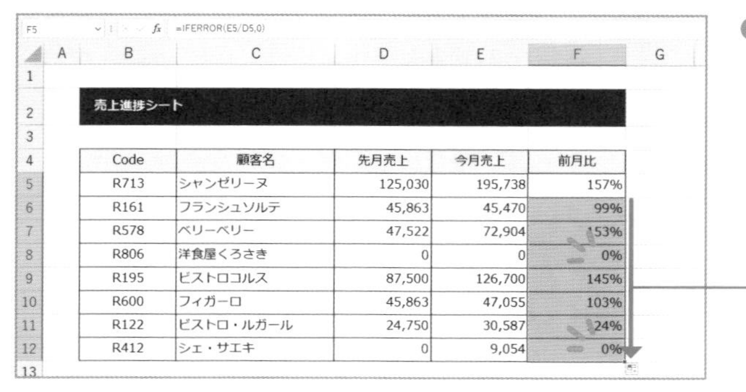

Code	顧客名	先月売上	今月売上	前月比
R713	シャンゼリーヌ	125,030	195,738	157%
R161	フランシュソルテ	45,863	45,470	99%
R578	ベリーベリー	47,522	72,904	153%
R806	洋食屋くろさき	0	0	0%
R195	ビストロコルス	87,500	126,700	145%
R600	フィガーロ	45,863	47,055	103%
R122	ビストロ・ルガール	24,750	30,587	124%
R412	シェ・サエキ	0	9,054	0%

❹セルF5の右下角の■（フィルハンドル）をセルF12までドラッグして数式をコピーすると、エラー表示が［0%］に置き換わる。

エラー表示とその原因

主なエラー値を
紹介するニャ

エラー表示は
Excel からの
メッセージなのね

数式を間違えている場合や、関数の参照元のセルに必要なデータがない場合には、下のようなエラー値が表示されます。Excel は、エラー値を通して、異常の発生やエラー内容を伝えてくれているのです。

エラー値	原因	➜	対応策
バリュー #VALUE!	数式の参照元に数値データがない、文字列が入力されている	➜	セルに文字列が含まれていないか確認する
ディバイド・バイ・ゼロ #DIV/0!	0でわり算をしたり、空白セルを参照してわり算をしたりしている	➜	何かを0で割っていないか確認、修正する
リファレンス #REF!	数式の参照元のセルを削除するなどして、セルを参照できない	➜	参照元を復元するため、作業前に戻してみる
ネーム #NAME?	関数名を間違えている（スペルミスなど）	➜	数式バーでスペルを確認する
ノーアサイン #N/A	参照元のセル範囲に検索値が存在しないなどして、使えない	➜	検索値やセル範囲を間違えていないか確認する
ヌル #NULL!	関数の引数（ひきすう）の指定に間違いがある	➜	セル範囲を指定する「,」や「:」に間違いがないか確認する
ナンバー #NUM!	計算結果が大き（小さ）すぎたり、答えが見つからなかったりする	➜	数式や、関数の引数を間違えていないか確認する
######	列の幅に対して数値データの桁数が多すぎて収まらない	➜	列の幅を広げる

Check! ➜ P143

Check! 列幅の調整 ➜ P96

在庫の確認表を作ろう

わが社は
倒産
します…
うたたねしている
場合じゃない！
ガバッ
覚えた関数で
チーズの在庫を
調べよう
ネコ先生
こっち来て
あーーん
どんなものを
作りたいの？
まだ
ゴハン中
なのに〜
こんな表を
作れたら便利そう！
商品別出入履歴確認表
ID
在庫
45
ID
確認日
入荷
出荷
在庫
増減
1
商品名を
入力すると
2
確認日ごとの
入荷数や出荷数が
一覧になって
3
在庫数や
増減がわかる
たしかに
いいアイデアにゃ

まず、タイトルや表の項目見出しを入力して大枠を作ろう。それから❶に商品ID（ここではジョセフィーヌの「ha004」）を入れると❷に同じIDが表示されるようにして、❸には「年始在庫マスタ」シートから数値を取得したいニャ。

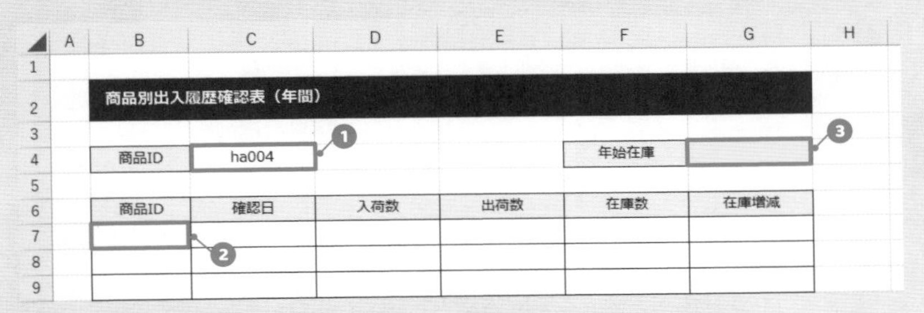

❷❸には、どんな関数を入れたらいいと思う？

うーん。「もしセルC4が空欄なら空欄を、IDを入力したら同じIDを表示させたい」……ってことは、❷は「IF（イフ）関数」だね！数式を下にコピーしても参照元がずれないように、絶対参照（ぜったいさんしょう）（→P71）にしておこう

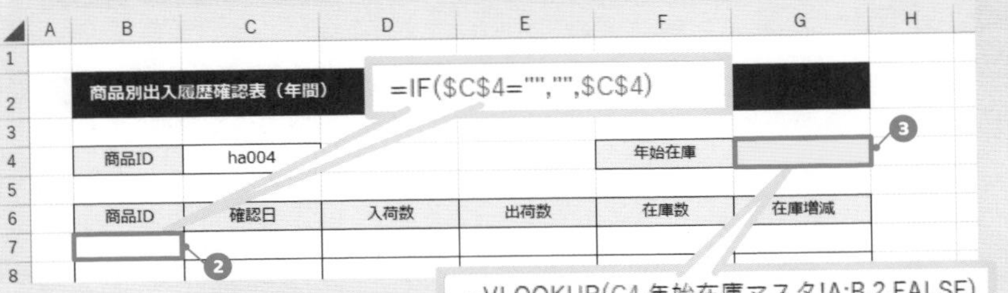

●「年始在庫マスタ」シート

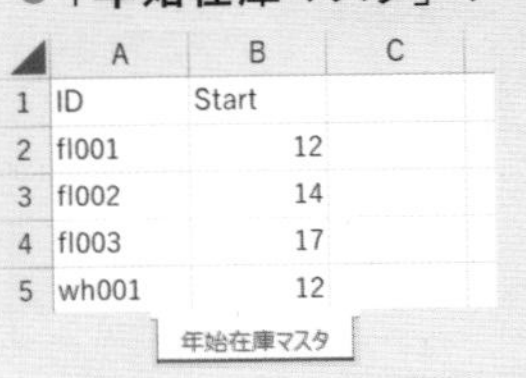

	A	B	C
1	ID	Start	
2	fl001	12	
3	fl002	14	
4	fl003	17	
5	wh001	12	

年始在庫マスタ

❸はVLOOKUP（ブイルックアップ）関数だから、こう（↑）かな？

Check!
VLOOKUP関数
➜P140

大正解!! 脱・電卓して、すごい成長ニャ！

＊説明の都合上、ダミーデータを使用したパソコン画面を掲載しています。実際のデータは、サンプルファイル（→P6）をご確認ください。

❷はそのままオートフィル！　確認日（❹）は、うちの会社は14日ごとだから……。まず1/4、その下に1/18を入力してオートフィルすれば、14日単位で年末まで一気に入力完成！

	A	B	C	D	E	F	G
5							
6		❷ 商品ID	確認日 ❹	入荷数	出荷数	在庫数	在庫増減
7		ha004	20XX/1/4				
8			20XX/1/18				
9							
10							
11							
12							

オートフィル

Check!
オートフィル
→P67

では、入荷数（❺）と出荷数（❻）にはどんな関数が入る？
情報の一覧であるマスターデータは、コピーして、「RAW」シートに貼り付けてあるニャ。

●「チーズの出入履歴確認表」シート

	A	B	C	D	E	F	G
5							
6		商品ID	確認日	入荷数	出荷数	在庫数	在庫増減
7		ha004	20XX/1/4	❺	❻		
8		ha004	20XX/1/18				
9		ha004	20XX/2/1				
10		ha004	20XX/2/15				
11		ha004	20XX/3/1				
12		ha004	20XX/3/15				
13		ha004	20XX/3/29				
14		ha004	20XX/4/12				

●「RAW」シート

	A	B	C	D	E
1	ID	Date	Time	In	Out
2	ha003	20XX/1/4	AM	15	17
3	ha003	20XX/1/4	PM	2	11
4	ha004	20XX/1/4	AM	31	8
5	ha004	20XX/1/4	PM	14	17
6	wh003	20XX/1/4	AM	37	29
7	wh003	20XX/1/4	PM	5	8

❺は「同じIDの入荷数を合計したい」から「SUMIF（サムイフ）関数」が使えそう！　あれ、でも「同じ確認日」という条件も入れなくちゃ……。う～ん、SUMIF関数じゃできないよぅ！

	A	B	C	D	E	F	G
5							
6		商品ID	確認日	入荷数	出荷数	在庫数	在庫増減
7		ha004	20XX/1/4	❺	❻		

条件は、「商品ID」と「確認日」のどちらも一致していること。

複数の条件に合うものを合計したいときには、
「SUMIFS（サムイフス）関数」を使うといいニャ

SUMIFS関数

※SUMIFS関数は、[関数ライブラリ]→[数学/三角]に分類されています。

仕組み　=SUMIFS(合計対象範囲, 条件範囲1, 条件1, 条件範囲2, 条件2, …)

合計対象範囲：引数❶　条件範囲1：引数❷　条件1：引数❸　条件範囲2：引数❹　条件2：引数❺

指定した範囲内（引数（ひきすう）❷）で条件（引数❸）と一致し、かつ、範囲内（引数❹）で条件（引数❺）と一致するデータを探し、その行の指定範囲（引数❶）の値を合計します。

へー、SUMIF関数より便利で分かりやすそう！　……ということは、こんな感じかな

引数❶
合計したい範囲は、「RAW」シートD列（入荷数）

引数❷❸
1つ目の条件は、「RAW」シートA列（商品ID）がセルB7（ha004）と一致

引数❹❺
2つ目の条件は、「RAW」シートB列（確認日）がセルC7（20XX/1/4）と一致

● **「チーズの出入履歴確認表」シート**

	A	B	C	D	E	F	G	H
5								
6		商品ID	確認日	入荷数	出荷数	在庫数	在庫増減	
7		ha004	20XX/1/4					
8		ha004	20XX/1/18					

D7：=SUMIFS(RAW!D:D,RAW!A:A,B7,RAW!B:B,C7)

E7：=SUMIFS(RAW!E:E,RAW!A:A,B7,RAW!B:B,C7)

● **「RAW」シート**

	A	B	C	D	E	F
1	ID	Date	Time	In	Out	
2	ha003	20XX/1/4	AM	15	17	
3	ha003	20XX/1/4	PM	2	11	
4	ha004	20XX/1/4	AM	31	8	
5	ha004	20XX/1/4	PM	14	17	
6	wh003	20XX/1/4	AM	37	29	
7	wh003	20XX/1/4	PM	5	8	

できたニャ!!
あとはオート
フィルすればOK

よーし、あと少し！　在庫数（❼❽）と在庫増減（❾）には、セル参照で数式を入れるんだよね。
こうかな？

Check! 数式 ➜ P64

	A	B	C	D	E	F	G
3							
4		商品ID	ha004			年始在庫	45
5							
6		商品ID	確認日	入荷数	出荷数	在庫数	在庫増減
7		ha004	20XX/1/4	45	25		
8		ha004	20XX/1/18	35	24		
9		ha004	20XX/2/1	24	23		
10		ha004	20XX/2/15	30	25		
11		ha004	20XX/3/1	20	22		
12		ha004	20XX/3/15	26	25		

❼の在庫数は、年始在庫に入荷数を加えて、出荷数を引くから……

セル F7　=G4+D7-E7

（G4：年始在庫　D7：入荷数　E7：出荷数）

---

❽の在庫数は、年始在庫じゃなくて、前回の在庫がベースになるから……

セル F8　=F7+D8-E8

（F7：前回の在庫　D8：入荷数　E8：出荷数）

---

❾の在庫増減は、今の在庫から前回の在庫を引くのだから……

セル G8　=F8-F7

（F8：今回の在庫　F7：前回の在庫）

これで❽❾をオートフィルすれば、完成でしょ！！

よくできたニャ！
セル G7 は、初回で在庫増減の比較ができないため、空欄にしたんだね。

	A	B	C	D	E	F	G	H
1								
2		商品別出入履歴確認表（年間）						
3								
4		商品ID	ha004			年始在庫	45	
5								
6		商品ID	確認日	入荷数	出荷数	在庫数	在庫増減	
7		ha004	20XX/1/4	45	25	65		
8		ha004	20XX/1/18	35	24	76	11	
9		ha004	20XX/2/1	24	23	77	1	
10		ha004	20XX/2/15	30	25	82	5	
11		ha004	20XX/3/1	20	22	80	-2	
12		ha004	20XX/3/15	26	25	81	1	
13		ha004	20XX/3/29	30	18	93	12	
14		ha004	20XX/4/12	30	24	99	6	
15		ha004	20XX/4/26	9	25	83	-16	
16		ha004	20XX/5/10	18	18	83	0	
17		ha004	20XX/5/24	18	15	86	3	
18		ha004	20XX/6/7	14	24	76	-10	
19		ha004	20XX/6/21	15	23	68	-8	
20		ha004	20XX/7/5	16	24	60	-8	
21		ha004	20XX/7/19	12	28	44	-16	
22		ha004	20XX/8/2	3	18	29	-15	
23		ha004	20XX/8/16	5	29	5	-24	
24		ha004	20XX/8/30	0	0	5	0	
25		ha004	20XX/9/13	0	0	5	0	
26		ha004	20XX/9/27	0	0	5	0	
27		ha004	20XX/10/11	0	0	5	0	
28		ha004	20XX/10/25	0	0	5	0	
29				0	0	5	0	
30				0	0		0	
				0			0	
				0				

ここに商品IDを入力する
自動的に数字が切り替わる
入力したIDが出力される
最新の情報！
商品IDを入れるだけで、入荷数や出荷数の情報も在庫情報も確認できるよ！
わかりやすいよ～！リコちゃん、頑張ったね
力作ニャ！

え！ジョセフィーヌの入荷が追いついてない！
売るモノがないじゃん！

5
-24
でもExcel先輩がチーズ確保してくれるはず！
数字で見ると深刻さがリアルだね
きっと大丈夫

Excel先輩のひとりごと

困ったときは［ヘルプ］で調べてみましょう！

操作方法がわからないときは、［ヘルプ］を使って調べられます。ヘルプ項目から探したり、調べたいキーワードから検索したりできます。主要な関数などは、解説動画やトレーニングビデオも用意されています。

知らない関数は使わない。できることが広がらない
自己流

知らない関数も調べながら使ってみる。使える機能が増えて、どんどん成長！
脱自己流

▶［ヘルプ］を表示する

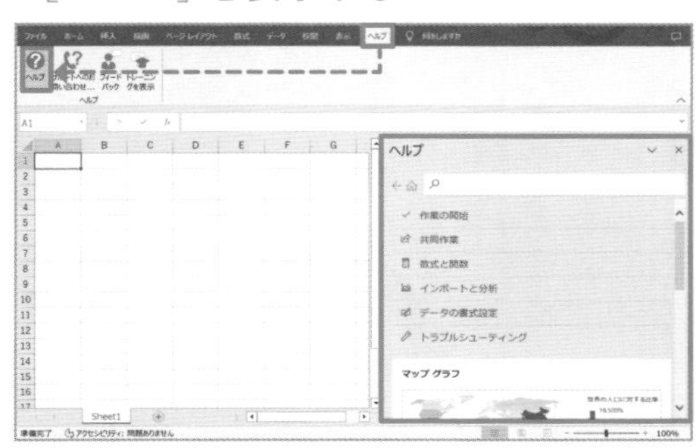

［ヘルプ］タブ→［ヘルプ］をクリックすると、［ヘルプ］作業ウィンドウが表示されます。見たい項目をクリックしたり、キーワード検索したりして使います。

ヘルプ内には、左のような動画付きの関数解説も。

レッスン 5

データ活用の第一歩をふみ出そう

それでは
データ活用の２つの技を
伝授するニャ
フィルター機能
並べ替え
背の順に～

データを使って何をする!?

メールで
一斉送信？
気持ちが
伝わりにくい

訪問して
直接説明？
時間が
かかりすぎる

お知らせ文書を
送付？

文書がいいね！
ただちゃんと
目を通して
もらいたいから…
宛名を
入れよう！
他人事っぽい
お客様各位
値段改定の
お知らせ
社名が入ると
自分ごとに
感じる
○○社◎◎様
値段改定の
お知らせ

よし！リコちゃん、
Excel と Word を駆使して、
宛名印刷、よろしくね
Word
Excel
案内文
宛先
リスト
宛名入り
案内文
了解
です！
キリッ

…ネコ先生、
やり方教えてね
やっぱり
こうなるニャ

正しく使える データベースに整える

データベース　データ活用　レコード

宛先データが必要なら、前に作ったお客様リストがあります。担当者名も電話番号も、ひと目でわかるように工夫したの！

どれどれ、がんばったことはよく伝わる……。
でも、これは差し込み印刷には使えないニャ

え～～～！　電話をかけるときに超便利なのに……。どこがダメなの？

このままだと、特定の順番に並べ替えたり、条件に合うものだけを抽出したりする機能が使えないニャ

データ活用できる表＝データベース

決まった形式で整理されたデータの集まりを「データベース」といいます。一般的には、コンピューター上で管理されるデータベースを指しますが、昔ながらの紙の電話帳や売上台帳なども広義のデータベースといえます。

商品や売上、顧客などに関する大量の情報をデータベース化することで、効率的に管理することができます。集めたデータを、特定の基準で並べ替える、条件に合うものだけ絞り込んで表示するなど、さまざまな活用をして、ビジネスチャンスを広げましょう。

Excelのデータベース機能を使うには、「この表はデータベースだ」とExcelが認識できる形式で表を作る必要があります。データベース用の表を作成するポイントをしっかり押さえておきましょう。

作ってはいけない！　こんな表

見やすい表だと
思うけど……

せっかく情報を集めて表にまとめても、データベース形式になっていないと、正しく集計できなかったり、並べ替えで不具合が生じたりしてしまいます。

NG
Check!
セル結合
➜P102
セルが
結合されている
NG
1件のデータが
複数行に
分かれている

●リコちゃんが作成したお客様リスト

	A	B	C	D	E	F
1	お客様リスト					
2						
3		種別	社名	顧客名	電話番号	購入最終日
4	No.1	レストラン	マルセリア株式会社	平山　徹	090-XXXX-8815	20XX/4/26
5			住所	顧客名（カナ）		取引開始日
6			東京都●●区▲▼　X-X-XX	ヒラヤマ　トオル		20XT/3/8
7		種別	社名	顧客名	電話番号	購入最終日
8	No.2	レストラン	ビストロ・リヴァーロ	辻本　日奈	090-XXXX-0664	20XX/5/30
9			住所	顧客名（カナ）		取引開始日
10			東京都■◆区▲●▼　X-X-XX	ツジモト　ヒナ		20XY/9/13
11		種別	社名	顧客名	電話番号	購入最終日
12	No.3	レストラン	リストランテ・ドヴェール	三浦　文二	090-XXXX-3533	20XX/7/11
13			住所	顧客名（カナ）		取引開始日
14			東京都●▼区▲■◆▼　X-X-XX	ミウラ　ブンジ		20XY/12/26
15		種別	社名	顧客名	電話番号	購入最終日
16	No.4	レストラン	ヴィノピノ株式会社	松本　哲也	090-XXXX-6096	20XX/5/8
17			住所	顧客名（カナ）		取引開始日
18			東京都●区■▲▼◆　X-X-XX	マツモト　テツヤ		20XT/4/21
19		種別	社名	顧客名	電話番号	購入最終日

NG
タイトルのセルと
表のセルが
隣接している

NG
項目（見出し）が
あちこちに
入っている

NGの理由は
次ページで説明するニャ
正しいデータベースを
見てみよう！

データベース形式の表はこう作る

Excelがデータベースだと認識できるのは、下のように構成された表です。データベース形式の表を作るときには、4つのポイントに注意してください。「列見出し」「フィールド」「レコード」というデータベースの表で使われる用語も知っておきましょう。

●データベース形式に変えたお客様リスト

ルール
分類する項目見出しを「列見出し」または「フィールド名」という

A1 種別

	A	B	C	D	E	F	G	H
1	種別	社名	住所	顧客名	顧客（カナ）	電話番号	最終購入日	取引開始日
2	レストラン	マルセリア株式会社	東京都●●区▲▼　X-X-XX	平山　徹	ヒラヤマ　トオル	090-XXXX-8815	20XX/4/26	20XT/3/8
3	レストラン	ビストロ・リヴァーロ	東京都■◆区▲●▼　X-X-XX	辻本　日奈	ツジモト　ヒナ	090-XXXX-0664	20XX/5/30	20XY/9/13
4	レストラン	リストランテ・ドヴェール	東京都●▼区▲■◆▼　X-X-XX	三浦　文二	ミウラ　ブンジ	090-XXXX-3533	20XX/7/11	20XY/12/26
5	レストラン	ヴィノピノ株式会社	東京都●区■▲▼◆　X-X-XX	松本　哲也	マツモト　テツヤ	090-XXXX-6096	20XX/5/8	20XT/4/21
6	レストラン	グランメゾン・シャンゼリーヌ	東京都●■◆区●▼▲▼　X-X-XX	森山　智代	モリヤマ　トモヨ	090-XXXX-8115	20XY/12/6	20XY/10/26
7	スーパー	マンマルスーパー　乃木坂店	東京都●●区■▼　X-X-XX	村松　繁	ムラマツ　シゲル	090-XXXX-6582	20XX/4/12	20XY/11/12
8	レストラン	フランシュソルテ	東京都●▼区▲■▼　X-X-XX	吉野　杏梨	ヨシノ　アンリ	090-XXXX-7334	20XX/5/26	20XY/10/29
9	レストラン	ル・マツモト	東京都●●区▲▼　X-X-XX	三木　心愛	ミキ　ココア	090-XXXX-0664	20XY/12/29	20XY/12/10
10	スーパー	スクエアスーパー本郷三丁目店	東京都■◆区▲●▼　X-X-XX	池田　金治	イケダ　キンジ	090-XXXX-3533	20XY/11/14	20XY/10/28
11	企業	ピザラッシュ表参道店	東京都●▼区▲■◆▼　X-X-XX	住田　裕美子	スミダ　ユミコ	090-XXXX-8115	20XX/3/13	20XT/1/11
12	スーパー	スクエアスーパーお茶の水店	東京都●■◆区●▼▲▼　X-X-XX	岩崎　架純	イワサキ　カスミ	090-XXXX-6853	20XX/1/8	20XY/10/13
13	レストラン	リヴァー[illegible]	東京都●●区▲▼　X-X-XX	荒川　愛理	アラカワ　アイリ	090-XXXX-6582	20XX/5/16	20XX/2/13
14	レストラン	マルセリ[illegible]	東京都●区■▲▼◆　X-X-XX	戸塚　光明	トツカ　ミツアキ	090-XXXX-5488	20XX/1/26	20XX/2/10
15	スーパー	マンマル[illegible]パー渋谷店	東京都●▼区▲■▼　X-X-XX	白鳥　美貴子	シラトリ　ミキコ	090-XXXX-9610	20XX/6/20	20XY/10/6
16	個人		東京都■◆区▼▲▼　X-X-XX	寺西　修子	テラニシ　シュウコ	090-XXXX-7255	20XX/1/19	20XX/6/29
17	個人		東京都●●区▲▼　X-X-XX	水野　理子	ミズノリコ	090-XXXX-3216	20XY/11/29	20XX/4/15

ルール
行単位のデータを「レコード」という

ルール
列単位のデータを「フィールド」という

正しいデータベースならExcelのデータ活用機能を使うことができるんだ 差し込み印刷（→P166）もできるよ

データベース活用例

- フィルター → P174
- 並べ替え　→ P176

ポイント①

セルA1から表を作成していく

データベースとして表を扱う場合、セルA1から作成します。また、表に隣接するセルに余計なデータがあると、範囲を誤認識してしまう恐れがあるため、表の周囲を空白セルにしておきましょう。

ポイント②

表の先頭行に「列見出し」を入れる

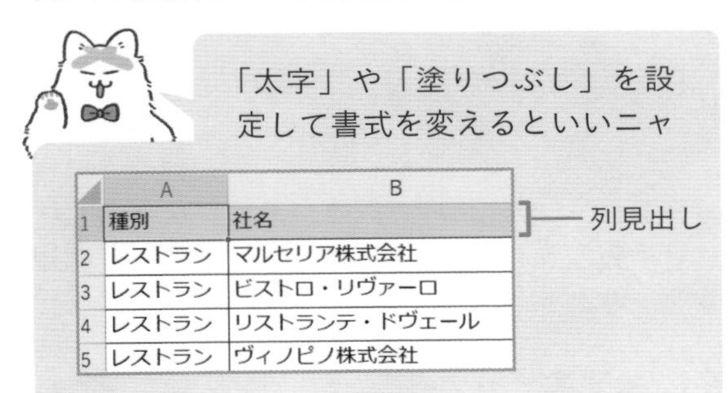

	A	B
1	種別	社名
2	レストラン	マルセリア株式会社
3	レストラン	ビストロ・リヴァーロ
4	レストラン	リストランテ・ドヴェール
5	レストラン	ヴィノピノ株式会社

表の先頭行には、「社名」「住所」「電話番号」などデータを区別する「列見出し」を入力します。列見出しは、自動認識されますが、書式を変えておくとわかりやすくなります。

ポイント③

1件分のデータは横1行に入力する

1件分のデータを複数行に分けて入力すると、並べ替えやフィルター機能が正しく働きません。かならず横1行に入力します。空白の行や空白の列も入れないようにしましょう。

ポイント④

列ごとに入力するデータの種類を統一する

同じ列内では、数値データと文字列データが混ざらないようにすると、扱いやすいデータベースになるニャ

「フィールド」（列）では、文字と数値、半角と全角、大文字と小文字などの種類が混在しないように注意しましょう。

Check! データの種類 ➜P54

教えて
ネコ先生！
データ活用の
コツ②

WordとExcelを使って差し込み印刷を行う

差し込み印刷　宛名データの差し込み

宛名のデータベースができたところで、「差し込み印刷」について説明するニャ

差し込み印刷の基本

差し込み印刷は、Word文書の一部に、Excelなどで作成したデータを差し込んで印刷できる機能です。案内状や宛名ラベルに、一部ずつ宛先を変えて印刷できるため、複数人に同じ文書を送るときなどに役立ちます。

●データを差し込まれる文書

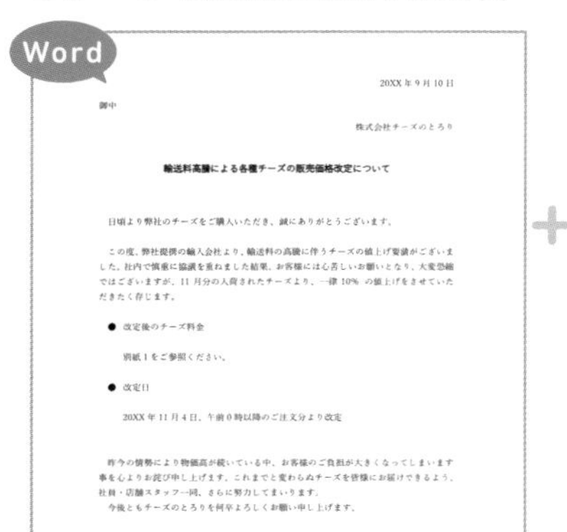
Word

20XX年9月10日

御中

株式会社チーズのとろり

輸送料高騰による各種チーズの販売価格改定について

日頃より弊社のチーズをご購入いただき、誠にありがとうございます。

この度、弊社提携の輸入会社より，輸送料の高騰に伴うチーズの値上げ要請がございました。社内で慎重に協議を重ねました結果，お客様には心苦しいお願いとなり，大変恐縮ではございますが，11月分の入荷されたチーズより，一律10%の値上げをさせていただきたく存じます。

- 改定後のチーズ料金

  別紙1をご参照ください。

- 改定日

  20XX年11月4日，午前0時以降のご注文分より改定

昨今の情勢により物価高が続いている中，お客様のご負担が大きくなってしまいます事を心よりお詫び申し上げます。これまでと変わらぬチーズを皆様にお届けできるよう，社員・店舗スタッフ一同，さらに努力してまいります。

今後ともチーズのとろりを何卒よろしくお願い申し上げます。

文書だけでなく、封筒やはがきの宛名ラベルにも差し込める（ここでは文書の例を説明）。

＋

●宛名データ

Excel

	A	B	C	D	E
1	種別	社名	住所	顧客名	顧客（カナ）
2	レストラン	マルセリア株式会社	東京都●●区▲▼　X-X-XX	平山　徹	ヒラヤマ　トオル
3	レストラン	ビストロ・リヴァーロ	東京都■◆区▲●▼　X-X-XX	辻本　日奈	ツジモト　ヒナ
4	レストラン	リストランテ・ドヴェール	東京都●▼区▲■◆▼　X-X-XX	三浦　文二	ミウラ　ブンジ
5	レストラン	ヴィノピノ株式会社	東京都●区■▲▼◆　X-X-XX	松本　哲也	マツモト　テツヤ
6	レストラン	グランメゾン・シャンゼリーヌ	東京都●■◆区●▼▲▼　X-X-XX	森山　智代	モリヤマ　トモヨ
7	スーパー	マンマルスーパー　乃木坂店	東京都●●区■▼　X-X-XX	村松　繁	ムラマツ　シゲル
8	レストラン	フランシュソルテ	東京都●▼区▲■▼　X-X-XX	吉野　杏梨	ヨシノ　アンリ
9	レストラン	ル・マツモト	東京都●●区▲▼　X-X-XX	三木　心愛	ミキ　ココア
10	スーパー	スクエアスーパー本郷三丁目店	東京都■◆区▲●▼　X-X-XX	池田　金治	イケダ　キンジ
11	企業	ピザラッシュ表参道店	東京都●▼区▲■◆▼　X-X-XX	住田　裕美子	スミダ　ユミコ
12	スーパー	スクエアスーパーお茶の水店	東京都●■◆区●▼▲▼　X-X-XX	岩崎　架純	イワサキ　カスミ
13	レストラン	リヴァーロ	東京都●●区▲▼　X-X-XX	荒川　愛理	アラカワ　アイリ
14	レストラン	マルセリア	東京都●区■▲▼◆　X-X-XX	戸塚　光明	トツカ　ミツアキ
15	スーパー	マンマルスーパー渋谷店	東京都●▼区▲■▼　X-X-XX	白鳥　美貴子	シラトリ　ミキコ
16	個人		東京都■◆区▼▲▼　X-X-XX	寺西　修子	テラニシ　シュウ
17	個人		東京都●●区▲▼　X-X-XX	水野　理子	ミズノリコ

Excelのほか、「Access」などのデータベースソフトでもOK（ここではExcelの例を説明）。

●宛名が差し込まれた文書

20XX年9月10日

マルセリア株式会社　御中

20XX年9月10日

ビストロ・リヴァーロ　御中

20XX年9月10日

リストランテ・ドヴェール　御中

株式会社チーズのとろり

Word文書内の指定した部分に、Excelの宛名データが差し込まれた。

▶手順（1）差し込み印刷の開始

❶データを差し込まれる文書（Word）を開く。

❷［差し込み文書］タブの［差し込み印刷の開始］ボタンを押し、［レター］をクリックする。

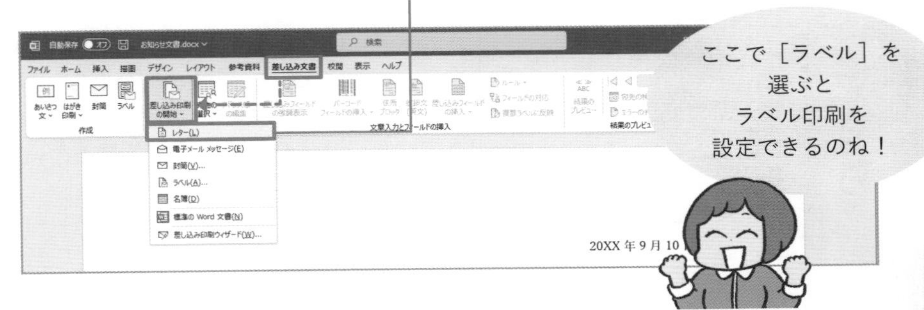

▶手順（2）宛先の選択

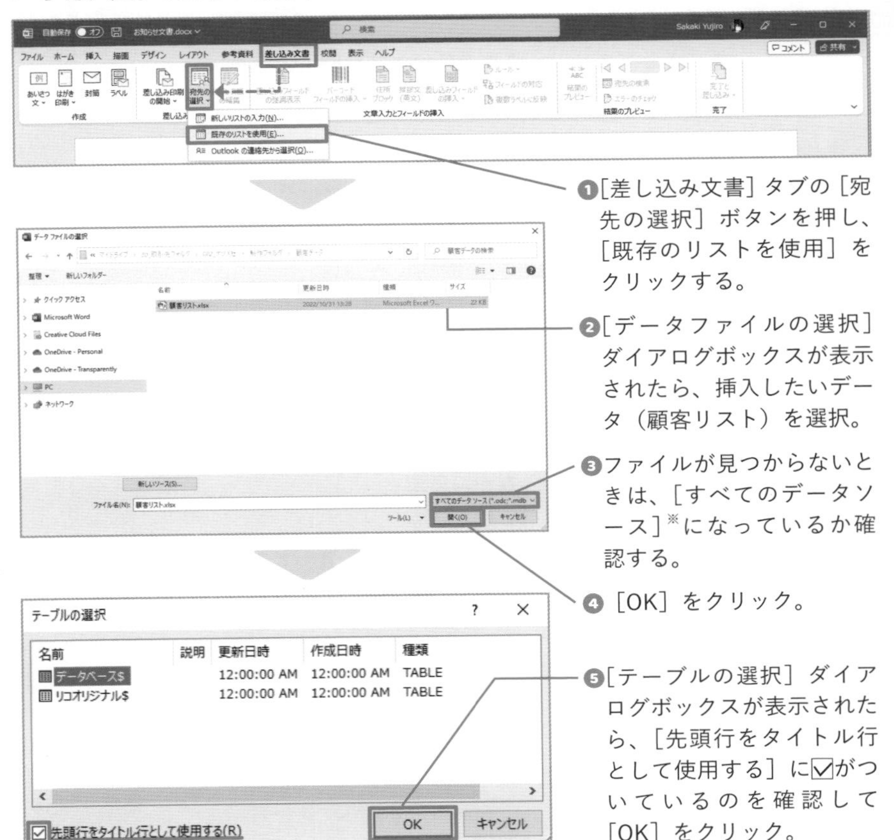

❶［差し込み文書］タブの［宛先の選択］ボタンを押し、［既存のリストを使用］をクリックする。

❷［データファイルの選択］ダイアログボックスが表示されたら、挿入したいデータ（顧客リスト）を選択。

❸ファイルが見つからないときは、［すべてのデータソース］※になっているか確認する。

❹［OK］をクリック。

❺［テーブルの選択］ダイアログボックスが表示されたら、［先頭行をタイトル行として使用する］に☑がついているのを確認して［OK］をクリック。

［すべてのデータソース］…上の手順❸で示す部分が［すべてのデータソース］以外だと、ファイル名が表示されない場合があります。目当てのファイルが見当たらないときは、ここを確認しましょう。

▶手順（3）アドレス帳の編集

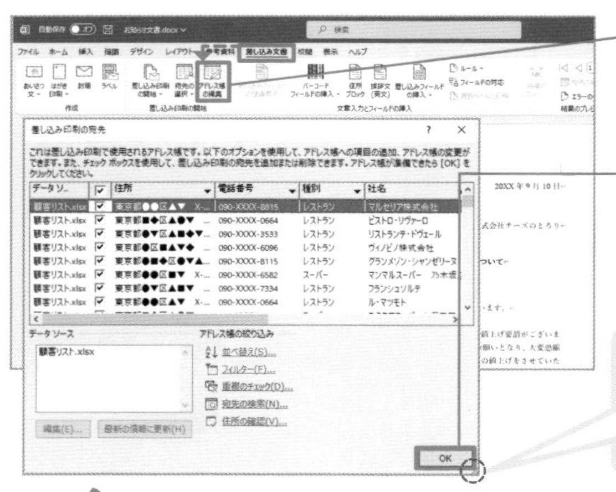

❶［差し込み文書］タブ→［アドレス帳の編集］をクリック。

❷［差し込み印刷の宛先］ダイアログボックスが表示される。内容を確認して［OK］をクリック。

ここをドラッグしてウィンドウを広げると確認しやすくなるよ！

ポイント

列見出しの横にある▼をクリックして条件などを設定すると、データを絞り込むことができます。

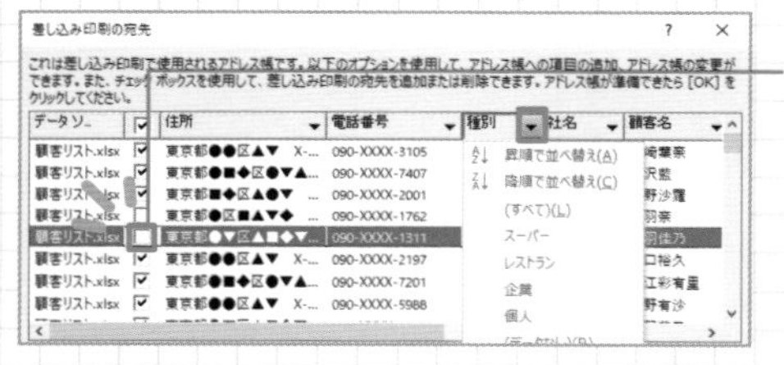

絞り込みのほか、左側のチェックボックスをオフにすると、そのデータを差し込み印刷から除外できます。

▶手順（4）差し込みフィールドの挿入

❶文面のなかで、データを差し込みたい位置にカーソルを置く（ここでは「御中」の前）。

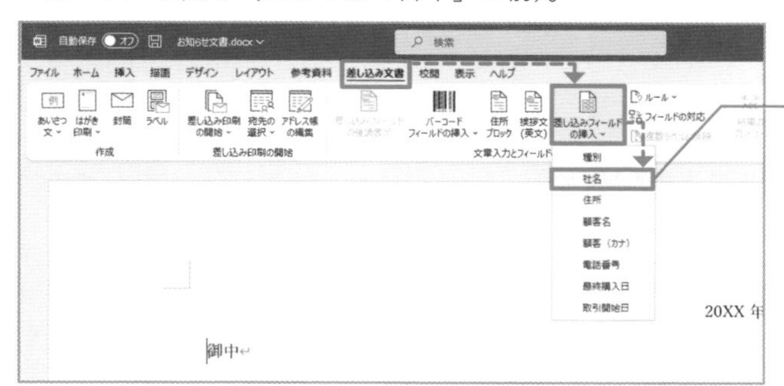

❷［差し込み文書］タブ→［差し込みフィールドの挿入］ボタンを押すと、宛名データの項目名が表示される。「社名」をクリック。

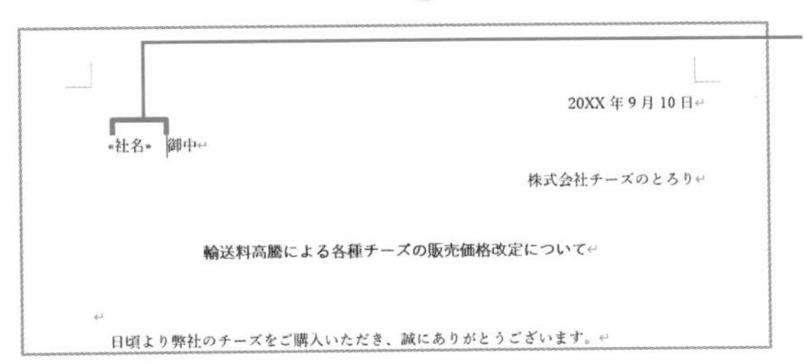

❸「御中」の前に、《社名》が差し込まれたことが確認できる。《社名》と「御中」の間に全角スペースを入れる。

▶手順（5）結果のプレビュー

❶[差し込み文書]タブ→[結果のプレビュー]をクリックする。

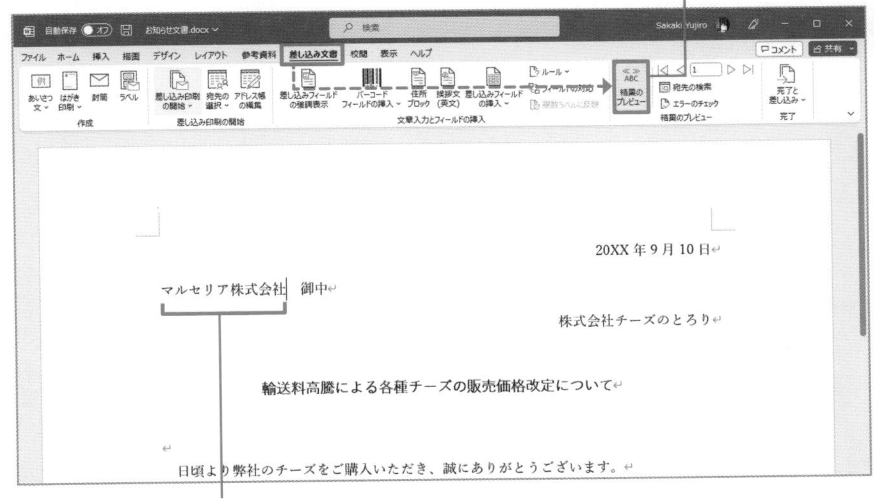

❷1件目の社名データが挿入されたことが確認できる。

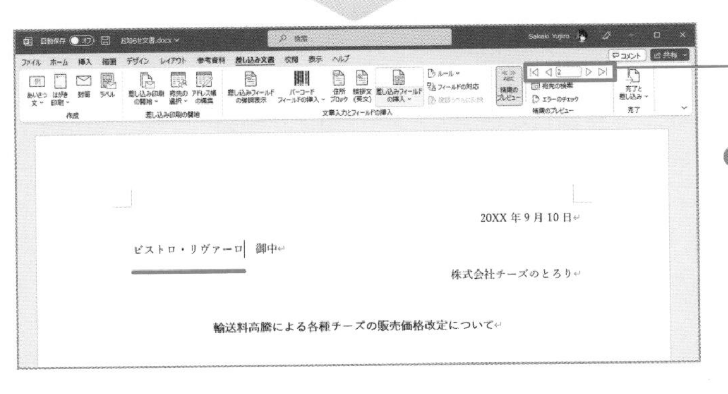

❸[結果のプレビュー]ボタンの隣にある▷を押していくと、2件目、3件目と順番に確認できる。

レッスン5 データ活用の第一歩をふみ出そう

▶手順（6）完了と差し込み

❶[差し込み文書] タブ→ [完了と差し込み] ボタンを押し、[個々のドキュメントの編集] をクリックする。

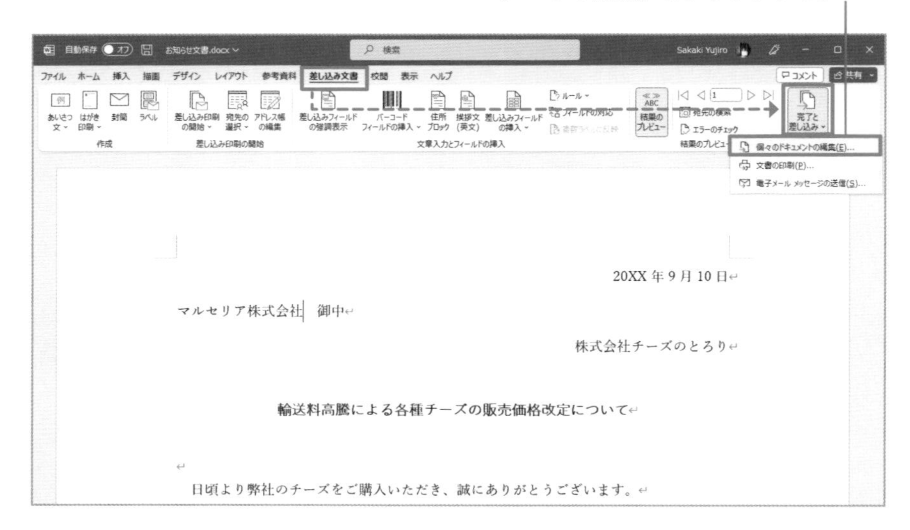

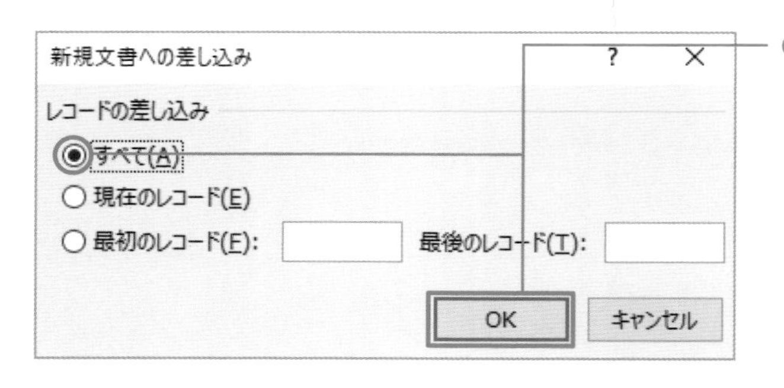

❷[新規文書への差し込み] ダイアログボックスが表示される。[レコードの差し込み] は [すべて] を選んで、[OK] をクリックする。

データファイルを移動しない

差し込み文書では、Word文書と、Excelなどのデータファイルは関連付いたものとして保存されます。そのため、うっかりデータファイルを削除したり、移動させたり（保存場所を変えたり）すると関連が切れてしまい、差し込み文書を開くときに、エラー表示が出ることがあります。二度手間にならないように、注意しましょう。

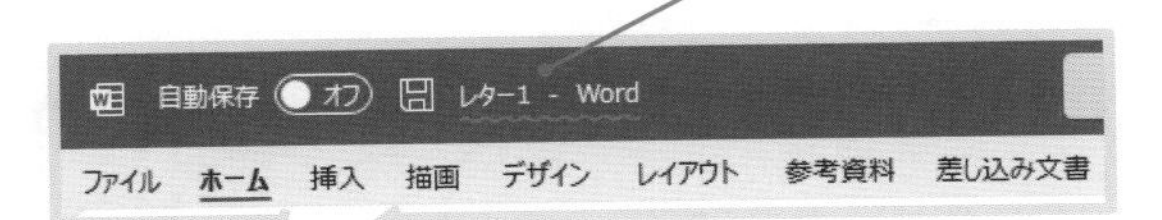

❸「レター1」という名前の新しいファイルが出力された。社名が挿入された文書が、ページごとに、リストの件数分だけ作成される。

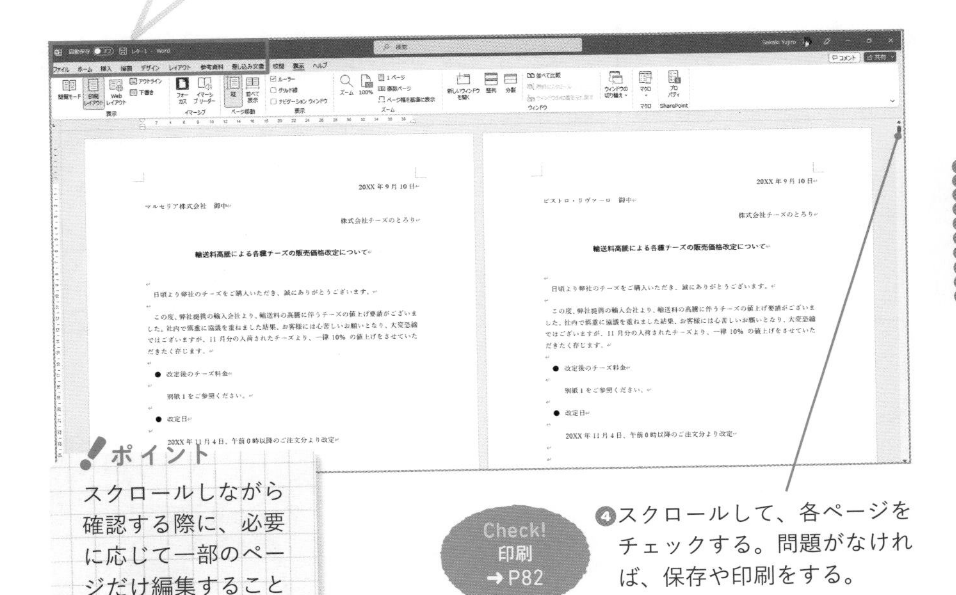

ポイント

スクロールしながら確認する際に、必要に応じて一部のページだけ編集することもできます。

Check!
印刷
➜ P82

❹スクロールして、各ページをチェックする。問題がなければ、保存や印刷をする。

ふ〜。手順はたくさんあるように見えるけど、実際にやってみたら簡単だったよ！

リボンの左から右へ、作業する順番にボタンが並んでいるから、わかりやすいね

宛名シールなどの作成も、差し込み印刷で簡単にできるニャ。サンプルファイル（→ P6）に手順を載せたからチェックしてみて！

取引先の動きを浮き彫りに

でも、
ジョセフィーヌって
在庫が…
5 -24
売るモノがない～
何としても
晩餐会にジョセフィーヌを
出してもらいたいな
う～ん…

リコちゃん、
購入データを活用して、
各取引先のジョセフィーヌの
購入履歴を調べて
くれないか？
さっそく出番が!!
データ活用ですね！
おまかせください
ホントにできるの～？

さ、ネコ先生
やりましょう！
またか～
そう来ると
思ったニャ
それでは
データ活用の２つの技を
伝授するニャ
フィルター機能
並べ替え
背の順に～

レッスン５
データ活用の第一歩をふみ出そう

「フィルター機能」で一致するデータを洗い出す

フィルター　データの抽出

じゃあここで、「フィルター機能」を紹介するニャ。欲しい情報だけを絞り込めるワザだよ

なるほど〜。フィルターを使って油こしをして、不要なものを取り除くイメージだね！

フィルター機能の基本

データベースの膨大な情報から、必要なレコードだけを抽出する機能。日付や「〇以上×以下」などの数値範囲、セルの色といった抽出条件を、フィールドごとに設定することで絞り込みができます。

Check!
レコード、
フィールド
➜P164

● 全チーズの購入記録（データベース）

	A	B	C	D	E	F
1	出力コード	購入日	社名	チーズ	個数	売上
2	759124	20XY/12/27	グランメゾン乃木坂	ヴァランセ	1	3800
3	792112	20XY/11/4	ビストロ・ヴァンデリス	ゴルゴンゾーラ	4	14400
4	779058	20XX/5/27	ビストロ・リヴァーロ	ブリ・ド・モー	2	7600
5	764894	20XX/5/26	フランシュソルテ	プリニ・サン・ピエール	5	16000
6	771626	20XX/7/6	グランメゾン・シャンゼリーヌ	ヴレ・ジョセフィーヌ	5	35000
7	771626	20XX/5/6	グランメゾン・シャンゼリーヌ	ヴレ・ジョセフィーヌ	5	35000
8	763437	20XX/5/6	ヴィノピノ株式会社	サン・ネクテール	4	14400
9	772576	20XX/2/14	フランシュソルテ	ヴァランセ	5	19000
10	799774	20XY/10/2	チーズファーマーズ	シェーヴル・フレ	5	11000
11	769185	20XX/6/19	ベリーベリー	クロミエ	4	11200
12	799162	20XX/4/10	シェ・サエキ	ヴレ・ジョセフィーヌ	2	14000

これは
便利だね〜！

特定のチーズの
購入データだけ
見たい！

● 抽出後のデータ

	A	B	C	D	E	F
1	出力コード	購入日	社名	チーズ	個数	売上
6	771626	20XX/7/6	グランメゾン・シャンゼリーヌ	ヴレ・ジョセフィーヌ	5	35000
7	771626	20XX/5/6	グランメゾン・シャンゼリーヌ	ヴレ・ジョセフィーヌ	5	35000
12	799162	20XX/4/10	シェ・サエキ	ヴレ・ジョセフィーヌ	2	14000
136	771626	20XX/3/6	グランメゾン・シャンゼリーヌ	ヴレ・ジョセフィーヌ	4	28000
140	769648	20XX/6/28	フィガーロ	ヴレ・ジョセフィーヌ	5	35000
157	793635	20XX/7/10	ドヴェール	ヴレ・ジョセフィーヌ	1	7000
162	754518	20XX/2/28	グランメゾン乃木坂	ヴレ・ジョセフィーヌ	3	21000
165	791464	20XY/9/18	ホワイトナイフ	ヴレ・ジョセフィーヌ	5	35000
178	759790	20XY/10/13	ル・エルセリア	ヴレ・ジョセフィーヌ	5	35000
256	754518	20XX/4/30	グランメゾン乃木坂	ヴレ・ジョセフィーヌ	4	28000
257	782356	20XX/5/9	チーズファーマーズ	ヴレ・ジョセフィーヌ	3	21000
298	792698	20XY/10/16	ビストロ・リヴァーロ	ヴレ・ジョセフィーヌ	1	7000
316	754518	20XX/7/31	グランメゾン乃木坂	ヴレ・ジョセフィーヌ	4	28000
[illegible]	[illegible]	[illegible]	[illegible]	[illegible]	[illegible]	[illegible]

▶フィルター機能で抽出

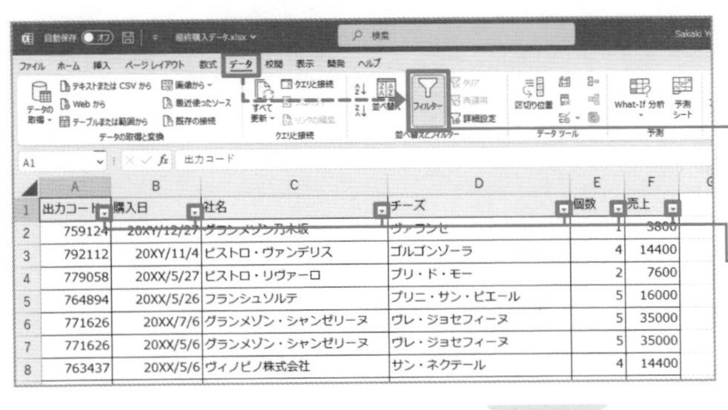

❶表の中のどこかのセルを選択する。

❷［データ］タブの［フィルター］をクリックする。

❸列見出しのところに、フィルターボタンの▼マークが表示される。

❹D列の列見出し「チーズ」のフィルターボタンをクリックすると右の画面が表示される。

❺「ヴレ・ジョセフィーヌ」以外のチーズ名のチェックボックスを外し、［OK］をクリックする。

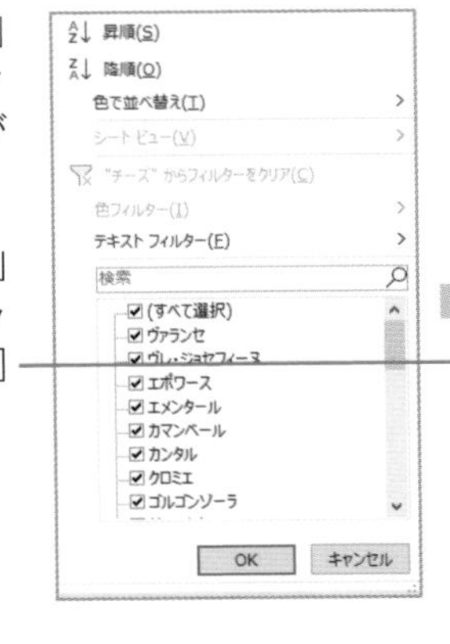

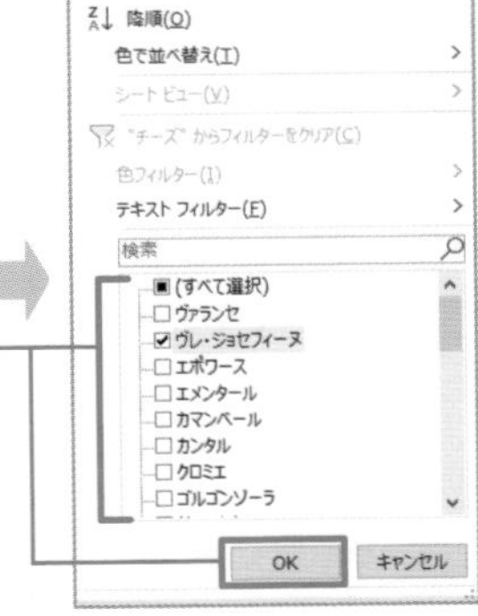

ポイント

抽出条件を設定したフィルターボタンは、このように変わります。

	出力コード	購入日	社名	チーズ	個数	売上
6	771626	20XX/7/6	グランメゾン・シャンゼリーヌ	ヴレ・ジョセフィーヌ	5	35000
7	771626	20XX/5/6	グランメゾン・シャンゼリーヌ	ヴレ・ジョセフィーヌ	5	35000
12	799162	20XX/4/10	シェ・サエキ	ヴレ・ジョセフィーヌ	2	14000
136	771626	20XX/3/6	グランメゾン・シャンゼリーヌ	ヴレ・ジョセフィーヌ	4	28000
140	769648	20XX/6/28	フィガーロ	ヴレ・ジョセフィーヌ	5	35000
157	793635	20XX/7/10	ドヴェール	ヴレ・ジョセフィーヌ	1	7000
162	754518	20XX/2/28	グランメゾン乃木坂	ヴレ・ジョセフィーヌ	3	21000
165	791464	20XY/9/18	ホワイトナイフ	ヴレ・ジョセフィーヌ	5	35000
178	759790	20XY/10/13	ル・エルセリア	ヴレ・ジョセフィーヌ	5	35000

❻チーズ「ヴレ・ジョセフィーヌ」の購入データだけが表示された。手順❹〜❺を繰り返すことで、抽出した結果を、さらに別の条件で絞り込むこともできる。

フィルターを解除するには、［データ］タブの［クリア］を押せばいいニャ

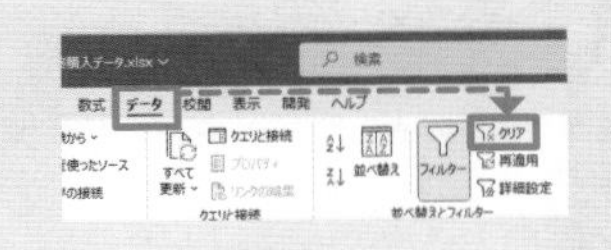

データの「並べ替え」で情報の別の顔が見えてくる

並べ替え　フィルター

続いて、もう1つのデータ活用ワザである「並べ替え」を解説するニャ

これは覚えましたよ～。並べ替えのボタンを押して、昇順や降順に変更することができるんですよね！

並べ替えの基本

データベースを指定した基準で、「昇順」もしくは「降順」に並べ替えることができます。昇順の場合、たとえば数値は「0→9」、カナは「ア→ン」、日付は「古い→新しい」、英字は「a→z」と並び、降順ではそれぞれ逆順になります。

ポイント

フィルターを設定して並べ替えを実行すると、フィルターボタンはこのように変わります。

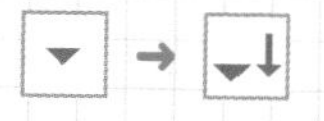

● 並べ替え前のデータ

Before

	A	B	C	D	E	F
1	出力コード	購入日	社名	チーズ	個数	売上
2	759124	20XX/12/27	グランメゾン乃木坂	ヴァランセ	1	3800
3	792112	20XX/11/4	ビストロ・ヴァンデリス	ゴルゴンゾーラ	4	14400
4	779058	20XY/5/27	ビストロ・リヴァーロ	ブリ・ド・モー	2	7600
5	764894	20XY/5/26	フランシュソルテ	ブリニ・サン・ピエール	5	16000
6	771626	20XY/7/6	グランメゾン・シャンゼリーヌ	ヴレ・ジョセフィーヌ	5	35000
7	771626	20XY/5/6	グランメゾン・シャンゼリーヌ	ヴレ・ジョセフィーヌ	5	35000
8	763437	20XY/5/6	ヴィノピノ株式会社	サン・ネクテール	4	14400
9	772576	20XY/2/14	フランシュソルテ	ヴァランセ	5	19000
10	799774	20XX/10/2	チーズファーマーズ	シェーヴル・フレ	5	11000
11	769185	20XY/6/19	ベリーベリー	クロミエ	4	11200
12	799162	20XY/4/10	シェ・サエキ	ヴレ・ジョセフィーヌ	2	14000
13	756116	20XY/3/30	ル・マツモト	シェーヴル・フレ	4	8800
14	791675	20XX/10/1	藤本レストラン	エメンタール	5	13000
15	773667	20XX/11/13	ソイルーゼ	ブルー・デ・コース	5	10000
16	780639	20XX/10/31	リストランテ・ホワイトナイフ	ロックフォール	1	2000

全チーズの購入データを記録したデータベース。列見出しには、フィルター（→P174）が適用されています。

● 並べ替え後のデータ

After

	A	B	C	D	E	F
1	出力コード	購入日	社名	チーズ	個数	売上
2	754518	20XY/8/31	グランメゾン乃木坂	ゴルゴンゾーラ	5	18000
3	781437	20XY/8/16	ル・マツモト	ヴレ・ジョセフィーヌ	5	35000
4	790984	20XY/8/10	ビストロコルス	タレッジョ	4	15200
5	771626	20XY/8/6	グランメゾン・シャンゼリーヌ	ヴレ・ジョセフィーヌ	5	35000
6	754518	20XY/7/31	グランメゾン乃木坂	ヴレ・ジョセフィーヌ	4	28000
7	780678	20XY/7/9	ベリーベリー	フルム・ダンベール	4	5600
8	787075	20XY/7/8	藤本レストラン	カンタル	5	11000
9	794998	20XY/7/8	グランメゾン・シャンゼリーヌ	ブリ・ド・ムラン	2	4000
10	765490	20XY/7/8	ドヴェール	ヴァランセ	1	3800
11	791821	20XY/7/7	フランシュソルテ	エポワース	3	7800
12	781866	20XY/7/7	ル・エルセリア	ミモレット	1	2200
13	771626	20XY/7/6	グランメゾン・シャンゼリーヌ	ヴレ・ジョセフィーヌ	5	35000
14	779645	20XY/7/6	エンシャルロ	ロックフォール	2	4000
15	799490	20XY/7/5	グランメゾン乃木坂	シェーヴル・フレ	1	2200
16	756735	20XY/7/4	アイエルシード	ラミ・デュ・シャンベルタン	1	2200

左のデータベースを「購入日」順で並べ替えました。購入日の新しいものが一番上にくる降順です。

＊ p176 ～ 179 の Excel データについて、サンプルファイル（→P6）では、正しい西暦を入れています。

簡単にできるから、ついつい並べ替えたくなっちゃうな〜

そんな人に覚えておいてほしい大事なポイントがある。それは、「並べ替え後、元の順序に戻したいと思っても戻せない場合がある」ということニャ。たとえばこんなとき……

●「先着順」に並んだお客様データ

	A	B
1	名前	フリガナ
2	住田 裕美子	スミダ ユミコ
3	湯浅 章治郎	ユアサ ショウジロウ
4	長島 涼音	ナガシマ スズネ
5	市村 武司	イチムラ タケシ
6	大田 莉緒	オオタ リオ
7	斎藤 恵	サイトウ メグミ
8	仲野 由子	ナカノ ユウコ
9	吉川 早苗	ヨシカワ サナエ
10	梶田 楓華	カジタ フウカ
11	阪本 小百合	サカモト サユリ
12		

●「あいうえお順」に並んだお客様データ

	A	B	C
1	名前	フリガナ	
2	市村 武司	イチムラ タケシ	
3	大田 莉緒	オオタ リオ	
4	梶田 楓華	カジタ フウカ	
5	斎藤 恵	サイトウ メグミ	
6	阪本 小百合	サカモト サユリ	
7	住田 裕美子	スミダ ユミコ	
8	長島 涼音	ナガシマ スズネ	
9	仲野 由子	ナカノ ユウコ	
10	湯浅 章治郎	ユアサ ショウジロウ	
11	吉川 早苗	ヨシカワ サナエ	
12			

こうやって並べ替えて保存した後に、「先着3名様は誰？」と聞かれて答えられる？

……はっ！　誰が先着だったか、わからなくなっちゃった……

並べ替え直後なら［元に戻す］ボタンで戻せる。でも、元に戻す可能性があるときはあらかじめ連番の列（フィールド）を作っておくニャ！

Check!
フィールド
➜P164

降順の購入日順に並べ替えたおかげで、最近どんな注文があったのか、わかるようになったよ

	A	B	C	D	E	F
1	出力コード	購入日	社名	チーズ	個数	売上
2	754518	20XY/8/31	グランメゾン乃木坂	ゴルゴンゾーラ	5	18000
3	781437	20XY/8/16	ル・マツモト	ヴレ・ジョセフィーヌ	5	35000
4	790984	20XY/8/10	ビストロコルス	タレッジョ	4	15200
5	771626	20XY/8/6	グランメゾン・シャンゼリーヌ	ヴレ・ジョセフィーヌ	5	35000
6	754518	20XY/7/31	グランメゾン乃木坂	ヴレ・ジョセフィーヌ	4	28000
7	780678	20XY/7/9	ベリーベリー	フルム・ダンベール	4	5600
8	787075	20XY/7/8	藤本レストラン	カンタル	5	11000
9	794998	20XY/7/8	グランメゾン・シャンゼリーヌ	ブリ・ド・ムラン	2	4000
10	765490	20XY/7/8	ドヴェール	ヴァランセ	1	3800
11	791821	20XY/7/7	フランシュゾルテ	エポワース	3	7800
12	781866	20XY/7/7	ル・エルセリア	ミモレット	1	2200
13	771626	20XY/7/6	グランメゾン・シャンゼリーヌ	ヴレ・ジョセフィーヌ	5	35000
14	779645	20XY/7/6	エンシャルロ	ロックフォール	2	4000
15	799490	20XY/7/5	グランメゾン乃木坂	シェーヴル・フレ	1	2200

でも、このままでは社名がバラバラで見づらくない？　こんなときは、複数の条件で並べ替えをするといいニャ！

▶「社名」と「購入日」の複数条件で並べ替える

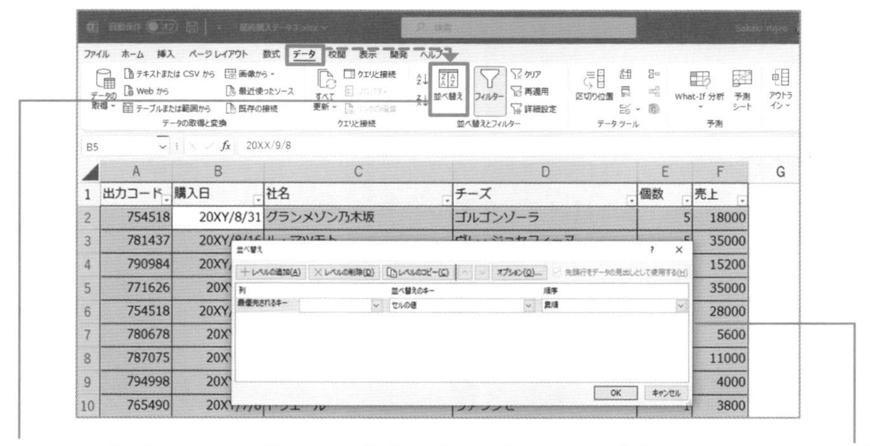

❶表内のどこかのセルを選択して、［データ］タブの［並べ替え］ボタンをクリックする。

❷［並べ替え］ダイアログボックスが表示される。

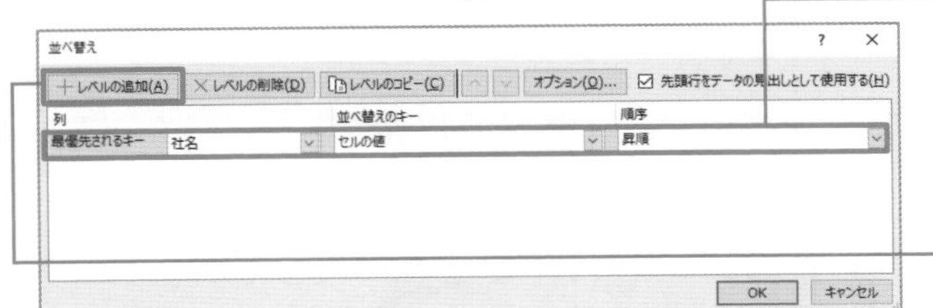

❸[最優先されるキー]は「社名」を選び、[並べ替えのキー]は[セルの値] を、[順序]は [昇順] を選ぶ。

❹[レベルの追加] をクリックする。

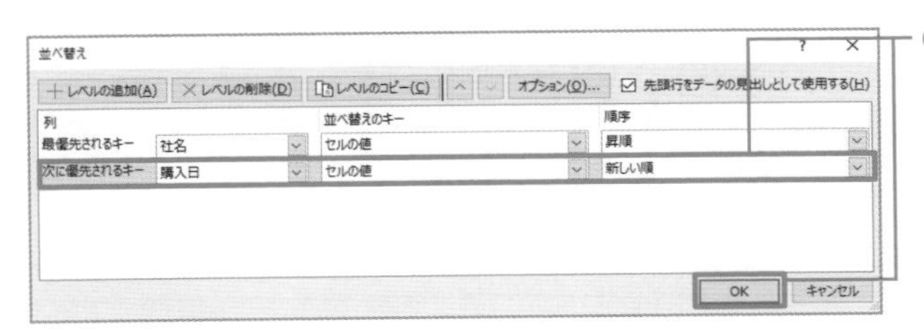

❺[次に優先されるキー] は「購入日」を選び、[並べ替えのキー]は[セルの値]を、[順序]は[新しい順]を選んで、[OK] をクリックする。

	A	B	C	D	E	F
1	出力コード	購入日	社名	チ[illegible]ズ	個数	売上
2	756735	20XY/7/4	アイエルシード	ラミ・デュ・シャンベルタン	1	2200
3	784932	20XY/7/3	アイエルシード	ラミ・デュ・シャンベルタン	2	4400
4	784285	20XY/7/1	アイエルシード	ミモレット	4	8800
5	757573	20XY/6/30	アイエルシード	ブリ・ド・ムラン	5	10000
6	762087	20XY/6/29	アイエルシード	フルム・ダンベール	4	5600
7	755080	20XY/6/24	アイエルシード	カンタル	1	2200
8	776688	20XY/6/14	アイエルシード	エポワース	4	10400
9	782285	20XY/5/31	アイエルシード	ボーフォール	2	3200
10	758959	20XY/5/29	アイエルシード	タレッジョ	1	3800
11	755860	20XY/5/22	アイエルシード	フロマージュ・ブラン	1	2000
12	756441	20XY/5/2	アイエルシード	クロミエ	5	14000
13	788818	20XY/4/30	アイエルシード	クロミエ	5	14000
14	764644	20XY/4/22	アイエルシード	ゴルゴンゾーラ	4	14400
15	759055	20XY/4/2	アイエルシード	ブリア・サヴァラン	3	4800

❻あいうえお順の社名ごとに、新しい購入日順に並べ替えられた。

これなら
「ジョセフィーヌ」の
各取引先の
最終購入日もすぐに
調べられそう!

一瞬で
できるニャ

フィルターと
並べ替えで
欲しい情報だけを
パッと絞り込めたよ

データを見直して在庫調整！

レッスン5 データ活用の第一歩をふみ出そう

Excel先輩のひとりごと

入力ミスを防ぐ工夫をしておきましょう

作成中の表や、複数人で入力する表では、入力ミスを防ぐ工夫が役立ちます。たとえば、下の例では、入力不要のセルに背景色（グレー）を設定することで、誤入力を予防しています。

ココも何か入力するんだっけ？　初月なのにどうやって増減を計算するんだろう…？

商品別出入庫履歴確認表（年間）

商品ID	ha004			年始在庫	45

商品ID	確認日	入荷数	出荷数	在庫数	在庫増減
ha004	20XX/1/4				
ha004	20XX/1/18				
ha004	20XX/2/1				
ha004	20XX/2/15				
ha004	20XX/3/1				
ha004	20XX/3/15				
ha004	20XX/3/29				

入力が必要な箇所と不要な箇所が同じスタイルだと、入力ミスやモレが起こりがち。無駄に考える時間を取られてしまうことも。

ココは入力しなくていいんだね！　よし完成！

商品別出入庫履歴確認表（年間）

商品ID	ha004			年始在庫	45

商品ID	確認日	入荷数	出荷数	在庫数	在庫増減
ha004	20XX/1/4	45	25	65	
ha004	20XX/1/18	35	24	76	11
ha004	20XX/2/1	24	23	77	1
ha004	20XX/2/15	30	25	82	5
ha004	20XX/3/1	20	22	80	-2
ha004	20XX/3/15	26	25	81	1
ha004	20XX/3/29	30	18	93	12
ha004	20XX/4/12	30	24	99	6
ha004	20XX/4/26	9	25	83	-16

グレーに設定したことで、入力が不要であることが視覚的に伝わる。入力ミスやモレが起こりにくくなる。

「条件付き書式」（→ P186）を使って、条件を満たしたセルだけ色を付ける方法もあるニャ

データの「見える化」で伝わる情報に変身！

情報を可視化して、共有しよう

よーし！
『売上表』と『在庫管理表』
これも
見える化するぞ！
売上表
在庫管理

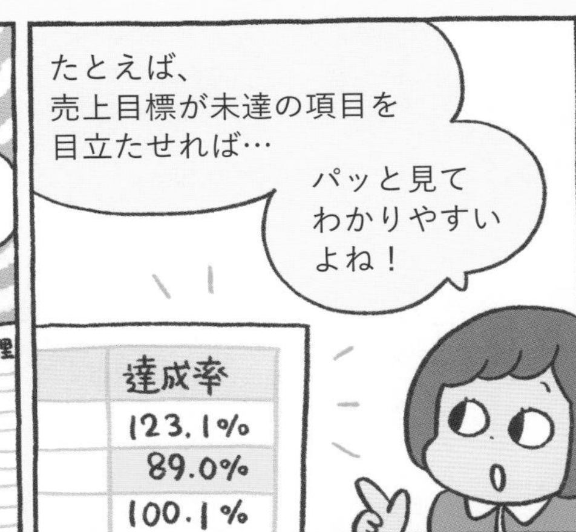
たとえば、
売上目標が未達の項目を
目立たせれば…
パッと見て
わかりやすい
よね！
達成率
123.1%
89.0%
100.1%

このセルに
背景色を付けていけば
いいよね
手入力…
カチ
自動
もし
売上達成したら、
また手入力で
消すの？
え…もしや
Excelが自動で
判断できる？
たしかに
面倒…

Excelにはデータを可視化する機能も盛りだくさんニャ！
何の
項目が必要？
目的確認
目的に応じて
集計＆整理
グラフなどを
活用して
ビジュアル化
この3ポイントを
大切にしながら
見ていくニャ
わかり
やすい〜

指定したデータを自動的に目立たせる

条件付き書式　条件付き書式の解除

売上未達成の箇所を目立たせたい……とはいえ、いちいち手作業で書式を変えるのは、時間の無駄ニャ

「Excel、未達成の箇所を教えて」と言ったら、自動的に書式変更してくれたらいいのに。まさか、できないよね！

まだ口頭では命令できないニャ……。でも、「条件付き書式」という機能があるので、それを教えるニャ

手動の「書式設定」とは何が違う？

「100％未満の場合、文字色を赤に変える」といったように、あらかじめ条件を指定して、その条件に合ったデータだけ書式を変えて見やすくする機能を「条件付き書式」といいます。注目させたいデータだけが強調されて目に入り、視認性がグッと高まります。

たとえば、「空欄の場合、セルを強調する」とすれば、未入力のセルを見落とすこともないでしょう。「重複した値の場合、セルを強調する」とすれば、重複データがないか確認することができます。

通常の書式設定（→P98）では、手動で設定した書式で固定されて、データの値を変更しても書式は変わりません。一方、条件付き書式の場合は、値が変更されて条件から外れると、自動的に元の書式に戻ります。

データの値に応じて自動的に書式をオンオフさせたい場合には、「条件付き書式」を設定しましょう。

条件付き書式の基本

条件に合う
データだけを
自動強調！

これなら
パッと目に
入るね

数値や日付の値、文字列によって色を変えるなどの条件を設定すると、当てはまる箇所だけ、自動的に書式が変わります。条件や書式は、さまざまな指定をすることができます。

ポイント

列見出し（セルK6）は、「グレーの背景色」の書式が設定されています（通常の書式設定）。見出しを変更しても書式はこのまま変わりません。

●セルK７～K10に条件付き書式を設定

G	H	I	J	K	L
			集計日	9月8日	
8月	9月	上期売上	売上目標	売上進捗	
18,755	4,574	103,323	120,000	86%	
13,153	2,545	79,410	80,000	99%	
13,524	2,471	81,782	80,000	102%	
15,652	1,140	89,100	120,000	74%	

セルK7～K10には、「売上進捗が100％未満の場合、色を変える」条件付き書式を設定。100％未満のセルが強調されました。

値を
変更すると……

G	H	I	J	K	L
			集計日	9月30日	
8月	9月	上期売上	売上目標	売上進捗	
18,755	17,550	121,495	120,000	101%	
13,153	12,547	89,412	80,000	112%	
13,524	12,110	91,421	80,000	114%	
15,652	12,587	100,547	120,000	84%	

セルK7の売上進捗が100％を達成すると、背景色や文字色が元に戻り、自動強調されなくなりました。

「空白セルに色を付ける」
といった指定もできるのよ！

▶条件付き書式を設定する（100%未満のデータを強調する）

❶条件付き書式を設定するセル範囲（K7～K10）を選択する。

❷［ホーム］タブの［条件付き書式］ボタンを押して、［セルの強調表示ルール］→［指定の値より小さい］をクリックする。

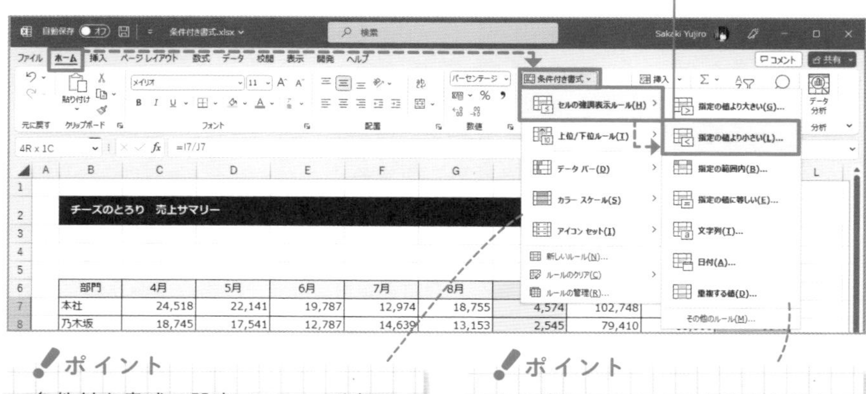

ポイント
条件付き書式の設定メニューが表示されます。条件付き書式の新しいルールを作成することもできます。

ポイント
よく使われるルールが表示されます。［その他のルール］から細かく指定することもできます。

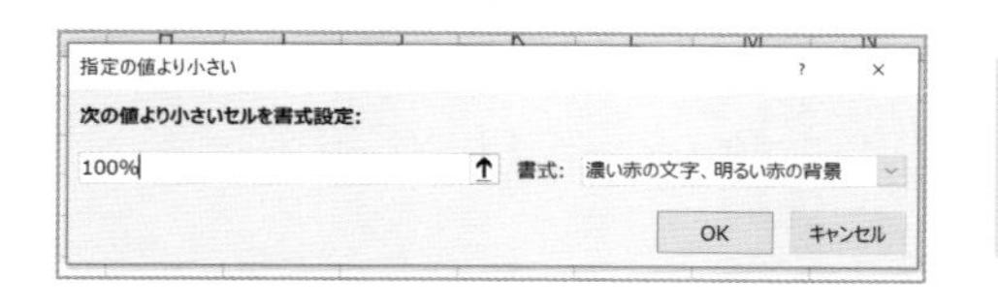

❸［指定の値より小さい］ダイアログボックスが表示されたら、「値」を「100%」として［OK］をクリックする。

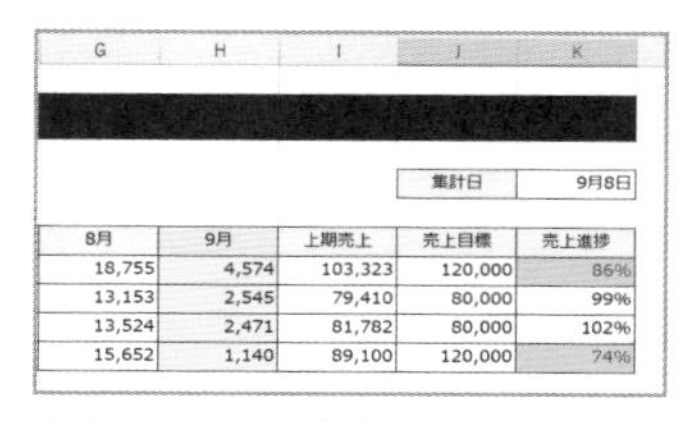

			集計日	9月8日
8月	9月	上期売上	売上目標	売上進捗
18,755	4,574	103,323	120,000	86%
13,153	2,545	79,410	80,000	99%
13,524	2,471	81,782	80,000	102%
15,652	1,140	89,100	120,000	74%

❹値が100%未満のセルが強調された。

順位も自動で表示できる

条件付き書式の［上位/下位ルール］を設定すると、「上位○項目」「下位○%」「平均より上」のように、指定した順位のセルにそれぞれ色を付けて区別することができます。値が変動して順位が変わると、書式にも反映されるため、簡単にチェックできます。

条件付き書式の種類

条件付き書式の設定は、[条件付き書式] ボタンを押すと表示される一覧から選択すると簡単です。下の3つは、色分けやバーの長さ、アイコンなどを使って、数値の大きさや違いをわかりやすく目立たせることができます。

数値のイメージがビジュアル化されてひと目でわかる！便利だね

●カラースケール

集計日	9月8日

売上目標	売上進捗
120,000	86%
80,000	99%
80,000	102%
120,000	74%

複数の色分けや色の濃淡によって、セルの値がどの程度か色で表現できます。

●データバー

Check! →P190

集計日	9月8日

売上目標	売上進捗
120,000	86%
80,000	99%
80,000	102%
120,000	74%

横棒グラフのようなバーで、値の大小を表現。値が大きいほどバーが長くなります。

●アイコンセット

Check! →P194

集計日	9月8日

売上目標	売上進捗
120,000	86%
80,000	99%
80,000	102%
120,000	74%

数値の大きさに応じて指定したアイコンを表示することができます。

条件付き書式をまとめて解除

[ホーム] タブの [条件付き書式] ボタンを押し、[ルールのクリア] → [シート全体からルールをクリア] をクリックすると、すべての条件付き書式の設定が解除されます。
先に、解除したい範囲を選択して、[選択したセルからルールをクリア] をクリックして、部分的に解除することもできます。

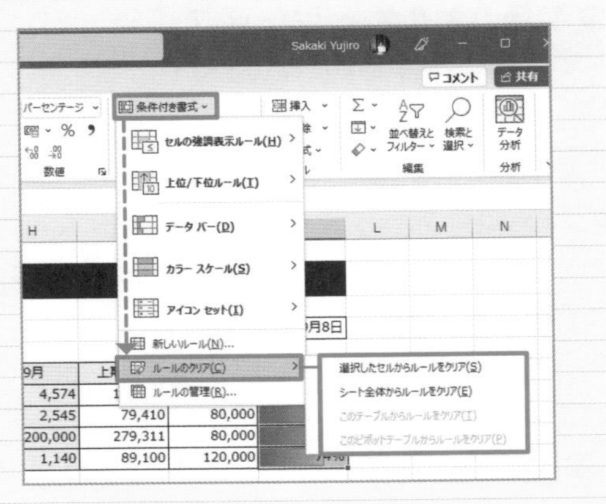

「データバー」で売上の進捗を明らかに

条件付き書式　データバー

「○％」などの数値表示だけでなくて、目標の達成状況がもっと見やすくなると助かるんだけどなぁ

それなら、「データバー」を表示させるといいニャ！

Check!
データバー
→P189

データバーって、横棒グラフみたいな表示ですよね～。なんだか難しそう……

大丈夫！　設定方法は、気が抜けるほど簡単ニャ

数値の大きさを「バー」で表現

条件付き書式の種類の1つである「データバー」を使うと、数値の大きさに応じて、セル内に横棒グラフのようなバーを表示することができます。

値の大きさがバーの長さに置き換えられるため、データ量が多くても、数値の大きさの比較や、数値の変動／推移が、ひと目でわかります。たとえば、数値の大きさだけでなく、割合や進捗状況なども視覚化でき、理解しやすい資料の作成に重宝します。

マイナスの数値のときは左側にバーを表示する、数値を表示しないでバーだけを表示する、バーの色を変更する／グラデーションにする、などの調整も、［書式ルールの編集］ダイアログボックス（→P193）から、簡単に設定することができます。

▶達成率をデータバーで表示する

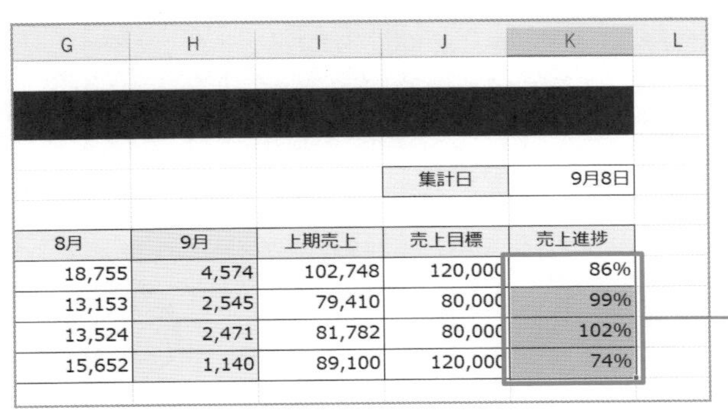

G	H	I	J	K
			集計日	9月8日
8月	9月	上期売上	売上目標	売上進捗
18,755	4,574	102,748	120,000	86%
13,153	2,545	79,410	80,000	99%
13,524	2,471	81,782	80,000	102%
15,652	1,140	89,100	120,000	74%

❶データバーを表示させたいセルの範囲を選択する。

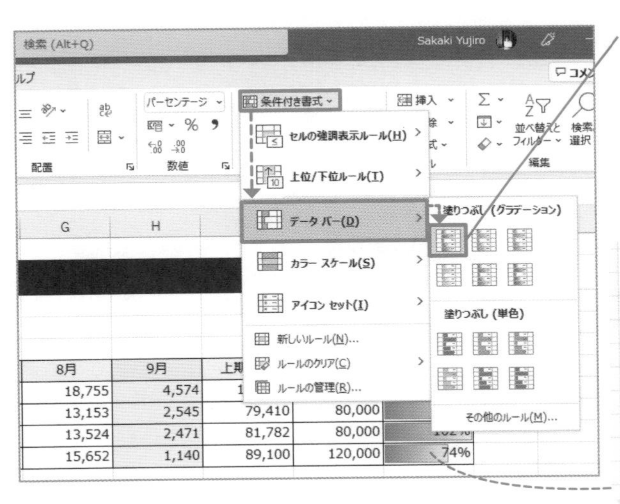

❷[ホーム]タブの[条件付き書式]ボタンを押し、[データバー]→[塗りつぶし]で好みの色をクリック。

ポイント

[塗りつぶし]の各アイコンにカーソルをのせると、「リアルタイムプレビュー」機能によってその色のバーが表示され、確認できます。

G	H	I	J	K
			集計日	9月8日
8月	9月	上期売上	売上目標	売上進捗
18,755	4,574	102,748	120,000	86%
13,153	2,545	79,410	80,000	99%
13,524	2,471	81,782	80,000	102%
15,652	1,140	89,100	120,000	74%

❸数値に応じた長さのデータバーが表示された。

わぁ！
あっという間に
できたよ

データバーの設定で、気を付けたいポイントがあるニャ。こんなふうに数値を変えると、どう見える？

売上進捗
86%
99%
102%
74%

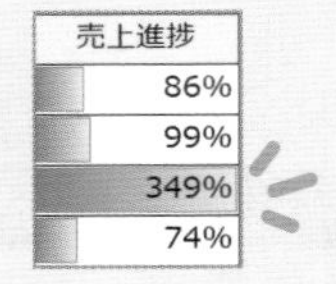

売上進捗
86%
99%
349%
74%

極端な値に変更

え～！？　とびぬけて高い値があるせいで、99%のバーさえこんなに短い……。バーを見ても、達成状況がわかりません～

初期設定では、セル選択した範囲の最大値が「バーの最大値」となっているのよ。「最大値」を調整して、見づらさを解消しましょう

▶最大値を指定する（バーの表示方法を編集する）

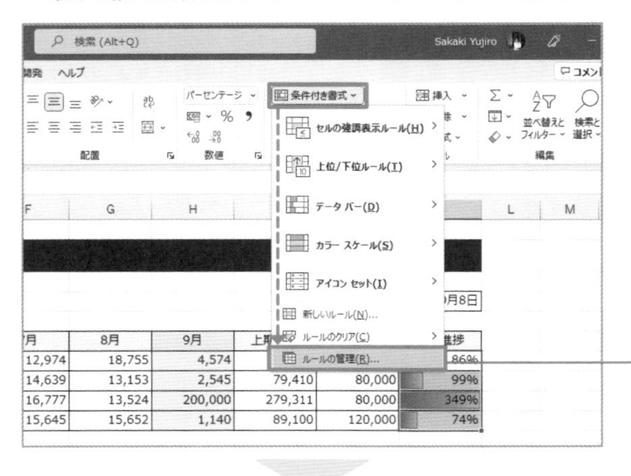

❶データバーを設定したセル範囲（K7～K10）を選択する。

❷［ホーム］タブの［条件付き書式］ボタンを押して、［ルールの管理］をクリック。

条件付き書式ルールの管理
書式ルールの表示(S):　現在の選択範囲
新規ルール(N)...　ルールの編集(E)...　ルールの削除(D)　重複ルール(C)
ルール（表示順で適用）　書式　適用先　条件を満たす場合は停止
データ バー　=$K$7:$K$10
OK　閉じる　適用

❸［条件付き書式ルールの管理］ダイアログボックスが表示される。

❹［ルールの編集］タブをクリックする。

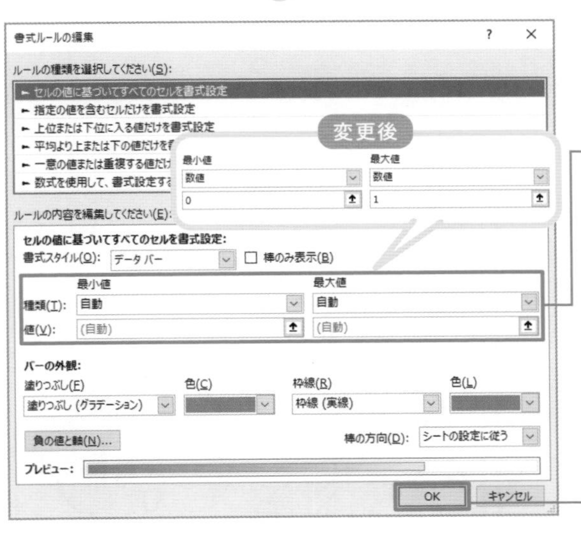

❺［書式ルールの編集］ダイアログボックスが表示される。

❻［最小値］の［種類］欄を［数値］にし、［値］欄に「0」を入力。［最大値］の［種類］欄を［数値］にし、［値］欄に「1」を入力する。

❼［OK］をクリックする。

❽［条件付き書式ルールの管理］ダイアログボックスが再表示されたら、［OK］をクリック。

G	H	I	J	K
			集計日	9月8日
8月	9月	上期売上	売上目標	売上進捗
18,755	4,574	102,748	120,000	86%
13,153	2,545	79,410	80,000	99%
13,524	200,000	279,311	80,000	349%
15,652	1,140	89,100	120,000	74%

❾100％でMAXとなるようにバーの表示が変更された。

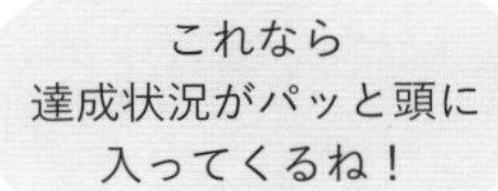

上の手順❻で値の最大値を「1」としたのは、100％=1と考えるためです。

「アイコンセット」で在庫切れを未然に防ぐ

条件付き書式　アイコンセット

数値の大きさに応じて、セルの左端に指定のアイコンを表示する機能を「アイコンセット」というニャ

Check!
アイコンセット
➜ P189

矢印や図形、記号など、いろんなアイコンがあって楽しそう！

▶在庫数に応じて、アイコンを表示する

部門	8月在庫	8月出荷	8月入荷	9月在庫
本社	12	13	2	1
乃木坂	8	9	6	5
青山	11	8	4	7
赤坂	11	5	5	11

❶アイコンセットを表示するセル範囲を選択する。

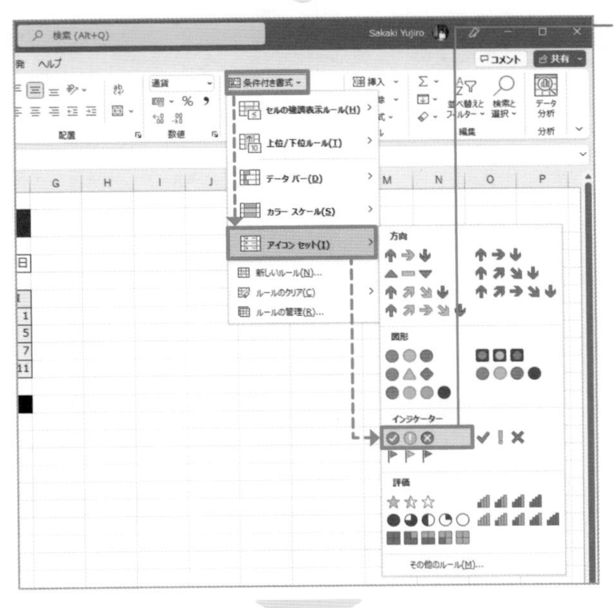

❷[ホーム]タブの[条件付き書式]→[アイコンセット]から好みのアイコンの種類を選んでクリックする。

部門	8月在庫	8月出荷	8月入荷	9月在庫
本社	12	13	2	1
乃木坂	8	9	6	5
青山	11	8	4	7
赤坂	11	5	5	11

❸数値の大きさに応じてアイコンが表示された。

アイコンセットも簡単に設定できたよ！　勝手に別々のアイコンが付いたけど、これもデータバーのように初期設定されてるのかな？

その通りニャ。在庫がいくつのときに、どのアイコンを表示させるか、自分で調整しよう

▶アイコンの表示方法を変更する

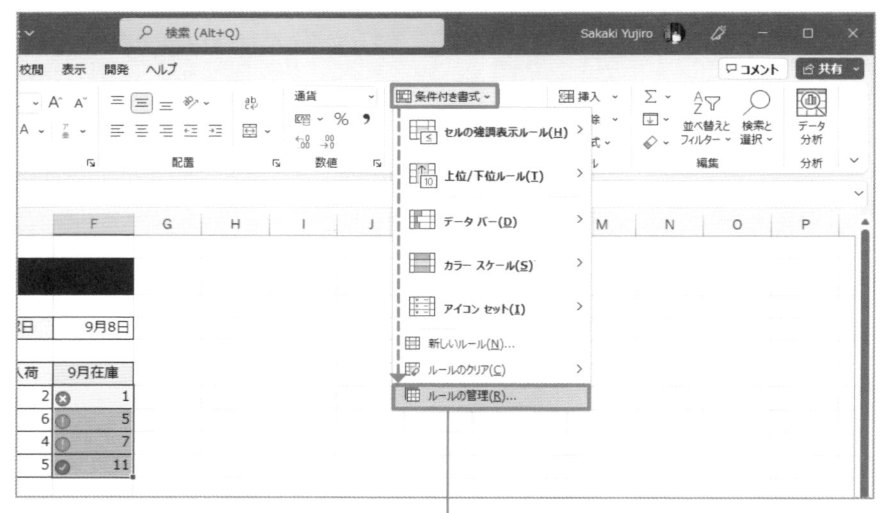

❶アイコンセットを設定したセル範囲（F7 ～ F10）を選択する。

❷［ホーム］タブの［条件付き書式］→［ルールの管理］をクリックする。

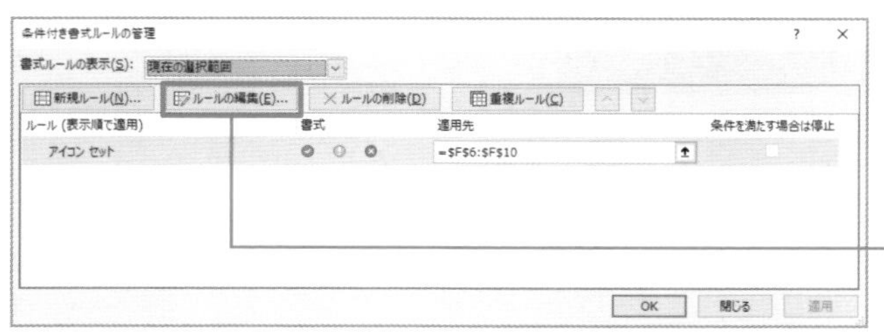

❸［条件付き書式ルールの管理］ダイアログボックスが表示される。

❹［ルールの編集］をクリックする。

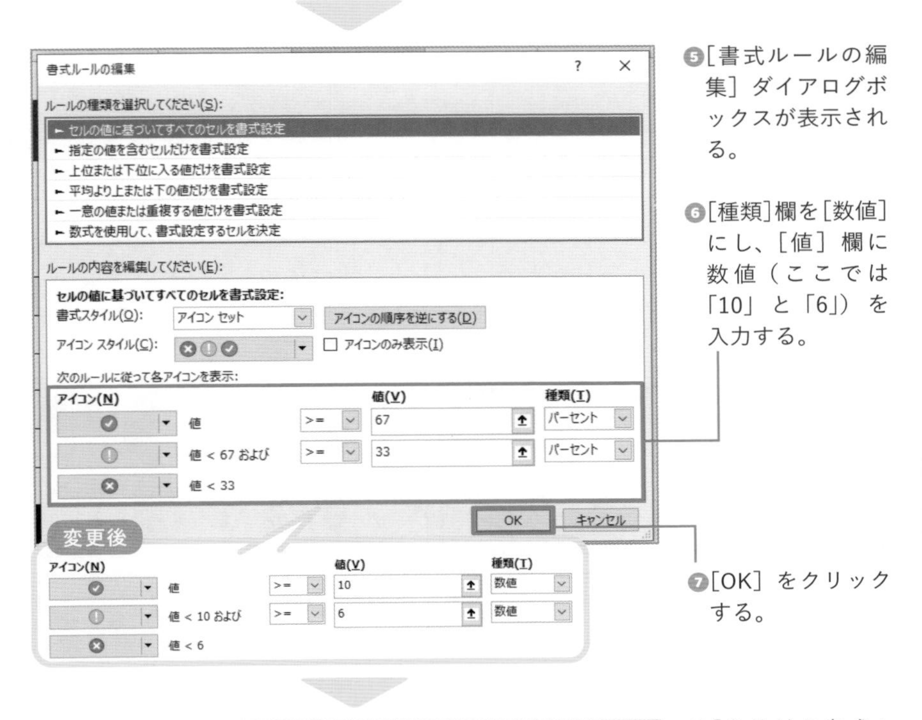

❺［書式ルールの編集］ダイアログボックスが表示される。

❻［種類］欄を［数値］にし、［値］欄に数値（ここでは「10」と「6」）を入力する。

❼［OK］をクリックする。

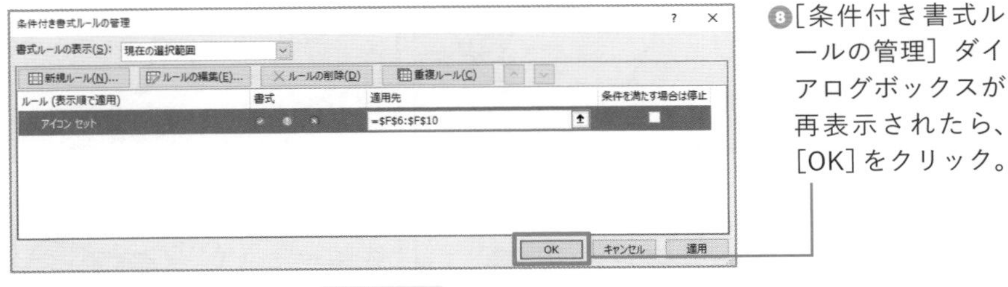

❽［条件付き書式ルールの管理］ダイアログボックスが再表示されたら、［OK］をクリック。

ジョセフィーヌ在庫表

確認日	9月8日

部門	8月在庫	8月出荷	8月入荷	9月在庫
本社	12	13	2	1
乃木坂	8	9	6	5
青山	11	8	4	7
赤坂	11	5	5	11

❾指定した条件（ここでは在庫が9個以下を［!］、5個以下を［×］に指定）に合わせてアイコンが表示された。

表の項目や数値から一瞬でグラフを作成する

グラフ　グラフの種類

見るだけで瞬時に伝えられる

Excelで作成した表を「相手にきちんと伝わる資料」に仕上げる手段の1つが、グラフの活用です。グラフは見る人の視覚に訴えるため、数値を読み取って理解する表と比べて、情報をすばやく伝えることができます。

Excelでは、表をもとに簡単な手順でグラフを作成できます。ただ、何も考えずにグラフ化すると情報過多になって伝わりにくいもの。「必要な情報に絞ってグラフ化する」「伝わるように見映えを整える」の2つの点を心がけましょう。

主なグラフの種類

内容に応じて
適したグラフが
あるんだね！

●折れ線グラフ

→ 変化の推移を見たいときに

売上高の推移や市場の動向など、時系列に沿って数値の推移を確認したいときに役立ちます。店舗ごとの売上推移を見るときなども、複数の折れ線グラフで表示できます。

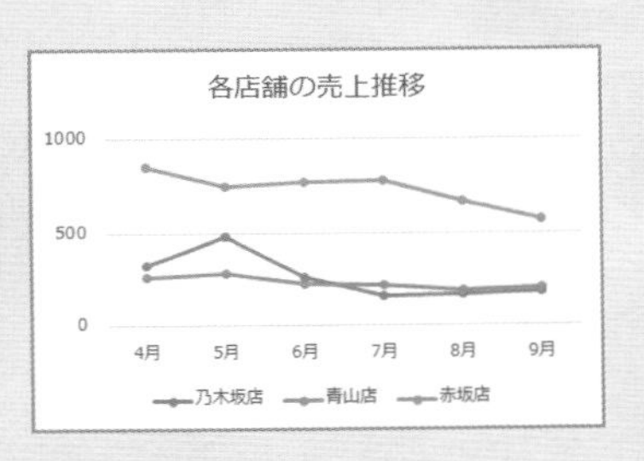

●（縦）棒グラフ※

→ 数値の大小を比べるときに

品目別の売上や、担当者別実績など、数値の大きさを比較したいときに適しています。内訳を示すには「積み上げ縦棒」※、割合を比べるには「100％積み上げ縦棒」※が便利です。

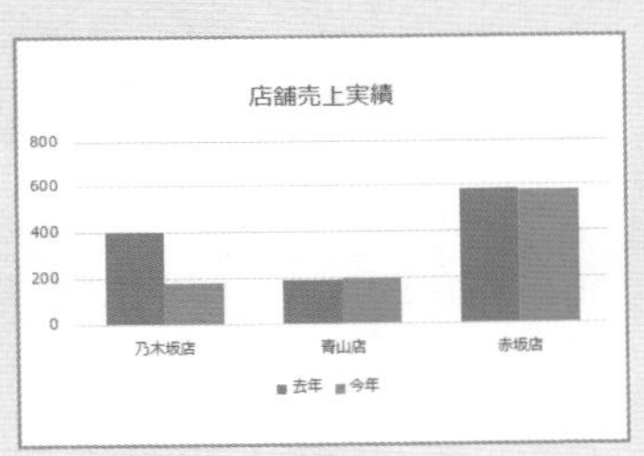

●横棒グラフ

→ 縦棒グラフと比較してみて

縦棒グラフでは伝わりにくいと感じたときは、横棒グラフにしてみましょう。とくに「100％積み上げ縦棒」グラフは、横棒グラフに直したほうが見やすい場合があります。

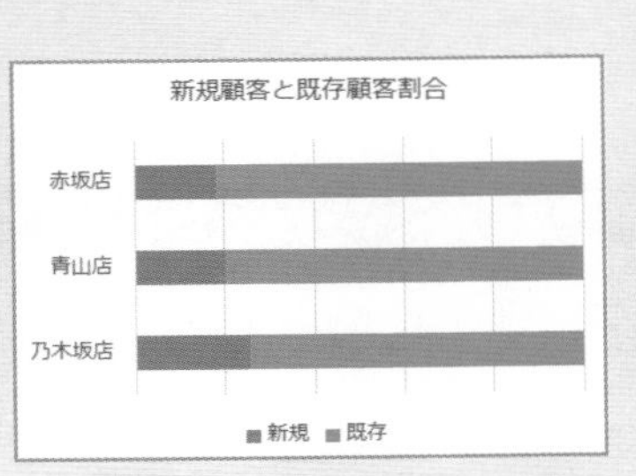

●円グラフ

→ 割合を見るときに

比率や内訳など、各要素の割合を示したいときに使います。ただし、要素の種類が多すぎたり、各要素の比率が同程度だと、わかりづらくなります。その際は、棒グラフを試してみましょう。

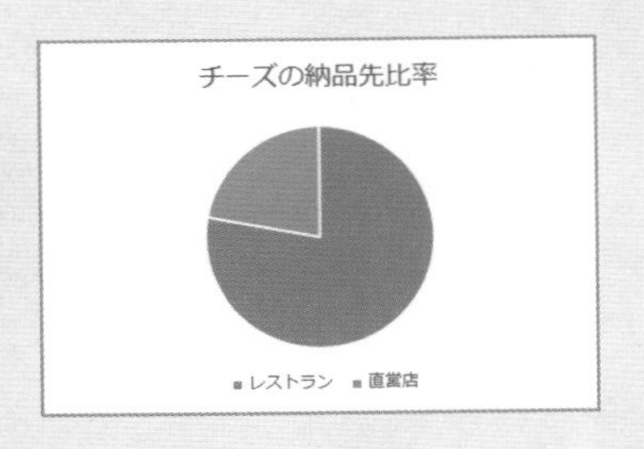

棒グラフ…通常の棒グラフのほかに、複数の項目の大きさと割合の両方を表す「積み上げ縦（横）棒」や、複数の項目の割合を比較する「100％積み上げ縦（横）棒」などの種類があります。

「折れ線グラフ」で売上推移をチェック！

折れ線グラフ

さっそく、売上表をもとにグラフを作ろう。売上が時系列に推移する様子を見せるには「折れ線グラフ」が最適ニャ！

▶折れ線グラフを作成する

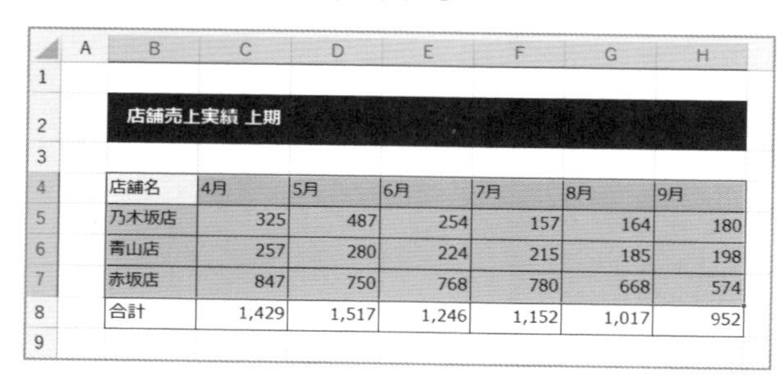

店舗売上実績 上期

店舗名	4月	5月	6月	7月	8月	9月
乃木坂店	325	487	254	157	164	180
青山店	257	280	224	215	185	198
赤坂店	847	750	768	780	668	574
合計	1,429	1,517	1,246	1,152	1,017	952

❶グラフのもとになるセル範囲を選択する（ここではセルB4～H7）。

❷［挿入］タブの［折れ線/面グラフの挿入］→［マーカー付き折れ線］をクリックする。

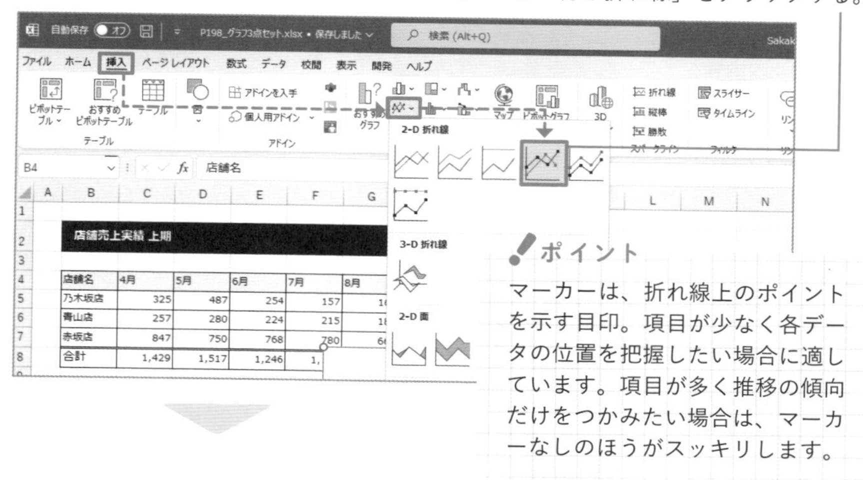

ポイント

マーカーは、折れ線上のポイントを示す目印。項目が少なく各データの位置を把握したい場合に適しています。項目が多く推移の傾向だけをつかみたい場合は、マーカーなしのほうがスッキリします。

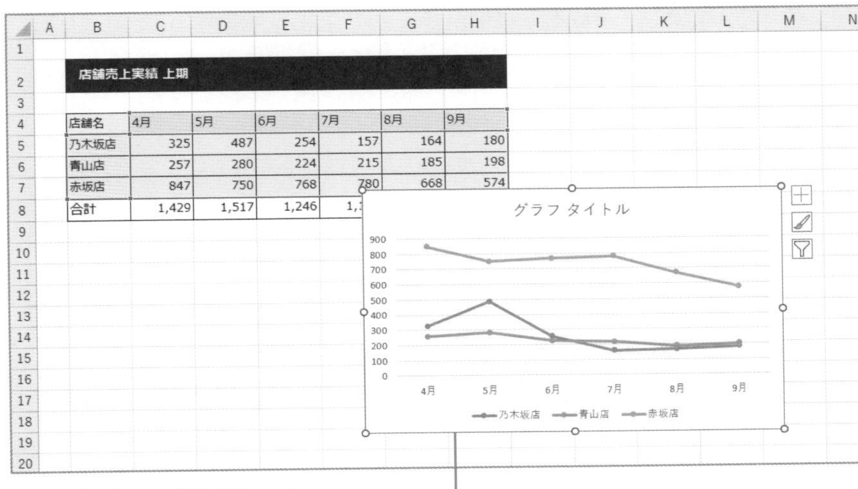

店舗売上実績 上期

店舗名	4月	5月	6月	7月	8月	9月
乃木坂店	325	487	254	157	164	180
青山店	257	280	224	215	185	198
赤坂店	847	750	768	780	668	574
合計	1,429	1,517	1,246	1,1		

❸折れ線グラフが表示された。

もうできちゃった。なんて簡単なの!!
簡単だけど、まだ完成じゃないわ。伝わるグラフに変えるために、調整していきましょう!

グラフの構成要素

グラフを構成する主な要素は、右の通りです。軸の名称やデータの値などを表示する軸ラベルやデータラベルを追加することもできますし、不要な要素を削除することもできます。

グラフエリア（グラフ全体の領域）

グラフタイトル

目盛線

データ要素

縦（値）軸

凡例(はんれい)※

横（項目）軸

凡例…折れ線や棒などが、どの項目を示しているのかを説明しています。通常、グラフの下側や右側に表示されますが、非表示にしたり、より見やすい位置に移動することもできます。

まずはグラフのタイトルをつけよう。何のグラフなのかが伝わるタイトルを考えるニャ

▶グラフタイトルを変更する

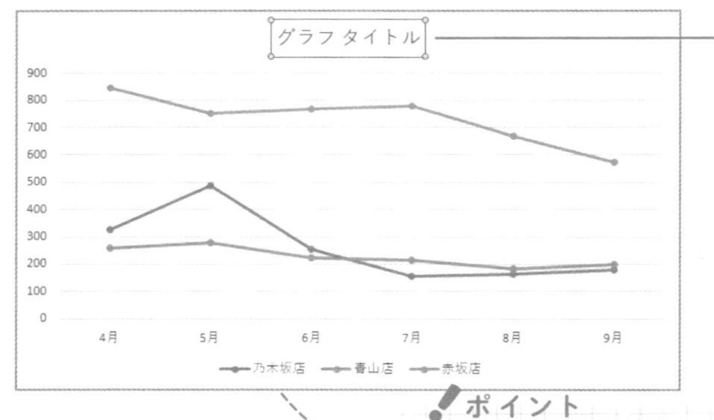

❶グラフタイトルをクリックする（グラフタイトルが選択される）。

❷グラフタイトルをもう一度クリックしてカーソルが表示されたらグラフタイトルを編集する。

ポイント

グラフタイトルを選択したら、数式バーを使ってグラフタイトルを入力することもできます。

店舗売上実績 上期

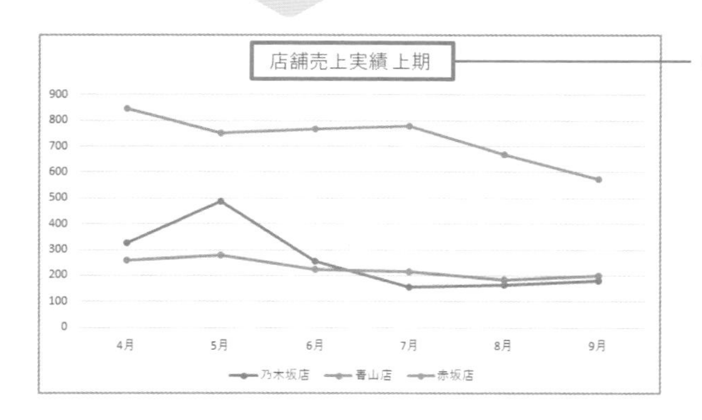

❸グラフタイトルが変更された。

Check!
シート見出し
➜P76

グラフタイトルは短いほうがスッと頭に入るよ。シート見出しと同様、シンプルに名付けてほしい

グラフまわりでは既定のフォントが選択されるけど、ワークシートのフォントに揃えると、見やすさがアップするニャ

▶グラフエリアのフォントを変更する

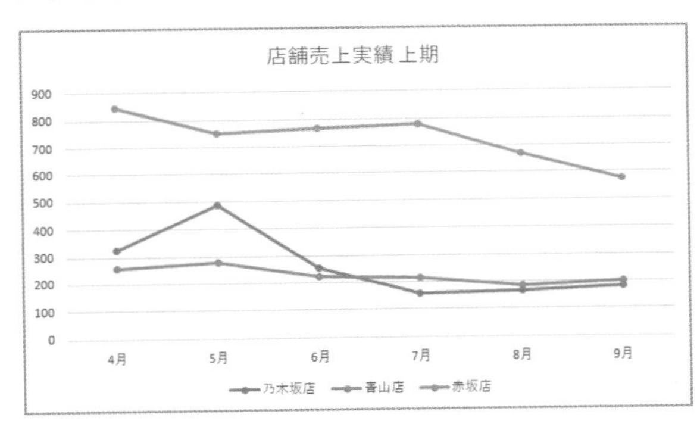

❶グラフの余白部分をクリックする（グラフエリア全体が選択される）。

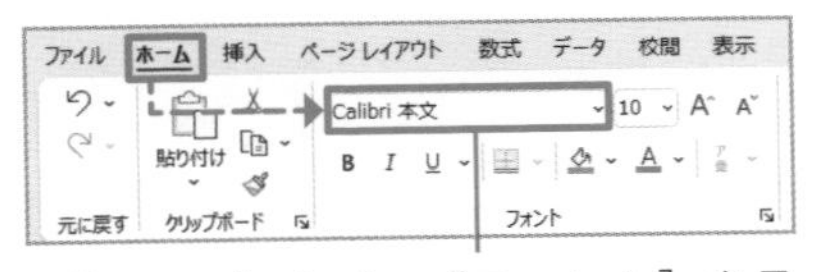

❷［ホーム］タブの［フォント］を見ると、「Calibri本文」が設定されていることがわかる。

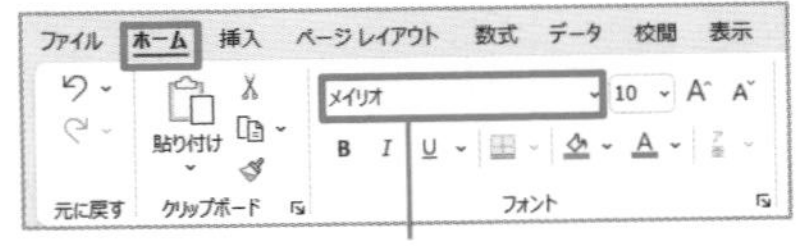

❸［フォント］をワークシートと同じフォントに揃える（ここでは「メイリオ」に変更）。

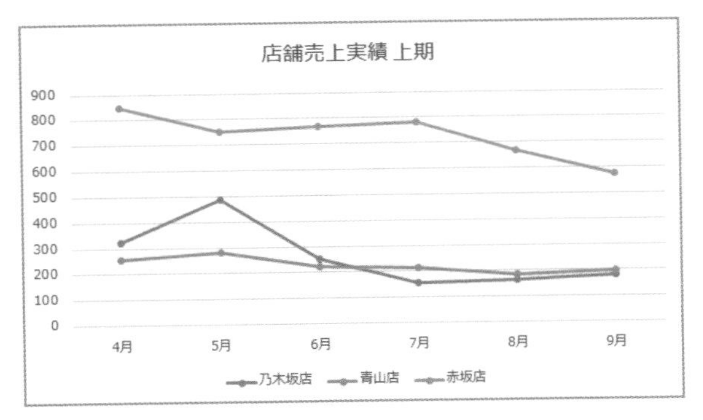

❹フォントが「メイリオ」に変更された。

次は、軸の最大値と間隔を調整するニャ。軸の表示を最適化すると値が理解しやすくなるニャ

▶軸の表示方法を調整する

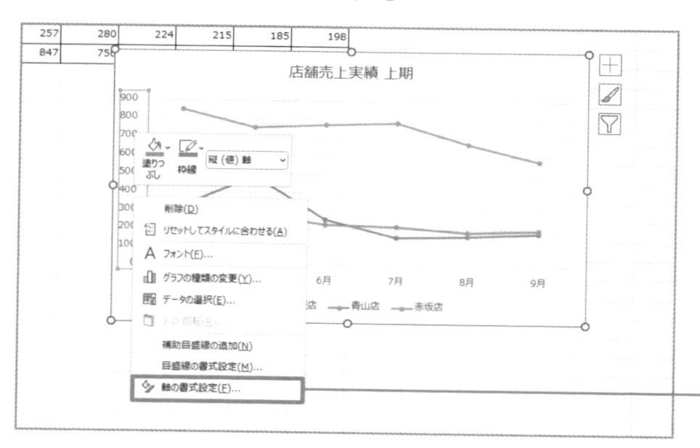

❶グラフの縦軸の目盛を右クリックし、［軸の書式設定］をクリックする。

軸の書式設定
軸のオプション　文字のオプション
軸のオプション
境界値
最小値(N)　0.0　自動
最大値(X)　900.0　自動
単位
主(J)　100.0　自動
補助(I)　20.0　自動
横軸との交点
自動(O)
軸の値(E)　0.0
軸の最大値(M)
表示単位(U)　なし
表示単位のラベルをグラフに表示する
対数目盛を表示する(L)　基数(B)　10
軸を反転する(V)
目盛
ラベル
表示形式

❷［軸の書式設定］ダイアログボックスが表示される。

❸［最大値］を「1000.0」に、［単位］の［主］※を「200.0」に変更する。［補助］は自動的に「40.0」に変更される。

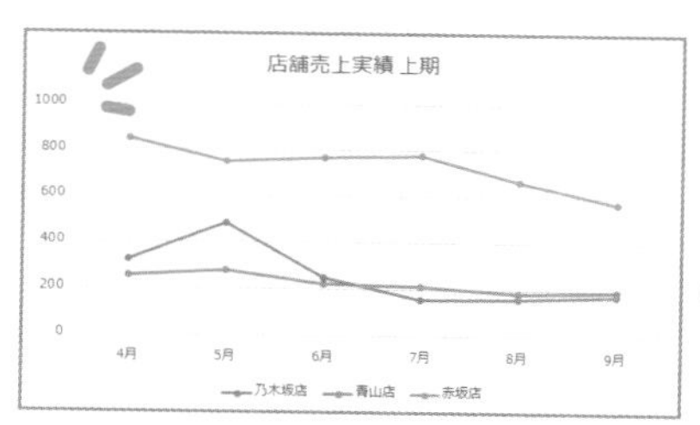

❹縦軸の最大値や間隔が変更された。

※［主］…グラフに表示する目盛線のことを［主(線)］といいます。ちなみに［補助(線)］は主線と主線の間に表示する補助目盛線のことで、指定の単位ごとに挿入できます。

背景にある「目盛線」が邪魔に感じる場合は、消すこともできます。代わりに縦軸の［目盛］を入れると、値の目安を残しつつ、スッキリした見た目になります

▶目盛線を消して、目盛を入れる

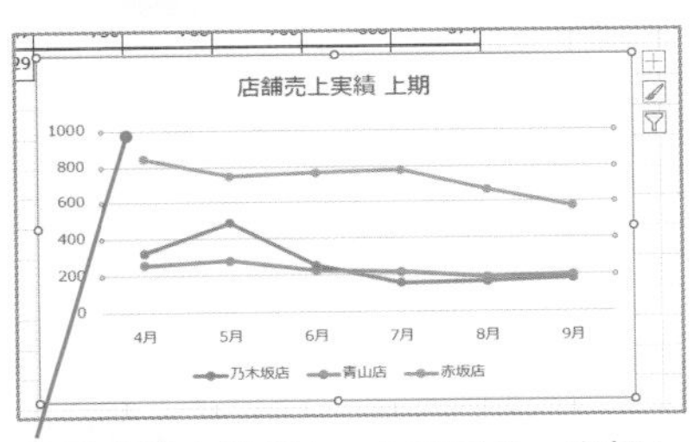

❶目盛線を選択し、Deleteキーを押して削除する。

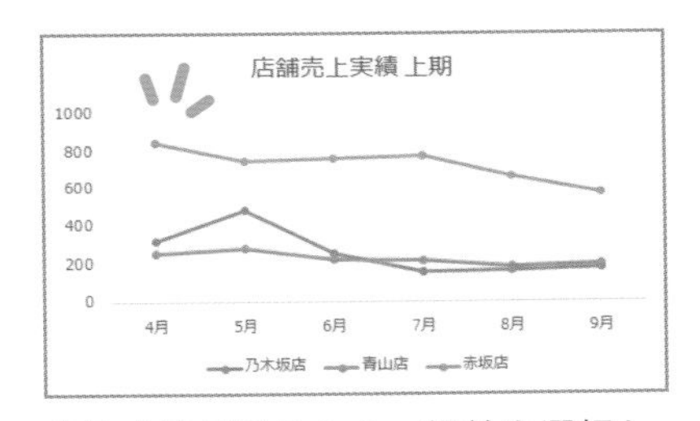

❷目盛線が消えたら、縦軸を選択し、右クリック→［軸の書式設定］をクリック。

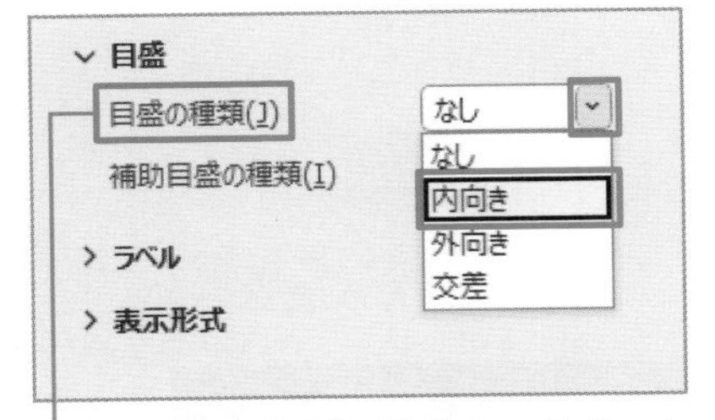

❸［軸の書式設定］ダイアログボックスが表示されたら、［目盛］→［目盛の種類］を［内向き］に設定する。

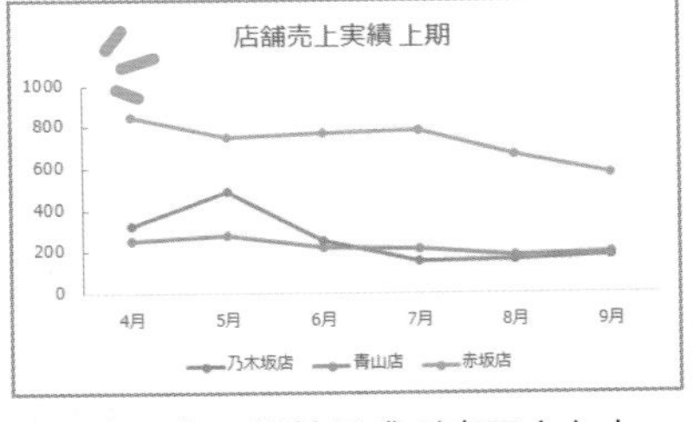

❹既定の色で縦軸目盛が表示された。

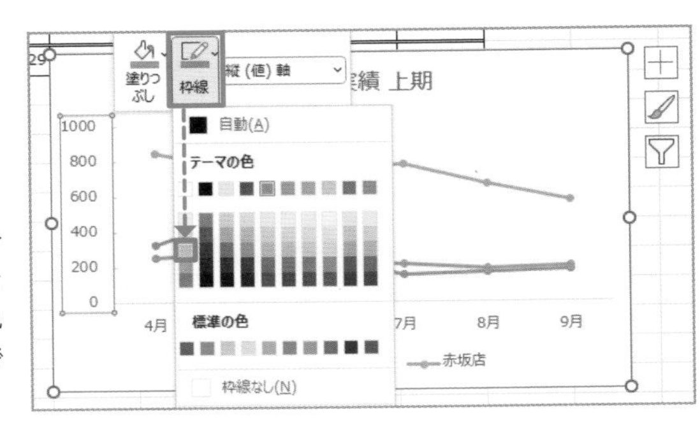

❺目盛を右クリック→［枠線］→好みの色を選ぶことで、目盛の色を変更できる（ここではグレーに変更）。

せっかくだから、売上推移の合計が「損益分岐点」を越えたかどうか、折れ線グラフでわかると助かるんだけど……

損益分岐点ですか～（って何だろう……？）

損益分岐点は、収支がトントンになる、赤字でも黒字でもないポイントのこと。損益分岐点を下回ると赤字よ

表に「損益分岐」を追加すれば、そのグラフもすぐ作れるニャ

▶損益分岐点のグラフを作成する

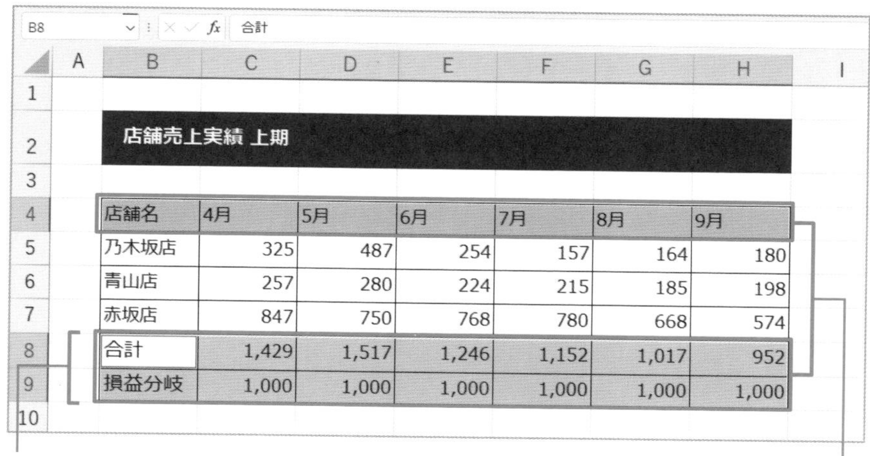

店舗売上実績 上期

店舗名	4月	5月	6月	7月	8月	9月
乃木坂店	325	487	254	157	164	180
青山店	257	280	224	215	185	198
赤坂店	847	750	768	780	668	574
合計	1,429	1,517	1,246	1,152	1,017	952
損益分岐	1,000	1,000	1,000	1,000	1,000	1,000

❶表の下に損益分岐点を入力する。

❷Ctrlキーを押しながら、表の見出しと合計、損益分岐の範囲を選択する。

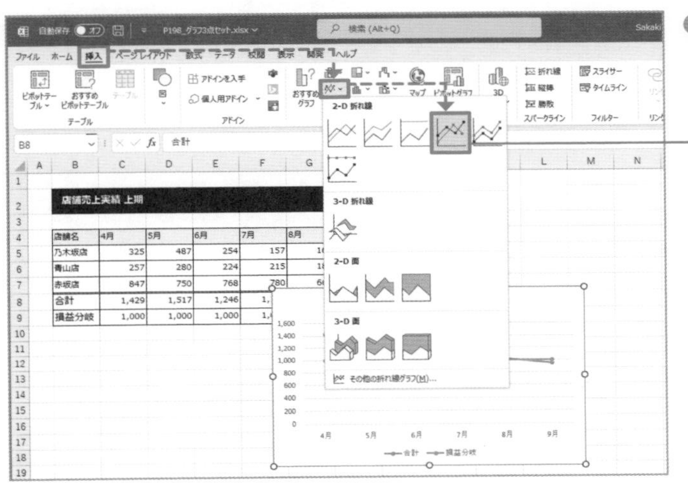

❸［挿入］タブの［折れ線／面グラフの挿入］→［マーカー付き折れ線］をクリックする。

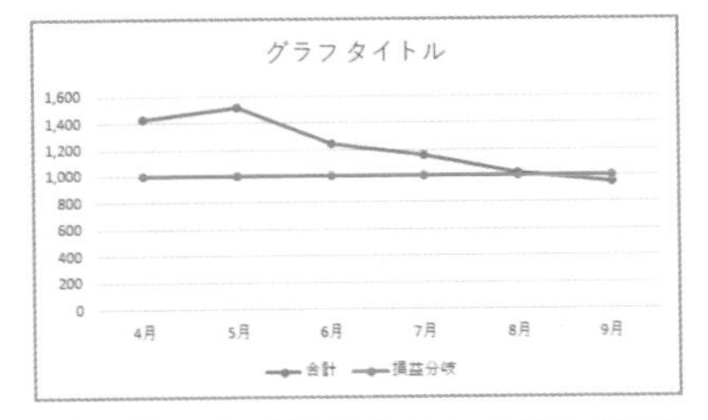

❹「合計」と「損益分岐」の折れ線グラフが作成された。

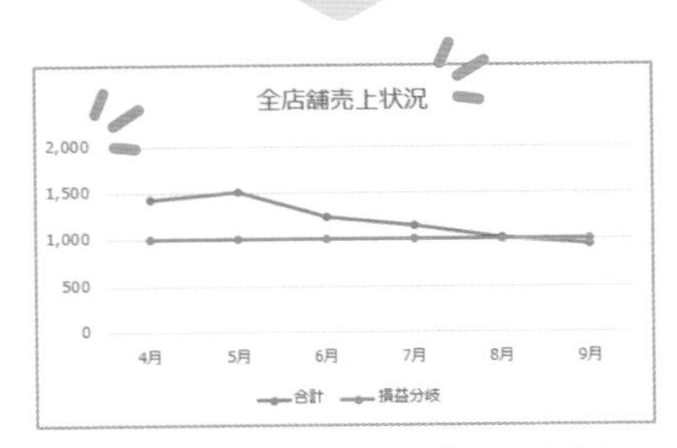

❺ P202 ～ 205 と同じように、グラフタイトルの変更や、軸の目盛間隔などの調整を行って完成。

損益分岐点を割り込んだってことは、赤字……。このままじゃ倒産!?

大丈夫よ。ちゃんとチーズを確保できたもの！来月から売上も戻ってくるはずだよ

先読みして動いたおかげニャ

「縦棒グラフ」で今年と前年を比較する

縦棒グラフ　データ系列

前年比の売上データが気になるな〜。これも折れ線グラフで「見える化」してみようっと！

リコちゃん……、去年と今年の２点だけだと、折れ線じゃなくて、直線にしかならないニャ

そうね、折れ線グラフは時系列でデータを見るものだから、２点だと伝わりにくいわ。こんなときは「棒グラフ」を使いましょう

棒グラフか〜。作成方法は折れ線グラフと同じかな？　試しにやってみます！

■ もっともポピュラーな棒グラフ

数値の大小関係を比較したいときには、棒グラフが適しています。数値が棒の長さに置き換わり、大きさの違いが視覚的に表現されます。

作り方は、折れ線グラフと同様ですし、作成直後のグラフが未完成な仮の状態であることも同じです。作成者の意図が正しく伝わるように、タイトルをつけたり、目盛を調整したり、配置を整えたりしていきましょう。

グラフを作ると、リボンに［グラフツール］として［グラフのデザイン］［書式］タブが追加されます。その中の［グラフスタイル］※機能を使うと、クリックするだけで多彩なスタイルのグラフに変えられます。しかし、「機械的に見映えを整えたグラフ＝意図が伝わるグラフ」ではありません。手動で調整していくのは手間がかかりますが、何をどう見せたいのか整理して、自分でデータを説明できるグラフにすることが大切です。

［グラフスタイル］…Excelには、グラフ要素の配置や色、書式、見せ方などを組み合わせたいろいろな［グラフスタイル］が用意されています。一覧から選ぶと、グラフの見映えがパッと切り替わります。

▶棒グラフを作成する

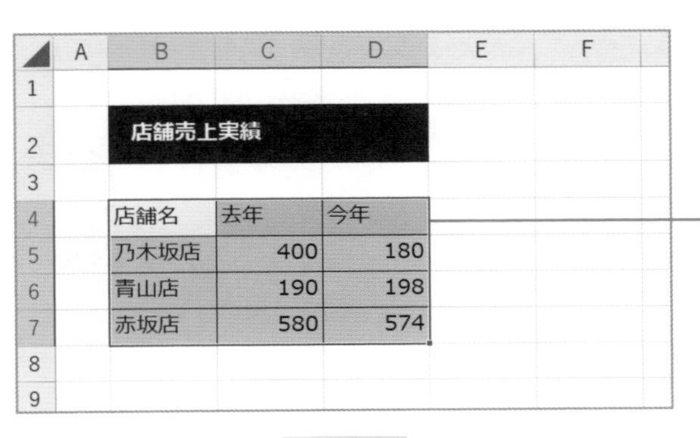

	A	B	C	D	E	F
1						
2		店舗売上実績				
3						
4		店舗名	去年	今年		
5		乃木坂店	400	180		
6		青山店	190	198		
7		赤坂店	580	574		
8						
9						

❶グラフのもとになるデータの範囲を選択する。

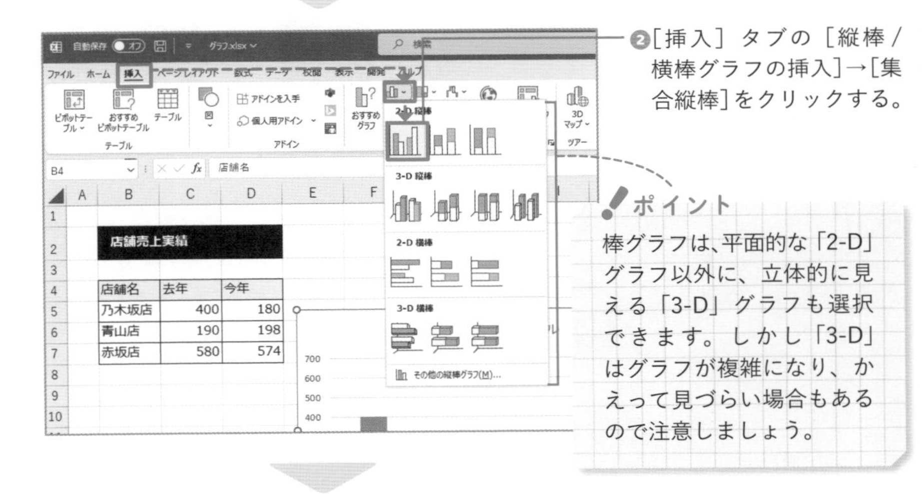

❷[挿入] タブの [縦棒/横棒グラフの挿入]→[集合縦棒]をクリックする。

ポイント

棒グラフは、平面的な「2-D」グラフ以外に、立体的に見える「3-D」グラフも選択できます。しかし「3-D」はグラフが複雑になり、かえって見づらい場合もあるので注意しましょう。

グラフタイトル

700
600
500
400
300
200
100
0

乃木坂店　青山店　赤坂店

■去年 ■今年

❸棒グラフが作成された。

作成された棒グラフは、折れ線グラフのときと同じように見やすく調整するニャ

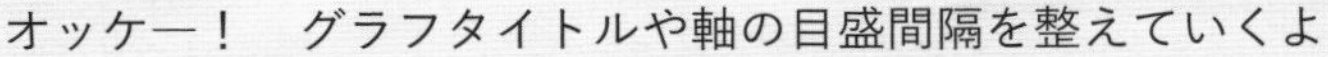

オッケー！　グラフタイトルや軸の目盛間隔を整えていくよ

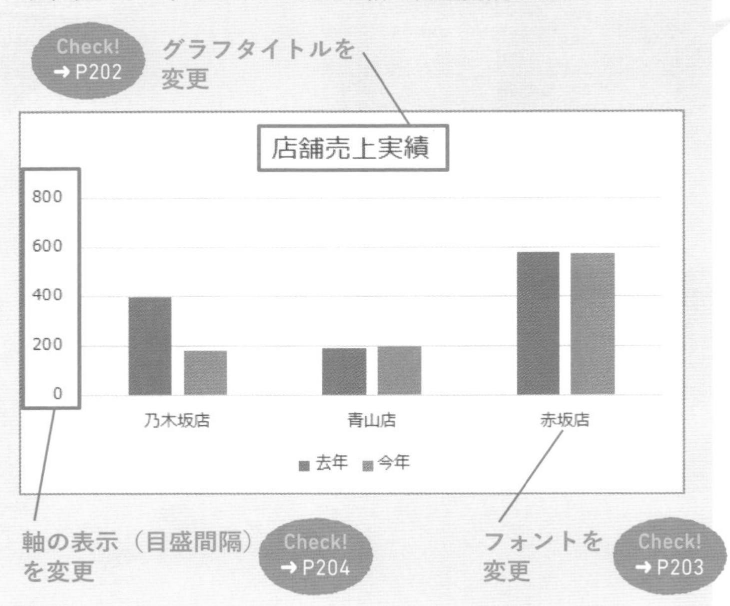

見やすくなったニャ！　棒グラフの棒部分は「データ系列※」と呼ぶよ。棒の太さや棒と棒の間隔も調整できるから、手順を覚えておくニャ

色使いも重要な情報！

グラフは作成時に、データの種類ごとに自動で色分けされます。同じ棒グラフでも、配色によって印象や見やすさが変わりますので、必要に応じて手動で調整しましょう。コーポレートカラーを使う、目立たせたいデータだけ色を変えるなど工夫してみましょう。

データ系列…棒グラフの場合、グラフ上で同じ色で表示される棒の集まりを指します。棒の1本1本のことは、「データ要素」（→P201）といいます。

▶棒のバランスを整える

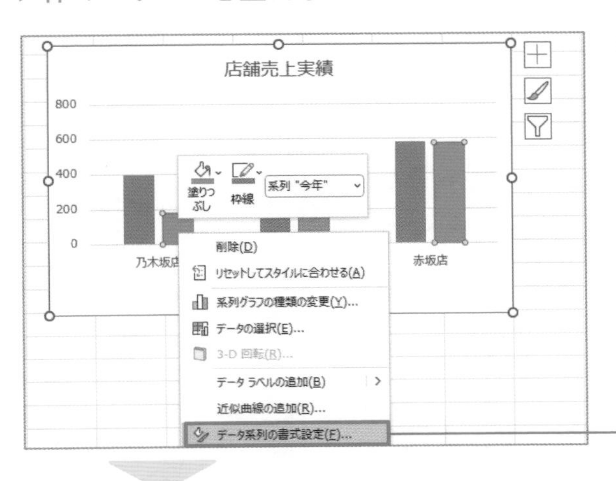

❶棒グラフの棒部分を選択して、右クリック→［データ系列の書式設定］をクリックする。

❷［データ系列の書式設定］ダイアログボックスが表示される。

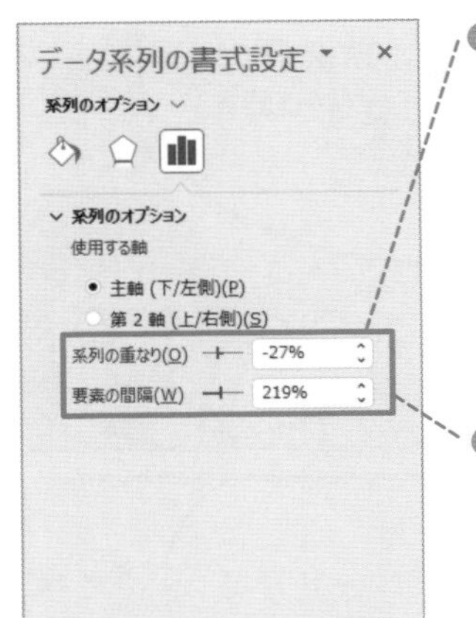

❸［系列の重なり］を［0%］に、［要素の間隔］を［100％］に変更すると……

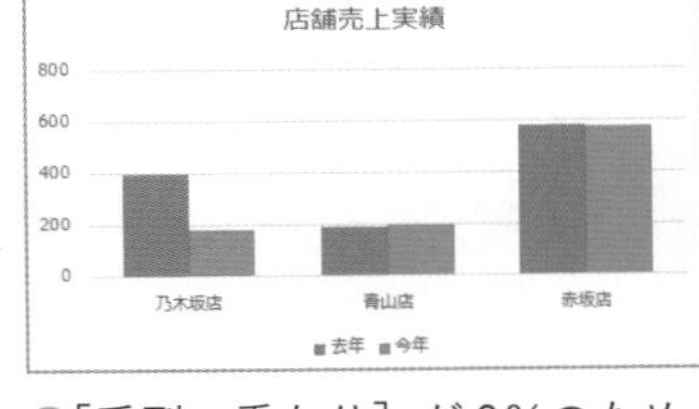

❹［系列の重なり］が0%のため、「今年」と「去年」の棒がピタッとくっついた。

❺［系列の重なり］を［0%］に、［要素の間隔］を［300％］に変更すると……

店舗売上実績

800 / 600 / 400 / 200 / 0

乃木坂店　青山店　赤坂店

■去年　■今年

❻店舗ごとの間隔が広くなったぶん、バーが細くなった。

［要素の間隔］が100%のときは、棒グラフの太さと、次の棒グラフとの間隔が「1：1」になります。「300%」だと「1：3」になるため、上のように棒グラフが細くなります。

今すぐ集計表を作りたい！

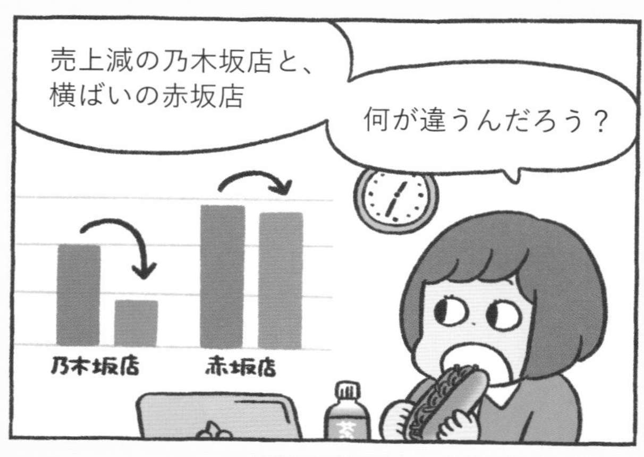

売上減の乃木坂店と、
横ばいの赤坂店
何が違うんだろう？
乃木坂店
赤坂店

おーい、
リコちゃん！
うまそ〜
あげませんよ

全員
会議室に集合ー
14時の会議までに、
『各店舗の既存客の割合』を
集計してくれない？
会員
（既存顧客）
未会員
（新規顧客）
もぐ…
分析に必要
なんだって
ウマ

僕は先に
打ち合わせがあるから、
よろしくお願い！
わ、わかり
ました！
忙しいときに
ゴメン！

データは
ダウンロードして
あるからね

			C
		コード	会員
	1日	N	11
3	9月1日	AK	15
4	9月1日	A	9
5	9月2日	N	10
6	9月2日	AK	11
7	9月2日	A	9
8	9月3日	N	3
9	9月3日		

『会員』を集計するなら SUMIF 関数かな？
あと１時間しかない～
あれ？『店舗別』も条件だから SUMIFS 関数かな？
ゴロン
VLOOKUP 関数も必要なんだっけ？わからなくなってきたー
わー
ネコ先生ー 何寝てるの⁉
ちょっとー‼
慌てることないニャ
そのデータなら、『ピボットテーブル』を使えば一瞬でできるよ
ピボット テーブル？
食後のお昼寝タイムが…
Pivot 回転軸
Table テーブル

「ピボットテーブル」で既存客の割合を集計する

ピボットテーブル　クロス集計　ピボットグラフ

簡単に集計ができる「ピボットテーブル」って、何？　レッスン４で学んだ関数とは違うの？

データベース形式の表をもとにして、「クロス集計表」をパッと作成できる機能ニャ

Check!
データベース
➜P162

クロス集計表？

複数のカテゴリーをかけ合わせて集計した表のことニャ。たとえば、右の表のように店舗ごとに「会員」「未会員」の人数を集計することができるよ

■ データをより細かく分析できる

分析の軸（ピボット）を設けて、表（テーブル）を作成する機能を「ピボットテーブル」といいます。ピボットテーブルを使うと、項目別の集計や、2つ以上の項目をかけ合わせるクロス集計を簡単に行うことができます。

たとえば、注文された日時や商品のID、購入数、価格、購入者などが記載された「1週間分のチーズの注文記録」があるとします。このデータベースからも「売上合計」を計算できますが、「商品ごとの売上合計」となると集計作業が必要です。ピボットテーブルなら簡単に集計表が作成できるうえ、簡単なマウス操作だけで、集計した項目を入れ替えることもできます。「店舗別」「日付別」の売上合計や、「購入者別の販売個数」など、さまざまな軸の集計表を作成することで、さまざまな切り口からデータを分析することが可能になります。

ピボットテーブルの基本

データベースが
あれば
簡単にできるニャ

これが
クロス集計表
なのね

ピボットテーブルを作成すると、たとえば右下のような集計表をラクに作ることができます。そのためには、もとの表が正しいデータベース形式であることが重要です。

●データベース形式の表（集計前）

	A	B	C	D	E	F	G
1	日付	店舗コー	会員	未会員			
2	9月1日	N	11	2			
3	9月1日	AK	15	2			
4	9月1日	A	9	1			
5	9月2日	N	10	5			
6	9月2日	AK	11	0			
7	9月2日	A	9	1			
8	9月3日	N	3	3			
9	9月3日	AK	18	3			
10	9月3日	A	8	1			
11	9月4日	N	3	6			
12	9月4日	AK	19	1			
13	9月4日	A	7	2			
14	9月5日	N	5	1			
15	9月5日	AK	17	1			
16	9月5日	A	8	3			
17	9月6日	N	8	7			
18	9月6日	AK	19	2			
19	9月6日	A	6	1			
20	9月7日	N	4	4			
21	9月7日	AK	28	0			
22	9月7日	A	10	3			
23	9月8日	N	3	1			
24	9月8日	AK	31	1			

購入履歴のデータベース。日付順に、各店舗での購入人数を会員／未会員を分けてカウントしたものです。

関数だけでなく
これも使えると
もっと便利だね

●ピボットテーブル（集計後）

	A	B	C	D	E
1					
2					
3	行ラベル	合計 / 会員	合計 / 未会員		
4	A	224	58		
5	AK	541	124		
6	N	240	124		
7	**総計**	**1005**	**306**		
8					
9					

データベースをもとにピボットテーブル機能で作成した表。「店舗」と「会員／未会員」の2項目でクロス集計しています。

▶ピボットテーブルを作成する

❶データベースの表の中のセルをどこかクリックする。

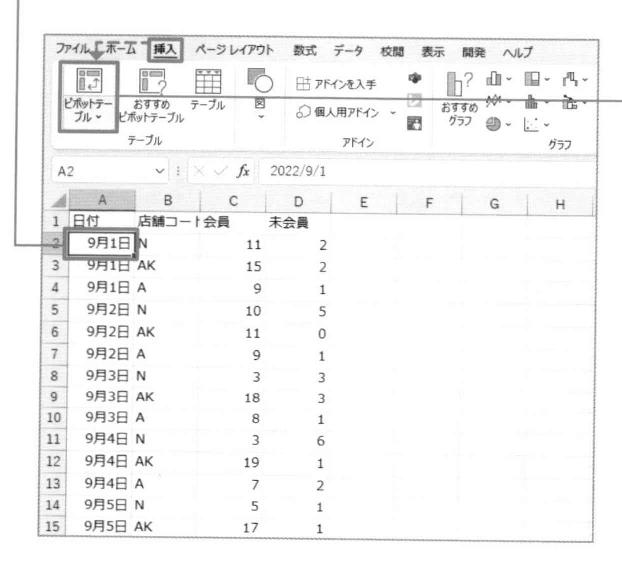

	A	B	C	D
1	日付	店舗コード	会員	未会員
2	9月1日	N	11	2
3	9月1日	AK	15	2
4	9月1日	A	9	1
5	9月2日	N	10	5
6	9月2日	AK	11	0
7	9月2日	A	9	1
8	9月3日	N	3	3
9	9月3日	AK	18	3
10	9月3日	A	8	1
11	9月4日	N	3	6
12	9月4日	AK	19	1
13	9月4日	A	7	2
14	9月5日	N	5	1
15	9月5日	AK	17	1

❷［挿入］タブの［ピボットテーブル］をクリックする。

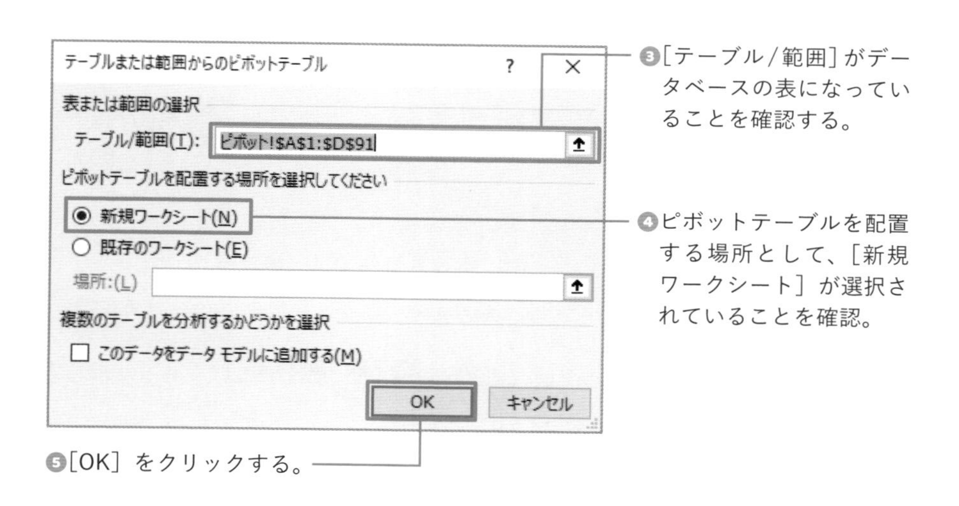

❸［テーブル/範囲］がデータベースの表になっていることを確認する。

❹ピボットテーブルを配置する場所として、［新規ワークシート］が選択されていることを確認。

❺［OK］をクリックする。

❻新しいシート［Sheet1］が追加されて、画面右側に［ピボットテーブルのフィールド］が表示される。空のピボットテーブルが作成された状態。

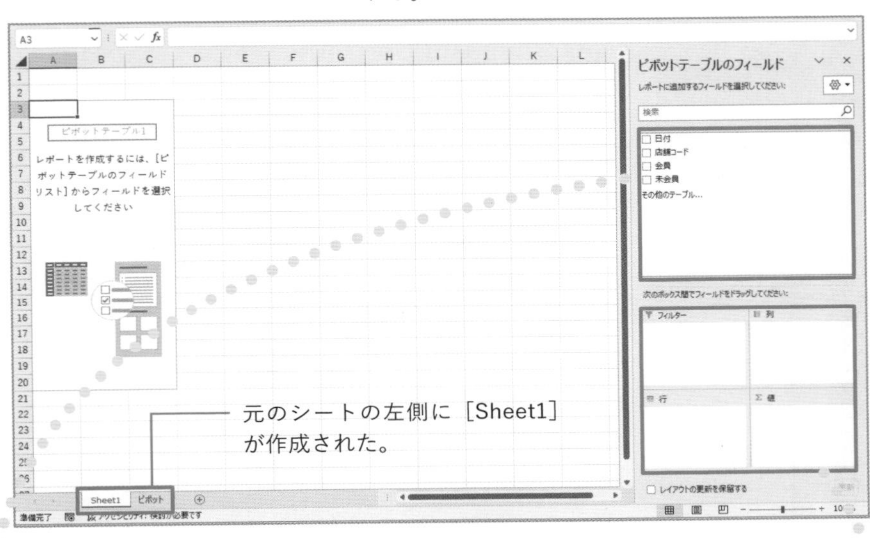

元のシートの左側に［Sheet1］が作成された。

［ピボットテーブルのフィールド］の構造

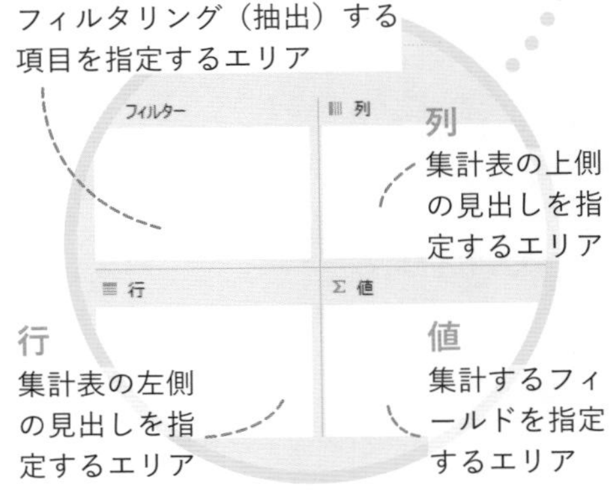

フィルター
フィルタリング（抽出）する項目を指定するエリア

列
集計表の上側の見出しを指定するエリア

行
集計表の左側の見出しを指定するエリア

値
集計するフィールドを指定するエリア

フィールドセクション
データベースの列見出し（フィールド名）が表示されます。

エリアセクション
フィールド名を各エリアに配置することで､集計表の構成が決まります。

次ページに続く

❼集計するフィールドを指定する[値]エリアに、「会員」「未会員」をドラッグ＆ドロップする。自動的に、[列]エリアに［Σ値］が表示される。

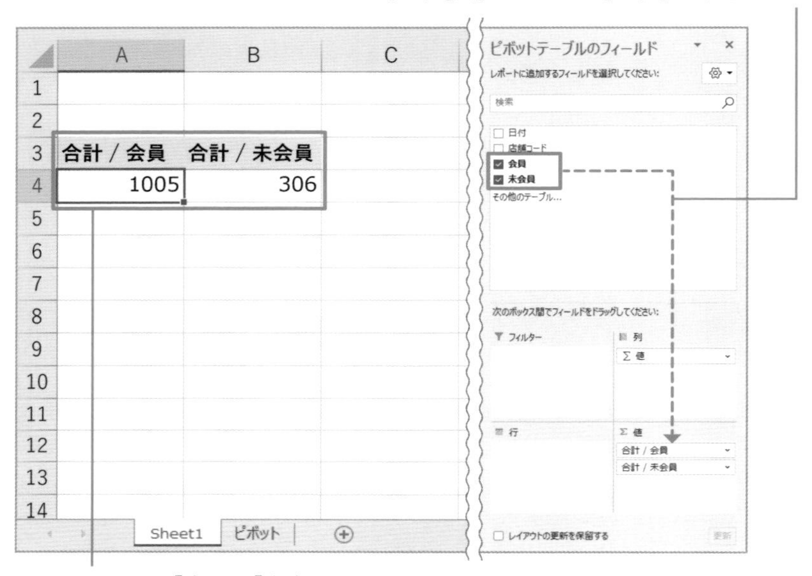

❽シート上に、「会員」「未会員」の合計を示す集計表が作成された。

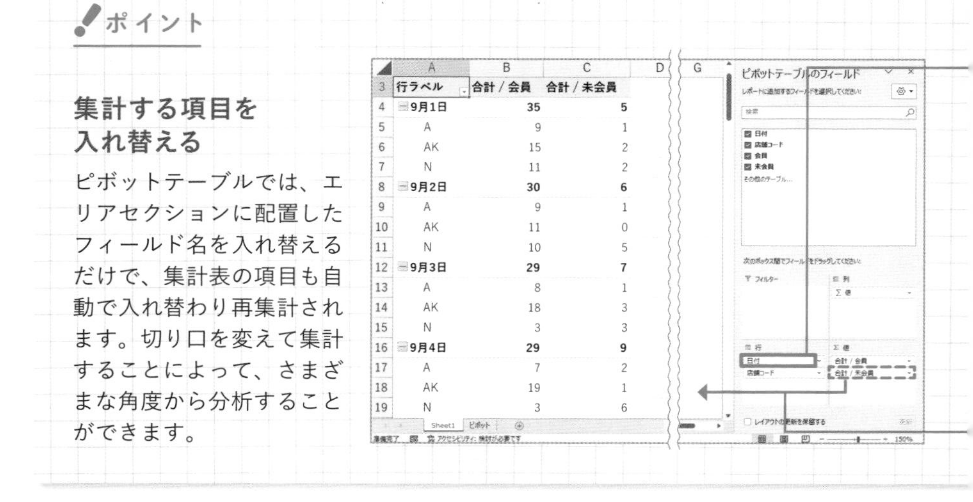

ポイント

集計する項目を入れ替える

ピボットテーブルでは、エリアセクションに配置したフィールド名を入れ替えるだけで、集計表の項目も自動で入れ替わり再集計されます。切り口を変えて集計することによって、さまざまな角度から分析することができます。

❾集計表の左側の見出しを指定する［行］エリアに、「店舗コード」をドラッグ&ドロップする。

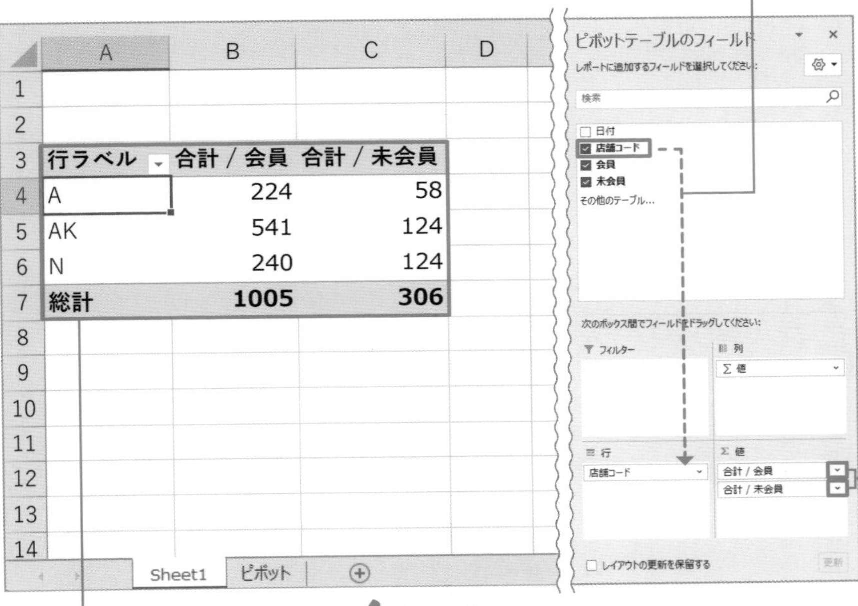

❿集計表の左側に「店舗コード」が追加され、クロス集計表が作成された。

ポイント

ここをクリックして［値フィールドの設定］を選択すると、集計方法を変更できます。

値フィールドの設定
ソース名: 会員
名前の指定(C): 合計 / 会員
集計方法　計算の種類
値フィールドの集計(S)
集計に使用する計算の種類を選択してください
選択したフィールドのデータ
合計
個数
平均
最大
最小
積
表示形式(N)　OK　キャンセル

［合計］のほか、［個数］［平均］［最大］などの集計方法があります。

［行］エリアに「日付」をドラッグ&ドロップすると、左のような日付ごとの集計表となり再集計されます。

フィールド名をエリアセクション外にドラッグ&ドロップすると、指定から外すことができます。

難しい関数を使わなくてもドラッグ&ドロップだけで簡単に作成できた！

さぁ、最後は作成した表をもとに「ピボットグラフ」を作るニャ

ピボットグラフ？　ってことは、ピボットテーブル専用かな。通常のグラフとは違うの？

ピボットテーブルのデータをもとに作るグラフは、ピボットグラフになる。ピボットテーブルと連動しているのが特徴ニャ。通常のグラフとの大きな違いはこんな感じだよ

・ピボットグラフだとできる❶

ピボットテーブルを操作すれば、見せたいグラフを自動で切り替えることができる

・ピボットグラフだとできる❷

グラフに［フィールドボタン］が配置され、並べ替えやフィルタリング（抽出）ができる

へ〜、なるほど。種類別にチーズを集計するときにも役立ちそう！

作り方は通常のグラフと同じ！　さっそくピボットグラフを作って完成させるニャ

▶ ピボットグラフを作成する

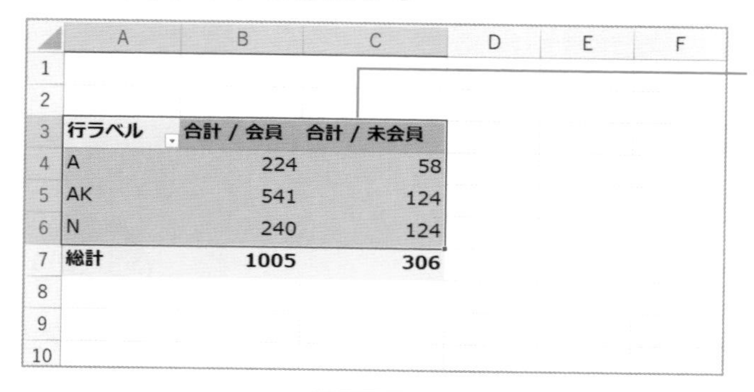

	A	B	C	D	E	F
1						
2						
3	行ラベル	合計 / 会員	合計 / 未会員			
4	A	224	58			
5	AK	541	124			
6	N	240	124			
7	総計	1005	306			
8						
9						
10						

❶ピボットテーブルのセルをクリックする。

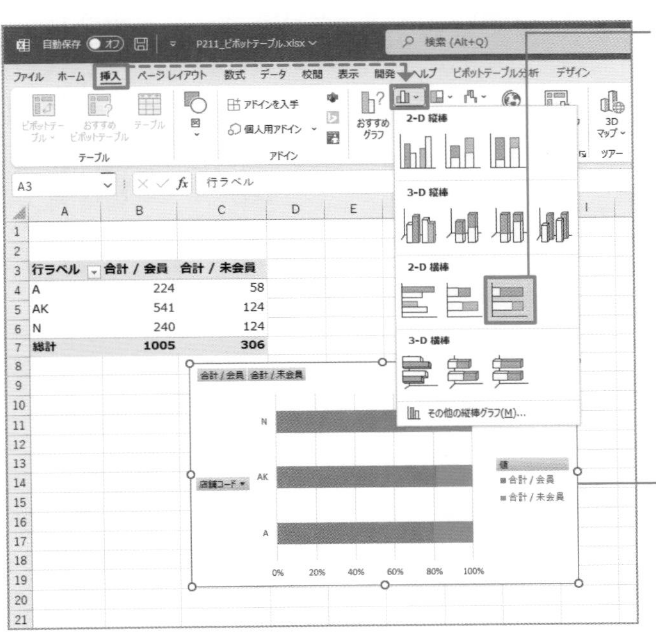

❷［挿入］タブの［縦棒/横棒グラフの挿入］→2-D 横棒の［100%積み上げ横棒］をクリックする。

❸ピボットグラフが作成された。

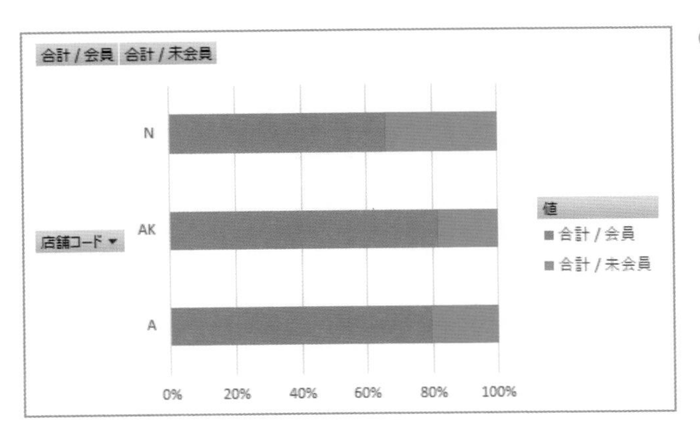

❹グラフの余白部分をクリックし、［ホーム］タブの［フォント］を好みのもの（ここでは「メイリオ」）に変更して完成！

すぐにできたね〜。急いで印刷して、会議に持っていこう！

ピボットグラフを使いこなそう

ピボットグラフでは
グラフに［フィルター］を
かけることができるニャ

グラフエリアに表示される［フィルター］機能を使うと、グラフに表示する項目を並べ替えたり、絞り込んだりすることができます。

▶ グラフに表示する項目を絞り込む

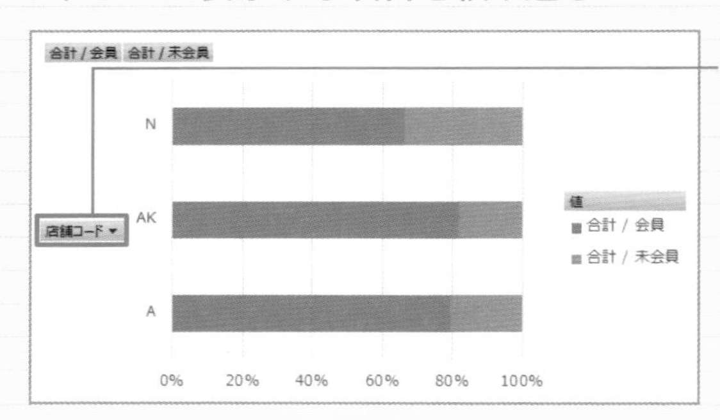

❶フィールドボタン（ここでは「店舗コード」）をクリックする。

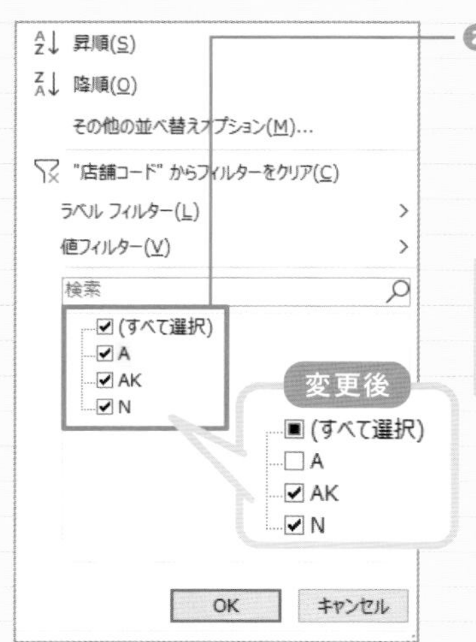

❷開いたウィンドウの店舗コードの「A」のチェックを外して、［OK］をクリックする。

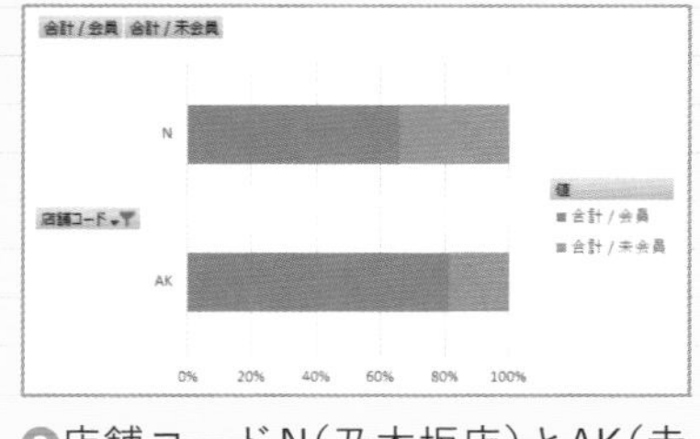

❸店舗コードN（乃木坂店）とAK（赤坂店）のグラフだけが表示された。

大事な情報をチームで共有

Excel先輩の
ひとりごと

たくさん触って動かして、どんどん使いましょう！

自分の手でExcelを操作し、結果を確認していくことこそレベルアップの近道。こうするとどうなる？　と興味をもって使ってみましょう。繰り返し手を動かすことで、体で覚えていきましょう。

チェック1

ひな形はコピーを作成して使う

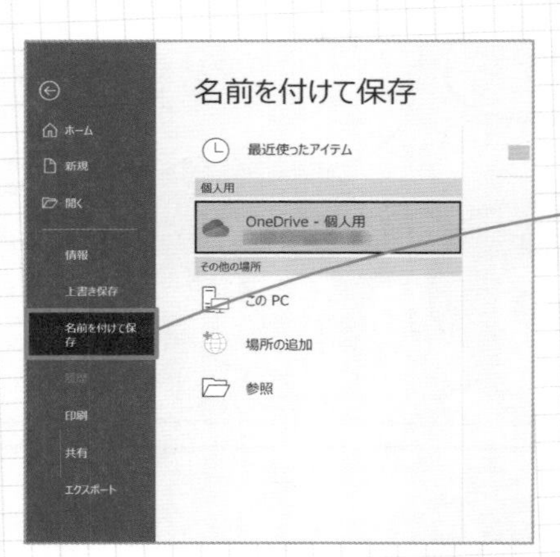

請求書や見積書などは、チームでひな形を共有しているケースが多いと思います。ひな形を使うときは、必ず最初に［名前を付けて保存］して、コピーしたファイルを編集するようにしましょう。上書き保存はNGです。

作成したコピーをいじるぶんには、オリジナルのデータが消える心配はないニャ！

チェック2

リボンを端から端まで見る、クリックする

レッスン1で紹介したように、Excelはリボン内のボタンをクリックすることで、さまざまな操作を実行できる仕組みです。リボンを一通り見て、クリックするとどうなるのか試して確認してみましょう。

Check!
リボン
→ P32-33

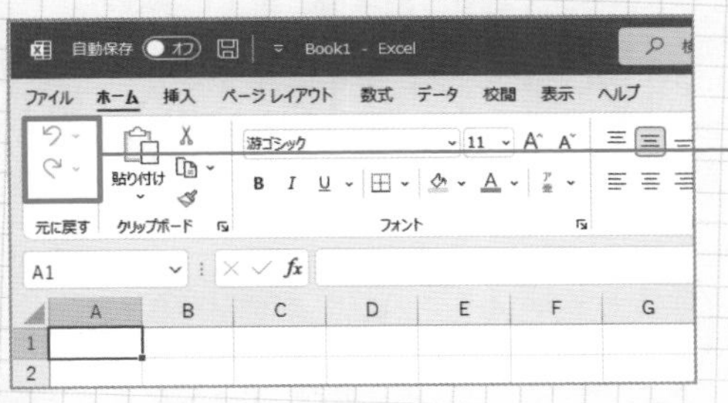

困ったら［元に戻す］ボタンで操作を戻しましょう。

新しい操作方法を使ったときは、身に付くまで繰り返し復習すると忘れにくくなるニャ！

チェック3

Excelのオプション画面を知る

Excelに関するさまざまな設定は、［ファイル］タブ→［オプション］をクリックして表示されるダイアログボックスから変更することができます。自動保存（→ P78）の設定を変更したり、リボンをカスタマイズしたり、多様な設定があるので一度目を通しておきましょう。

本当のゴールはExcelの先に！

操作を反復することで
手順が定着（体で覚える）
考えなくても
サクサク
できる！
まるで自転車に
乗るように〜
カタタタ
タタタタ…
体が
覚えてる〜
人に教えることで、知識の
あいまいさに気づく
これって
どうしたら
いいの〜？
ちょっと
調べてみますね
う〜ん
ウン
ウン
こうして成長
できました！

で、時短になって
余裕ができたので
新商品を試作
してみました！
先輩が新しく契約してくれた
『オルタンス』（Hortense）を使った
ヨーグルト風スイーツです
おお〜
さっ
グランメゾン乃木坂の
オーナーと
試作したんです
Hortense
主力商品
ジョセフィーヌと
同じ製造元ニャ

どうですか？
ドキ
ドキ

おいしい！

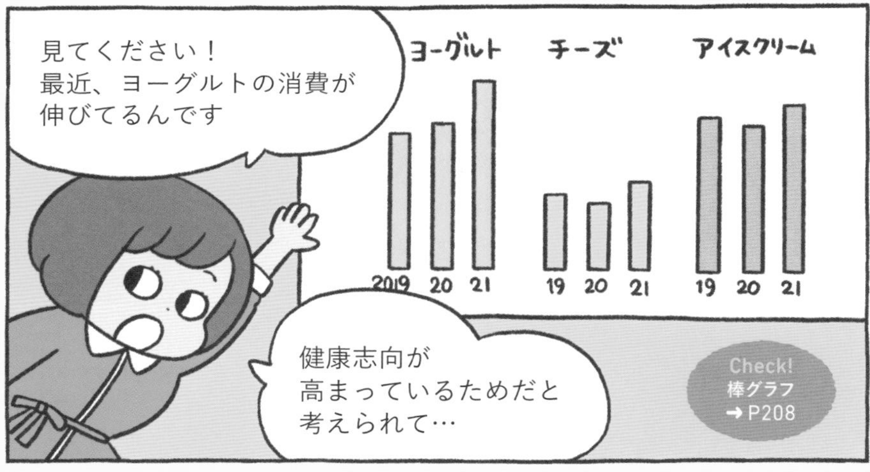
見てください！
最近、ヨーグルトの消費が
伸びてるんです
ヨーグルト
チーズ
アイスクリーム
2019 20 21
19 20 21
19 20 21
健康志向が
高まっているためだと
考えられて…
Check!
棒グラフ
→P208

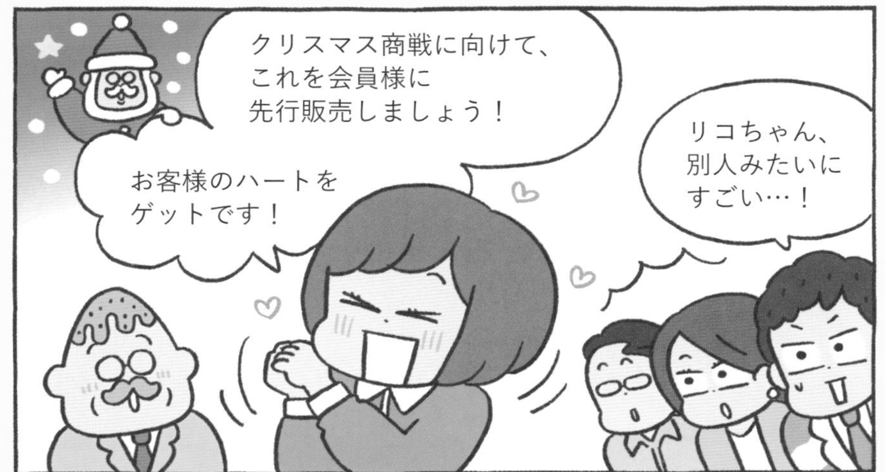
クリスマス商戦に向けて、
これを会員様に
先行販売しましょう！
お客様のハートを
ゲットです！
リコちゃん、
別人みたいに
すごい…！

リコちゃん、Excelが
上達しただけじゃなくて、
働き方まで
変わったみたい
何があったの？

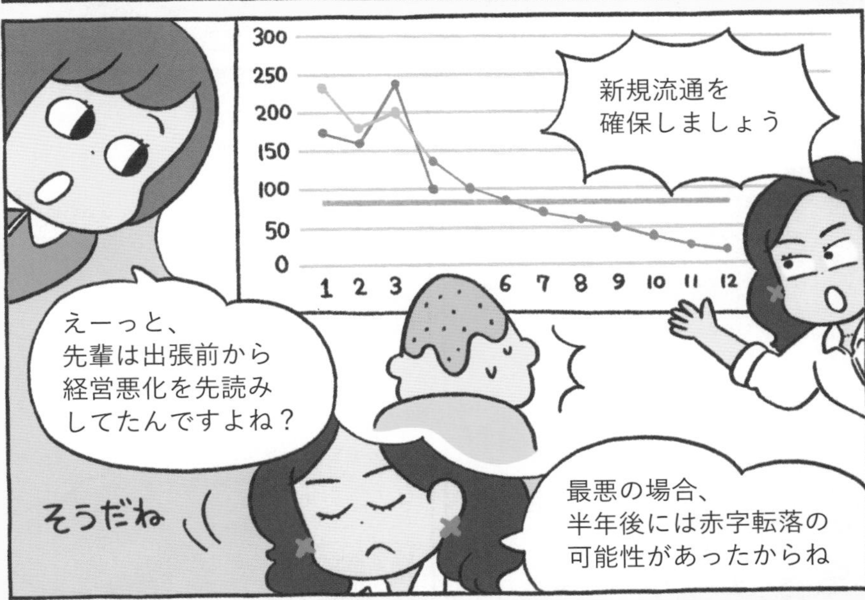
300
250
200
150
100
50
0
1 2 3 6 7 8 9 10 11 12
新規流通を
確保しましょう
えーっと、
先輩は出張前から
経営悪化を先読み
してたんですよね？
そうだね
最悪の場合、
半年後には赤字転落の
可能性があったからね

やっぱりさすがです！
私も先輩みたいに
なりたくて

そっかー
ニヤリ…

エピローグ

それなら、今度は
Excel のデータ分析や
マクロも学んで
いくニャ！
まだまだ
身に付けたいことは
たくさんあるニャ
まだまだ!?

Excelデータ分析
Excelのデータをもとに、
情報の可視化や原因の特定、
将来予測などができる
つまり、こうなる
予測ができます。
ここから判断するなら…

Excelマクロ
Excelの作業を自動化する機能。
作業負担がグッと軽減される
1つ5分の作業
×100件
1日かかる…
マクロ
実行
カチ
すぐ
終わった！

次のステップに
挑戦してみようよ
ハイッ！
がんばります

洋食クロネコの
黒崎さんから
注文が入ってるよ！
えー！本当？
営業再開されたん
ですね！
Search List
Edit
Day Time ID Custom
11月5日 11:27 415 TOSHIO KUROSAKI 3 1
11月4日 14:10 142 KOSUKE ISHIDA 12
11月4日 13:25 158 MIO NAGASAKI 15
11月2日 9:58 674 MIKA SAITO 10
11月1日 17:54 58 TARO WATANABE 18
グラタンの
店…！

みんなで会いに
行きましょう！
ちょうど
ランチの時間だし
グラタン♡
私も〜

クロネコ
みなさん
ありがとう
ございます
お元気そうで
うれしいです！
おひさしぶりです

おわりに

料理上手な人ほど、キッチンが整理されていて、調理中も調理後もすぐにきれいに片付けます。Excel も同じです。

本書に登場する Excel 先輩のような Excel 上手な人になるために、いくつかポイントをお伝えします。

まず、どんなときも基本をおろそかにしないこと。時間に追われて焦っていても、セル A1 に戻って保存する（→ P51）など、次にファイルを開いたときにスムーズに進められるよう習慣づけてください。

閑散期などを利用して、シートを定期的に見直すことも大切です。表の変更で乱れた書式がないか、数式の追加や削除で数式の間違いが起きていないか、確認しましょう。

それから、「明日の自分は他人」のようなもの。複雑な数式を作成すると、作った本人ですら忘れることがあります。数式の情報共有は忘れずに行いましょう。

チームを組んで働くとき、どうしてもチーム内に Excel スキルの差が発生します。その一番の問題が次の２つです。

◎ Excel ができる人に仕事が集中する
◎ Excel のできる人が抱え込んでしまう

Excel が苦手な人は、「できない」を理由に、できる人に仕事をまかせきりにしないでください。そして、Excel ができる人は「できる」を理由に、自分だけのファイルにしないでください。「できない」人は勉強してチャレンジする、「できる」人はみんなを頼る、そうやってチームみんなで Excel ファイルを動かすことができると、作業効率がよくなり、リコちゃんのようにわくわくしながら仕事に取り組めます。

Excel を使う時間を減らして、仕事を楽しみましょう！

最後に、私の Excel 基礎講座で培った集大成を、漫画という形で構成してくださったオフィス 201 の高野恵子さん、素敵な漫画を描いてくださった松本麻希さん、そしてこの企画を与えてくださったナツメ出版企画の遠藤やよいさんに、深く感謝申し上げます。

榊 裕次郎

Excelキーワードさくいん

記号

アルファベット

あ

い

え

お

か

き

く

け

こ

さ

し

す

せ

そ

た

ち

つ

て

と

な

は

ひ

ふ

へ

ほ

ま

め

も

よ

り

る

れ

ろ

わ

イラスト・漫画

松本麻希

楽しくわかりやすいイラスト&マンガを手掛けるイラストレーター。
『世界一やさしい！栄養素図鑑』（新星出版社）、『学校では教えてくれない大切なこと（18）（19）』（旺文社）ほか、実用書や児童書を中心に様々な媒体で活動中。
http://makimaki.pupu.jp

編集協力	オフィス201、高野恵子
カバー・本文デザイン	伊藤 悠
校正	渡邉郁夫
編集担当	遠藤やよい（ナツメ出版企画）

著者

榊 裕次郎（さかき ゆうじろう）

職業訓練校の Microsoft Office 講師からキャリアをスタート。10 年以上にわたって大学・省庁・企業における Excel の指導・教育に従事し、2012 年よりフリーの講師として独立。
Excel 以外にも、Google Apps Script や Python、RPA を活用した業務最適化にも対応、データサイエンティストとして活動をしている。著書に『スピードマスター 1 時間でわかるエクセルの操作 仕事の現場はこれで充分！』（技術評論社）、『時短しながらミス撲滅 Excel 無敵のルール』（インプレス）など。1981 年生まれ、東京都出身。趣味は、旅行と料理とワイン。

榊裕次郎の公式サイトー Transparently
https://www.transparently.jp

本書に関するお問い合わせは、書名・発行日・該当ページを明記の上、下記のいずれかの方法にてお送りください。電話でのお問い合わせはお受けしておりません。
・ナツメ社 web サイトの問い合わせフォーム
https://www.natsume.co.jp/contact
・FAX（03-3291-1305）
・郵送（下記、ナツメ出版企画株式会社宛て）
なお、回答までに日にちをいただく場合があります。正誤のお問い合わせ以外の書籍内容に関する解説・個別の相談は行っておりません。あらかじめご了承ください。

自己流で何とかならなくなったので、Excelをイチから教えてください！

2023 年 4 月 6 日　初版発行

著　者　榊 裕次郎
発行者　田村正隆

発行所　株式会社ナツメ社
東京都千代田区神田神保町 1-52　ナツメ社ビル 1F（〒101-0051）
電話　03（3291）1257（代表）　FAX　03（3291）5761
振替　00130-1-58661
制　作　ナツメ出版企画株式会社
東京都千代田区神田神保町 1-52　ナツメ社ビル 3F（〒101-0051）
電話　03（3295）3921（代表）
印刷所　ラン印刷社

ISBN978-4-8163-7351-0　Printed in Japan

〈定価はカバーに表示してあります〉
〈落丁・乱丁本はお取り替えいたします〉